예수님의 눈으로
2

예수님의 눈으로

앨런 에임스의 영적 기록

2

† 앨런 에임스 지음 • 원아영 옮김

가톨릭
크리스챤

1966년 10월 14일에
교황 바오로 6세께서 승인하신
전교회칙 A. A. S. 58, 1186에 의하면,
교회의 가르침에 상반되지 않고 윤리에 어긋나지 않는 한,
개인적 발현에 의한 메시지를
책으로 출판할 수 있다고 규정하고 있다.
앨런 에임스와 출판사는
이 책의 내용에 대한 교황청의 최종 판결을
기꺼이 받아들이고
그에 순명할 것이다.

Through the Eyes of Jesus 2
by C.Alan Ames
ⓒ C.Alan Ames 1996
ⓒ Catholic Christian Publishing Co. 1200 Seoul Korea

추천의 말

오스트레일리아 퍼르스 교구 히키 대주교(1995. 7. 13)

나는 앨런 에임스를 잘 알고 있으며, 그 동안 우리 교구의 여러 곳에서 자기 회개의 경험에 대해 강연해 왔다는 사실을 분명하게 증언합니다. 앨런 에임스가 하는 말이나 그가 쓴 글은 교회의 가르침에 어긋남이 없으며 단순하고 건전합니다.

나는 우리 교구의 디킨슨 신부를 그의 영적 지도자로 지명합니다.

오스트레일리아 아미데일 교구 케네디 대주교(1997. 5. 1)

나는 『앨런 에임스가 받은 메시지』와 『예수님의 눈으로』를 처음부터 끝까지 대단히 감명 깊게 읽었다…. 그의 책 속에 펼쳐지는 이야기와 정경들을 읽어 가노라면 많은 것을 묵상하게 되고, 기도하고 싶은 마음과 새로운 삶을 시작하고 싶은 마음이 간절해진다….

주님께서는 제자들과 생활하실 때의 정경을 앨런 에임스에게 보여 주시며, 우리가 어떻게 살아 가야 하며 어떻게 사랑해야 하는지를 가르쳐 주신다…. 그의 글에서는 가톨릭 교회가 가르치는 신앙과 도덕에 어긋나는 점을 발견할 수 없었다….

그의 철저한 신앙생활을 보았거나, 그의 글을 읽은 많은 사람들이 참된 신앙생활을 시작하였고, 심지어는 타종교인들이 가톨릭으로 개종하기도 하였다….

그의 영적 지도자이신 퍼르스 교구의 히키 대주교님께서 강력히 추천하시듯이, 나도 이 책을 신자들에게 적극적으로 추천한다. 또한 그의 강연을 들을 기회가 있으면 많은 사람들이 들어 보기를 바라며, 그가 쓴 이 책도 깊이 묵상하며 읽기를 바란다.

오스트레일리아 퍼르스 교구 성모 마리아 성당 디킨슨 신부

(1996년 성모 몽소승천 축일에)

1994년도에, 오스트레일리아 퍼르스 교구 히키 대주교님께서 나를 에임스씨의 영적 지도신부로 임명하셨다.

그후 지금까지 에임스씨의 영적 지도자이며 그의 고해신부로서 그를 가까이 접촉하고 관찰해 왔다. 그는 언제나 주님과 항상 밀접한 관계를 유지하고 있으며, 때로는 악마의 맹렬한 공격을 받기도 한다….

거룩하신 천주 성삼과 성모 마리아와 천사들과 성인성녀들이 그를 도구로 쓰신다는 것은 의심할 여지가 없다. 그의 겸손함과, 특히 교회의 지도자들에 대한 사랑과 순명의 덕을 지닌 그를 보면, 그가 하느님의 참된 종이라는 것을 분명히 알 수 있다. 신학이나 성서학을 배운 적이 없음에도 불구하고, 그가 쓴 글 속에는 순수한 가톨릭의 정통 가르침이 담겨 있음을 볼 수

있다. 성체와 성모님과 교황에 대한 그의 깊은 사랑은, 그가 참된 신앙인임을 증명해 준다.

하느님께서 왜 나를 그의 지도자로 선택하셨는지는 알 수 없으나, 그와 가까이 지낼 수 있는 은총을 주신 주님께 감사드린다.

주님을 받아들이며 주님께 가까이 가고 싶은 모든 사람들에게 이 책을 권한다.

성 로사리오 성당 드그랜디스 신부

나는 이 책을 읽고 나서 너무나 감동하여 브라질 출판사에 의뢰하여 이 책을 포르투갈어로 출판하기로 했다.

브라질 사람들이 이 책을 읽고 내가 이 책에서 얻은 것을 그들도 얻을 수 있기를 바란다.

조지타운 대학교, 예수회 먹솔리 신부

이 책은 예수님께서 제자들과 함께 예루살렘을 향해 가시면서 일어난 이야기들이 연속으로 실려 있다. 그분들이 매일 무엇을 드셨고, 어디서 주무셨으며, 무슨 이야기를 하셨는지를 자세히 알려 준다. 예수님께서는 만나는 사람들의 마음과 생각을 읽으셨고 그들의 영혼을 들여다 보셨다. 사람들의 장래를 내다 보시며 말씀하실 때나 제자들의 질문에 대답하실 때 당신의 신성(神性)을 보여 주셨다.

길을 가면서 제자들은 예수님과 함께 지내는 것이 행복하다고 자주 말했다. 예수님께서도 제자들을 사랑하시고 있으며,

그들과 함께 지내는 것이 행복하다고 항상 말하셨다. 그리고 함께 있다는 기쁨을 노래하며, 예수님과 제자들은 자주 시편을 읊었다.

독자들이 이 책을 읽어가다 보면 예수님과 함께 있으면 왜 행복해지는지를 알 수 있게 될 것이다. 제자들은 예수님께서 미래를 내다보시고, 그들의 마음과 다른 사람들의 마음을 읽으시는 것을 보았다. 그리고 제자들은 예수님의 말씀을 듣고 예수님의 표양을 봄으로써, 사랑의 계명을 어떻게 지키며 살아 가아야 하는지를 배웠다. 서로 사랑하고, 만나는 사람마다 사랑하며, 그들을 못살게 구는 로마 군인들조차도 사랑하라고 예수님께서 명하고 계신다는 것을 제자들은 배웠다….

로마 군인들이 감춰두고 겉으로 나타내 보이지는 않았지만, 그들의 가슴 깊은 곳에는 사랑을 간직하고 있다고 예수님께서 말씀하시는 것을 제자들은 들었다. 한 로마 군인이 처음으로 사람을 죽이라는 명령을 받았을 때, 살인하기를 거부했던 사실을 예수님께서 들추어 내 보이셨다.

이 책을 읽고 있으면 예수님께서 어떻게 느끼시고 무엇을 생각하셨는지를 알게 된다. 예수님의 기쁨과 슬픔 그리고 천주 성부와의 일치가 하느님 당신의 지혜와 인간의 지식에 비추어 나타났던 것이다.

이 책에 적힌 예수님의 자세한 생활과 사건들이 사실일까? 예수님의 생활에 대해 복음과 교회의 가르침과 교회전통을 통해 내가 배워 온 것을 비추어 볼 때, 나는 이 책에 있는 그 모든 이야기가 "사실"이라고 대답할 수 있다….

예수님을 좀더 진지하게 잘 알고 싶고, 예수님을 열정적으로 사랑하고 싶고, 예수님을 좀더 가까이 따르고 싶은 모든 사람들에게 이 책을 추천한다.

미국 101 재단 로잘리 터톤 박사

"만약 예수님께서 하신 일들을 낱낱이 다 기록하자면, 기록된 책들은 이 세상을 가득히 채우고도 남을 것으로 생각된다!"(요한 21, 25)라고 성서에 적혀 있다.

현세대에 들어와서는 성녀 에머리츠, 스웨덴의 성녀 브리짓다, 바이즈 원장수녀, 루이스 피카레타, 성녀 애그레다 등등이 우리에게 예수님의 생애와 성인들의 생애를 보여 주었다. 그리고 또다시 예수님께서는 앨런 에임스를 통하여 당신의 생애를 보여 주시고 가르쳐 주시니 우리는 참으로 축복 받은 시대에 살고 있다 하겠다.

때가 되면 교회가 이 발현의 신빙성에 대해 판결을 내릴 것이다. 이 일에 대한 교회의 인가여부를 우리가 미리 결론 내려서는 안 된다. 다만 지금 이 책이 좋은 영적 서적으로서 우리의 마음과 생각을 하느님께로 끌어올려 주고, 거룩하게 사는 길을 밝혀 주고 있다는 사실이다.

우리가 무엇을 하는 사람이든지 간에 이 세상을 사는 동안 우리의 진정한 의무는, 나날이 점점 더 거룩한 생활을 하면서, 하느님의 도구가 되어 우리 자신을 구원하고, 다른 사람의 구원을 도와 주는 것이다.

그것을 목적으로 이 책을 발간하며, 독자들의 영신생활에 이 책이 도움이 되기를 바란다.

1994년 2월부터 우리 주 하느님 예수 그리스도께서 환시로 나타나시어 나에게 말씀하십니다. 처음에는 아무것도 기록하지 않았는데, 그 후 하느님께서 내가 경험하고 있는 것을 기록으로 남기라고 하셨습니다. 1996년 2월 6일부터는 예수님께서 이 세상에 살아 계시던 당시의 일들을 나에게 보여 주기 시작하셨습니다.

예수님께서 제자들을 데리고 이스라엘의 곳곳을 다니실 때 일어난 일들을 나는 예수님의 눈으로 보기 시작했는데, 그것을 보는 동안, 예수님께서 그 당시 무엇을 느끼고 계셨는지를 감지할 수 있는 은총을 받게 되었습니다.

하느님의 사랑이 전개되는 정경들을 눈 앞에 보고 들을 때, 나는 슬픔이나 기쁨에 압도되어 눈물을 흘리곤 합니다. 그때 그때의 사건마다 교훈이 들어 있고, 깊이 묵상할 진리가 있는데, 주님께서는 그것을 보여 주심으로써 우리가 어떻게 살아가야 하며 어떻게 사랑해야 하는지를 가르쳐 주십니다.

유다를 보고 있으려면, 우리 자신의 온갖 미약함을 비춰볼 수 있습니다. 항상 우리와 함께 계시면서 우리를 도와 주고자 하시는 하느님을 무시하고 잊어버릴 때, 우리가 얼마나 쉽게 하느님으로부터 멀어지게 되는지를 알 수 있습니다. 또한 유다를 보면 우리 주 예수님께서 우리를 너무나 사랑하시기 때문에, 우리가 어떠한 잘못을 저질렀다 하더라도 주님께서는 모두 용서해 주신다는 것을 알 수 있습니다. 우리가 해야 할 일은 오직, 예수님의 사랑을 받아들이고 그때마다 예수님께 용서를 비는 것입니다.

그 당시 사람들이 당하던 가지가지의 유혹, 악한 감정, 문젯거리, 욕망들은 요즈음 사람들이 당면하고 있는 것과 똑같은 것들이었습니다. 주님께서 내게 이 점을 관찰하게 하신 이유 중의 하나는, 우리가 자신을 극복해 갈 수 있다는 것을 보여 주시기 위해서였을 것입니다.

우리가 간청하면 절대로 거절하지 않으시는 하느님께 우리는 도움을 청해야 합니다. "구하라, 얻을 것이요"라는 말씀과 함께 우리가 걸어가야 할 길을 보여 주십니다.

—— 환시와 말씀은 계속되고 있습니다.

1996년 7월 27일

앨런 에임스

예수님 ††† 1996년 8월 5일

　　다시 날이 저물었고, 우리는 쉴 자리를 찾아서 불을 피웠다. 나는 바위에 앉아 제자들이 밤을 지내기 위한 장소를 준비하고 있는 것을 바라보았다. 유다는 바람을 막아 주고 기댈 수 있는 큰 나무 곁에 편안한 자리를 차지했다. 야고보와 요한은 서로 도우면서 가능한 한 편히 잘 수 있도록 자리를 만들고 있었다. 베드로는 자기 담요 위에 그냥 앉아 있었는데, 편히 잠자는 것은 별 관심이 없는 듯, 짐을 내려놓고 앉아서 모닥불을 들여다보고 있었다. 바르톨로메오, 마태오, 시몬, 안드레아, 타대오는 불이 꺼지지 않고 계속해서 타오를 수 있을 만큼 나무를 모으고 있었다.

　　다른 제자들은 식사를 준비하기 시작했다. 아무도 말을 하는 사람이 없어, 불꽃 튀기는 소리와 일하느라고 움직이는 소리만이 정적을 깨고 있었다. 나는 눈을 감고, 어떻게 이 사람들이 내 사랑 안에서 한 가족으로 모이게 되었는지를 생각하면서, 앞으로 한 가족이 될, 수없이 많은 사람들을 눈 앞에 보았다. 이 제자들 각자가 서로 다른 점을 가지고 있듯이 그 모든 사람들도 서로 다른 점들을 갖고 있지만, 하느님 안에서 형제 자매가 되어 하나로 일치하는 것을 보았다.

　　그리고 그 모든 사람들이 결함을 갖고 있으면서도, 내 제자들을 돌이켜 생각해 보면서, 내 사랑 안에서 나를 믿고 나에게 의탁함으로써 그들의 결함을 극복해 가는 것을 보았다. 그리고 유다처럼 자신의 교만을 극복하기 어렵고, 이기심과 탐욕을 극복하기 어려운 사람들도 보았다. 나는 아버지께 기도했다. 장차 내가 악을 쳐부수고 승리할 때, 유다 같은 사람들이 마음을 열고, 자비로우신 하느님께 용서를 빌게 해 달라고 기도했다.

"주님, 식사준비가 다 되었습니다. 기도하십시다."

유다가 부르는 소리에 나는 깊은 생각에서 깨어났다. 나는 유다에게 미소를 지었다. 평소에는 하느님께 대한 유다의 사랑이 그의 교만에 덮여 잘 나타나지 않았지만, 마음 깊은 곳에서는 유다도 하느님을 사랑하고 있다는 것을 알고 있었다.

"그래, 유다야. 수고 많았다."

나의 대답을 듣고 유다는 기분이 우쭐해져서 미소를 지었다. 우리는 모두 아버지께 기도를 하고 식사를 나누었다.

다른 제자들은 이스라엘을 점령하고 있는 로마군에 대해 열심히 토론하고 있었는데, 베드로는 식사도 하는 둥 마는 둥 하고는 떨어져 앉아 침묵을 지키고 있었다. 나는 베드로 곁에 가서 앉으며, 그가 어떤 대답을 할 것인지 알면서도 물었다.

"무슨 일이냐, 베드로? 걱정되는 일이라도 있느냐?"

"주님, 저희가 주님과 함께 있을 날이 언젠가는 끝나리라는 것에 대해 생각하고 있었습니다. 언제까지 항상 주님과 함께 있으면 좋겠습니다만, 그럴 수 없다는 것을 저는 알고 있습니다. 그리고 언젠가는 주님께서 저희들을 떠나실 것도 알고 있습니다. 주님께서 떠나시고 안 계시면 저희들은 어떻게 살아가야 합니까? 주님께서 가 버리시면 저희들은 하루하루를 어떻게 지내야 합니까?" 심각한 표정으로 베드로가 말했다.

"베드로, 내가 항상 너와 함께 있다는 것을 모르느냐? 네가 나를 볼 수 없을 때라도, 내가 너와 함께 있다는 것을 알아라. 사랑하는 너를 절대로 혼자 내버려 두지 않을 것이다. 그러니 걱정하지 말아라. 내가 항상 네 곁에 있을 것을 약속하마. 항상 너를 사랑할 것이고, 결코 너를 저 버리지 않을 것이다. 내가 아버지께로 돌아갈 때가 되면, 나의 성령이 네게 넘치게 될 것이고, 그러면 너는 '나로다'(I am)의 뜻을 알게 될 것이다. 너는 모든 것을 알게 될 것이고, 그리고 행복할 것이며, 내 사랑 속에서 완전해질 것이다. 베드로, 나에게 의탁하고 나를 믿어라. 우리는 결코 헤어지지 않는다는 것을 알아라." 나는 베드로를 껴안아 주며 말했다.

베드로는 나를 쳐다보며 힘없이 미소지었다. "알고 있습니다, 주님. 그래도 가끔 걱정이 됩니다."

"베드로, 머지않아 모든 것을 다 알게 될 것이고, 의혹이 사라질 것이다. 그때까지, 우리가 함께 있는 이 시간을 즐겁게 지내자." 하면서 베드로의 어깨를 다독거렸다.

바로 그때 유다가 와서 말했다. "기분 좀 내라고, 베드로. 아주 슬퍼 보이잖아. 먹을 것도 있고, 따뜻한 불도 있고, 편한 잠자리도 있고, 친구들도 있는데 더 이상 뭘 바라나?"

베드로는 유다를 슬프게 쳐다보며 말했다.

"글쎄 말일세."

✝ ✝ ✝

예
예수님
님

예수님 ††† 1996년 8월 10일

내가 제자들을 보고 말했다. "너희들에게 이야기를 하나 들려 주겠다." 내 말을 기다리면서 제자들은 모두 조용히 나를 쳐다보았다.

"어느 날 한 남자가 예루살렘에 있는 성전으로 갔다. 성전 안에 들어갔을 때 그는 자기가 못 올 자리에 온 것만같이 느껴졌다. 살아 오면서 얼마나 많은 잘못을 저질렀으며, 하느님의 계명을 얼마나 많이 거역했었는지 모두 생각이 났던 것이다. 성전 뒷쪽에 앉아서 그는, 하느님께서 과연 자기를 용서해 주실는지, 그리고 하느님의 참된 아들이 될 수 있도록 자기를 도와 주실는지에 대해 생각했다.

'아냐, 하느님께서 이렇게 나쁜 놈을 사랑하실 리가 없어. 나도, 저기 성전 앞쪽에서 기도하고 있는 저 사람들과 같았으면 얼마나 좋을까. 하느님께서는 저 사람들을 나 같은 놈보다 더 사랑하실 거야.' 하고 그는 생각했다. 성전 앞에는 많은 사람들이 기도하고 있었고, 자기들끼리 성서에 대해 토론을 하기도 했는데, 그 사람들이 참으로 거룩해 보였던 것이다.

그 사람은 일어나서 성전을 나갔다. 성전 밖에서 그는 굶주려 바싹 마른 거지 한 명을 만났다. 그 거지가 구걸을 하자, '불쌍한 사람, 고생하고 있군. 도와 줘야지.' 하며 주머니의 돈을 모두 꺼내어 거지에게 주었다. 거지는 그 돈이 그가 가지고 있던 돈의 전부인 것을 알고는, '하지만 선생님은 한 푼도 없지 않습니까?' 하자, '그건 그래요. 하지만 그 돈은 나보다도 당신한테 더 필요할 거요. 나는 그 돈이 없어도 한 동안 지낼 수가 있으니까, 가지고 가서 먹을 것을 좀 사도록 해요.' 하고 그는 대답했다.

'좋으신 양반, 그러면 제가 먹을 것을 살 테니까 같이 나눠 먹읍시다.' 거지가 말했다.

'그렇게 하면 좋겠군요.' 하고 그는 거지와 함께 먹을 것을 사러갔다. 시장으로 가는 도중에, 낡아서 찢어진 옷을 입은 한 거지가 추위에 떨고 있는 것을 보았다. '가련한 사람, 몹시도 춥겠군.' 하고 생각하면서 그는 자기 코트를 쳐다보았다. '난 이 코트가 필요 없어. 집에 또 하나 더 있거든.' 하면서 그는 코트를 벗어 그 거지에게 주었고, 거지는 코트를 받으며 고마워서 어쩔 줄을 몰라 했다.

그런데 코트를 벗어 주고 추워서 떠는 그를 보고 거지가 말했다. '이젠 선생님이 추위를 당하셔야 하니 이 코트를 받을 수가 없습니다.'

그는 웃으며 말했다. '괜찮아요. 난 집에 코트가 또 하나 있거든요.'

'하지만 지금 당장은 추우십니다.' 받은 코트를 들고 있던 거지가 말했다.

돈을 받았던 첫 거지가 코트를 받은 거지에게 말했다. '선생님이 저에게 돈을 주셔서 같이 먹을 것을 사러 가는 중이오. 같이 갑시다. 저희가 함께 가까이서 걸어가면 선생님을 따뜻하게 해드릴 수가 있어요.' 그 세 사람은 팔짱을 끼고 걸었다. 새로 생긴 두 거지 친구 사이에 끼여 그는 춥지 않게 걸어갔다.

셋이서 가고 있는데, 이번에는 신발도 없이 맨발에 살이 갈라져 피가 흐르는 거지를 만나게 되었다. '불쌍한 사람, 얼마나 발이 아플까.' 하고 생각한 그는 자기 신발을 벗어서 거지에게 주며 말했다. '발이 더 상하지 않게 이 신발을 신어요.'

발을 다친 그 거지는 신발을 받아 신고 좋아하다가, 그가 맨발인 것을 보고 말했다. '선생님은 맨발이 되셨네요. 돌멩이에 다치실 텐데요.'

'괜찮아요. 집에 가서 발을 씻고 다른 신발을 신으면 돼요.' 그가 말했다. 첫 번째 거지가, 자기가 받은 돈에 대해 설명을 하면서, 세 번째 거지도 같이 가서 음식을 먹자고 말했다. 모두 팔짱을 끼고 네 사람은 음식을 사러 갔다. 세 거지들은 그를 땅에서 약간 들어올려 그의 발이 다치지 않도록 했다.

네 사람이 걸어갈 때, 성전 앞쪽에서 기도하던 남자들이 마주 걸어오고 있었다. 그 남자들은 마주 걸어오는 네 사람을 피하려고 길을 건너갔다. 한 남자가 화난 소리로 말했다. '요즘에 웬 거지들이 이렇게 많은지, 원. 동네를 다 망쳐 놓는다니까.'

또 다른 남자가 말했다. '그러게 말야. 성전 문지기들은 몽둥이로 왜 저런 거지들을 쫓아 버리지 않는 거야.'

거지들 사이에 끼여 가던 그가 앞으로 나서며 항의했다. '이 거지들은 누구에게도 해를 끼친 일이 없습니다. 우리가 조금만 동정을 베풀어 주면 될 사람들입니다.'

그 남자들은 모두 웃어댔다. 그러다가 그 중 한 남자가 빈정대며 말했다. '저것 좀 봐. 거지가 거지를 변호하는군.' 그러자 거기 있던 남자들이 모두 그 네 사람을 향하여 돌을 던지며 소리쳤다. '꺼져라, 이 버러지 같은 놈들!'

돌이 날아오자 그는 팔로 얼굴을 가렸다. 그러나 돌 하나가 머리에 맞아, 피를 흘리며 땅에 쓰러졌다. 세 거지들은 그가 돌을 맞지 않도록 자기 몸으로 돌을 막으며 그를 둘러쌌다. 한 남자는 끝까지 돌을 던지며 소리질렀다. '버러지 같은 거지들, 인간 찌꺼기들, 우리 동네에서 꺼져라!'

세 거지들은 그를 안고, 돌이 날아오고 욕지거리가 들려오는 그 곳을 떠났다. 그들은 그가 혼자 살고 있던 집으로 데리고 가서, 침대 위에 눕히고 상처를 씻어 주었다. 얼마 후 그가 눈을 어렴풋이 뜨며 말했다. '친구들, 이제 죽을 때가 된 것 같아요. 난 그걸 알 수 있어요.'

'아닙니다, 아닙니다. 이제 괜찮아지실 겁니다.' 거지들은 그가 죽는다는 사실을 믿지 않으려고 하였다.

'친구들, 내 명이 다 된 것을 느낄 수 있어요. 그러나 여러 친구들한테 둘러싸여서 죽게 되니 오히려 난 행복해요. 그리고 아까 그 남자들이 나를 당신들과 똑같은 사람으로 취급한 것이 정말 기뻐요.' 그가 흐뭇한 듯이 말했다.

'선생님은 돌아가시지 않을 겁니다.' 첫 번째 거지가 말했다. '같이 식사하자시던 것은 어떻게 합니까? 약속하시지 않았습니까?

'그것은 내가 지키지 못할 약속이 되어 버렸어요. 그러나 그 대신 한 가지 부탁이 있는데 꼭 들어 주세요.' 그는 힘없이 말했다.

'말씀하십시오. 무엇이든지 하겠습니다.' 셋이서 동시에 대답했다.

'나를 위해 기도를 해 주세요. 내가 하느님을 거역했던 일과, 하느님의 계명을 어겼던 일들을 나는 잘 알고 있어요. 내 죄를 참회하고 보속할 시간이 좀 있었으면 좋으련만…' 하고 말하는 그의 눈빛이 점점 힘을 잃어 갔다.

'기도해 드리겠습니다. 저희는 선생님을 위해 항상 기도 하겠습니다. 선생님은 저희들에게 친절을 베풀어 주신 참으로 좋은 분이십니다.'

'그건 아무것도 아니었어요. 당연한 일을 한 것뿐이었어 요. 오! 하느님, 당신을 사랑하오니 저의 죄를 용서해 주십시 오.' 하면서 그는 머리를 떨구고 숨을 거두었다."

"내가 너희들에게 말하고 싶은 것은, 불쌍한 사람을 도와 주는 것은 하느님을 도와 드리는 것과 같다는 것이다. 그러므로 너희가 궁핍한 사람을 도와 줄 때, 그것은 하느님께 드리는 사 랑의 선물이 되는 것이다. 불쌍한 사람에게 사랑과 우정을 나누 어 주는 사람은, 그 사랑과 우정을 하느님께 드리는 것이 되며, 그가 지닌 그 사랑은 바로 하느님께서 그에게 주신 것이기 때 문이다.

불쌍한 사람들을 변호하고, 그들을 위해 자기 목숨을 바 치는 자는, 바로 하느님을 위해 목숨을 바치는 것이다. 불쌍한 사람들을 위해 희생을 하는 것은, 그 사랑의 희생을 하느님께 바치는 것이기 때문이다.

거지들 사이에서 숨을 거둔 그는 자신의 결점은 알고 있
었으나, 자신의 장점을 깨닫지 못하고 있었다. 자기 잘못에 대
한 용서를 빌었으나, 자신의 선행에 대한 보상은 청하지도 않았
다. 그런 사람이야말로 천국에서 환영 받을 만한 사람이다.

좋은 옷으로 치장하고 성전 안 앞쪽에 앉아, 다른 사람들
의 시선을 받으며 열심히 기도하지만, 실생활에서는 거만스런
태도로 자신이 다른 사람들을 심판할 수 있는 심판관인양, 마치
천국에 미리 자리를 잡아놓은 듯이 행동하는 그 사람들과는 다
르다. 남을 멸시하면서 약하고 가난한 사람, 불행한 사람들을 도
와 주기를 거절하는 그 사람들한테는 천국의 문이 닫힐 것이다.

천국은 하느님을 사랑하는 겸손한 영혼들이 받는 보상이
며, 지옥은 자기 자신만을 사랑하는 교만한 영혼들이 받는 대가
인 것이다. 항상 겸손하도록 노력하고, 자기 자신을 염두에 두
지 말고 남을 도와야 한다.”

제자들은 내가 한 말을 묵상하면서 나를 쳐다보고 있었
다. 그때 유다가 말했다. “자네들 신발을 벗어 준다고 한번 생
각해 보게. 그런 바보 같은 짓이 어디 있겠나.”

“네 신발을 내 주는 것이 네 영혼을 내 주는 것보다 나
은 것이다.” 하고 내가 대답했다. 제자들은 내 말을 묵상하느라
고 모두 침묵을 지켰다.

“가난한 사람과 재산을 나눌 수 있는 것은 하느님께서
주신 은총이고, 사랑하는 마음으로 내 것을 준다는 것은 하느님
의 사랑을 받고 있다는 것을 증명하는 것이다.”

✝ ✝ ✝

예
예수님
님

예수님 ††† 1996년 8월 12일

　　나는 아침 일찍 일어나, 혼자서 기도하는 시간을 갖기 위해 산책을 나갔다. 기도를 하는 동안, 사람들이 얼마나 쉽게 하느님을 거부하고 있으며, 그렇게 하느님을 거부하면 어떻게 되는지조차 모르고 있는 것을 생각했다. 수많은 사람들이 자만심과 불신으로 눈이 멀어 버렸고, 하느님을 거절하며 가슴을 닫고 있는 것을 생각하며 걸었다. 그때 멀리서 사람 소리가 나더니 점점 가까이 오고 있었다.

　　"그분들을 곧 만나게 될 거야. 우리보다 그리 멀리 앞서 가고 있진 않을 거야." 그 목소리는 제자 저스터스의 음성이었다.

　　"그랬으면 좋을 텐데. 밤새도록 걸었더니 정말 피곤하군." 하고 말하는 또 한 사람의 목소리는 처음 듣는 음성이었다.

　　"그래, 나도 피곤해." 하는 세 번째 목소리는, 저스터스와 함께 라자로의 집으로 심부름을 갔던 제자의 음성이었다. 그들이 내 시야에 들어 왔다. 저스터스가 나를 보고 "주님!" 하고 소리치면서 얼굴에 웃음을 함빡 짓고 나에게로 달려왔다. 다른 제자도 뒤따라 와서 "주님!" 하고 소리쳤는데, 나머지 한 사람은 어색한 듯 천천히 걸어왔다.

　　"잘 왔다, 저스터스." 내가 인사를 하자, 저스터스는 나를 껴안으며 반가워했다. "어서 오너라, 야고보." 하고 내가 인사를 하자 야고보도 나를 껴안았다(열두 사도 중의 야고보가 아님).

"주님, 정말 오랜만입니다." 야고보가 감격해 하며 말했다.

"겨우 몇 주밖에 안 되는데, 몇 년이나 된 것같이 느껴집니다." 저스터스가 덧붙였다.

"그래, 여행은 어떠했느냐?" 나는 무슨 대답이 나올지를 알면서도 물었다.

"주님, 아주 좋았습니다." 저스터스가 열정적으로 대답했다. "저희들은 사람들한테 주님 얘기를 많이 해 주었습니다. 그리고 주님께서 가르쳐 주신 대로 사람들을 위해 기도해 주었는데 많은 사람들이 치유되었습니다. 주님, 처음에 사람들을 위해 기도해 줄 때 저는 어쩐지 약간 의심스럽기도 했습니다만, 주님 이름으로 수많은 사람들이 치유되었습니다. 이제는 더 이상 의심하지 않습니다."

"맞습니다, 주님." 야고보가 거들었다. "저스터스가 수없이 많은 사람들을 위해 기도해 주었고, 만나는 사람마다 주님에 대해 이야기해 주었습니다."

"너는 어땠느냐, 야고보?" 내가 물었다.

"저는 그냥 좀 도와 주었습니다. 그리고 사람들이 주님의 이름으로 치유되도록 혼자서 조용히 기도했습니다. 그런데 저스터스는 주저하지 않고 일어서서 많은 사람들에게 주님의 이름을 선포했습니다." 약간 어색한 표정으로 야고보가 대답했다.

바로 그때, 동행했던 그 남자가 다가와서는 숨을 몰아쉬면서 말했다. "드디어… 예수님을…."

"무엇을 도와 드릴까요?" 내가 그 남자에게 조심스럽게 물었다.

"제 아들을 좀 고쳐 주십시오. 병이 심한데, 저스터스의 기도로는 낫지를 않았습니다. 제가 주님을 뵙기만 하면, 주님께서 제 아들을 낫게 해 주시리라 믿었습니다. 제 아들은 하느님을 사랑하는 착한 아이입니다." 그가 대답했다.

"사실입니다, 주님." 저스터스가 말했다. "아이가 심하게 아픕니다. 수면병으로 거의 다 죽게 생겼는데, 저의 기도로는 고칠 수가 없었습니다!"

"저스터스, 네가 그 아이를 처음 보았을 때, '저런 아이는 내가 못 고칠 거야!' 하고 의심했었지? 하느님께서 행하시는 치유의 힘이 너를 통하여 그 아이에게 흘러가는 것을 막은 것은 바로 그 의심이었다."

저스터스는 눈을 아래로 깔며 말했다. "그랬습니다, 주님. 그런데 그걸 어떻게 아십니까?"

"나는 다 알고 있다."

그 아이의 아버지는 땅에 엎드려서 빌었다. "주 예수님, 저는 주님을 믿습니다. 저는 주님께서 제 아들을 치유하실 수 있다는 것을 믿습니다. 주님께서 제 아들을 위해 한 마디만 기도해 주시면, 주님께서 원하시는 대로 제 아들이 치유될 것을 믿습니다."

"기도 한 마디를 위해 그 먼길을 걸어오다니, 당신은 참으로 큰 믿음을 가졌소." 나는 그에게 따뜻한 칭찬의 말을 해 주었다.

"주님, 저는 주님께서 계신 곳이라면 이 세상 끝까지라도 갔을 것입니다. 저는 하느님께서 주님과 함께 계시다는 것을 알고, 주님께서 제 아들을 고치실 수 있다는 것을 알기 때문입니다." 그는 진심으로 말했다.

"바로 지금, 이 시간에 당신의 아내는 치유된 아들한테 입맞춤하며, 기쁨에 넘쳐 웃고 있습니다." 나는 그에게 아들의 치유를 알려 주었다.

"감사합니다. 주님, 감사합니다." 그는 내 손을 잡고 연신 입을 맞추었다.

"당신의 믿음과 사랑이 아들을 치유한 것이오. 당신의 아들은 참으로 축복 받은 아이입니다."

"감사합니다, 주님! 감사합니다. 그럼 저는 이만 가족들이 기다리는 집으로 가 보겠습니다."

"여기서 우리와 함께 식사를 하고 좀 쉬었다 가도록 하지요. 아주 피곤할 텐데."

"아닙니다, 주님. 가족들한테 돌아가겠습니다." 나에게 인사를 하고는, 그는 걸어왔던 방향으로 즐겁게 달려가기 시작했다. 집에 가고 싶은 욕망이 허기와 피로를 극복했던 것이다.

"사실입니까, 주님?" 야고보가 물었다. "정말 그 아이가 나았습니까?"

"만약 너희들이 저 사람이 가진 것만큼의 믿음을 가졌어도, 너희들에게는 불가능한 것이 없을 것이다." 내 목소리는 약간 슬픔이 담겨 있었다. "그래, 그 아들은 이제 다 나았다."

"그런 믿음을 가지려고 노력하지만, 주님, 그게 잘 안 됩니다. 사람들을 위해 기도해 줄 때, 아무런 치유가 안 일어날 것만 같아서 저는 혼자서 조용히 기도만 하고, 항상 저스터스가 소리내어 기도를 했습니다."

이렇게 야고보가 말하자 저스터스가 말을 가로챘다.

"그렇지만 자네의 기도가 함께 협력을 했던 거야. 자네 기도와 내 기도가 하느님의 사랑에 일치하여 예수님의 이름으로 치유를 한 거란 말일세."

나는 저스터스가 지닌 큰 힘을 보았다. 다만 가끔 공포의 지배를 받는 것이 탈일 뿐이었다.

"야고보야, 저스터스의 말이 옳다. 저스터스의 기도만큼 네 기도도 치유를 도왔던 것이다. 아버지께서 너의 기도도 들어 주셨는데, 다만 네가 그것을 알지 못했을 뿐이다. 기도 소리를 입 밖으로 크게 낸다는 것이 너한테는 어려운 일이라는 것을 잘 알고 있다. 그러나 나를 사랑하는 마음으로 네가 그 수줍음을 벗어난다면, 나는 너를 혼자 내버려 두지 않을 것이고, 네가 내 일을 할 수 있도록 힘을 불어넣어 줄 것이다. 네가 나를 믿고 나에게 의지하면, 나는 너를 사랑으로 인도하면서, 네 곁에 있어 줄 것이다."

"노력하겠습니다, 주님. 저는 아직 배워야 할 게 너무 많습니다. 참고 기다려 주십시오." 야고보가 힘주어 말했다.

"물론이지, 기다리고 말고. 너도 네 자신을 참고 기다려 주어야 한다. 시간이 걸린다는 것을 알아라. 아무것도 배우는 것이 없고, 제자리걸음만 하고 있다고 느껴질 때도 있을 것이다. 그것이 네 성화(聖化)의 과정이다. 그것을 극복할 도움을 나에게 청하여라. 그러면 내가 항상 네 곁에서 너를 도와 줄 것이다."

나는 야고보를 타이르면서 자신의 믿음에 대해 의심하면

서 힘들게 싸움을 벌일 사람들을 생각했다. 그리고 또 기도를 하려고 애를 쓸 사람들과, 약속된 보상을 과연 받게 될 것인지 의심하는 사람들과, 계속해서 분투하며 견디어 가야 할 것인지 의혹에 빠질 많은 사람들을 생각했다. 그들이 내가 한 말과 나의 생애를 돌이켜 생각해 본다면, 모든 의문에 대한 대답을 찾을 수 있을 것이다.

"나도 지금 떠난 저 사람 정도의 믿음을 가질 수 있었으면 얼마나 좋을까." 하고 야고보가 탄식을 했다.

"나도 그랬으면 좋겠어." 저스터스가 동감이라는듯이 말했다. 둘은 멀리 달려 가고 있는 그 사람을 바라보았다.

"너희가 어려움을 느낄 때 오직 나한테 의지하고, 의혹이 일어나는 그 마음을 내 손에 맡기기만 한다면 너희들도 그런 믿음을 가질 수 있을 것이다. 믿음을 약하게 하는 것은 너희들의 마음 속에 있는 의심과 두려움이다. 그러나 믿음이 강한 사람들도 의심과 두려움이 일어나기는 마찬가지이다. 다만 그들은 내 안에서 그것을 극복한다. 너희들도 그와 같이 한다면 믿음이 저절로 커지는 것을 알게 될 것이다."

우리가 제자들이 묵고 있는 야영지를 향해 걸어가기 시작했을 때 저스터스가 말했다. "주님, 언젠가 저도 그런 믿음을 가지게 되었으면 좋겠습니다."

"반드시 너도 가지게 될 것이다." 그때 나는 저스터스가 그의 굳센 신앙으로 인해 사랑의 제물이 되어 천국의 내 품으로 오게 될 것을 보았다.

† † †

예

예수님

님

예수님 ✝✝✝ 1996년 8월 17일

　　우리가 야영지에 도착하자, 제자들이 저스터스와 야고보를 둘러싸며 반겼다. 베드로가 나서서 말했다. "주님, 우리 형제들이 안전하게 되돌아올 수 있게 해 주신 아버지께 감사기도를 같이 드리지요." 친구들이 돌아온 기쁨 속에서 하느님의 사랑으로 행복에 젖어, 모두 기도하기 시작했다. 우리가 기도를 마쳤을 때는 시간이 많이 흘러서 이미 정오가 넘고 있었다.

　　"식사부터 하면서 형제들이 돌아온 것을 축하합시다." 친구들이 돌아온 것보다 먹는 일에 더 관심이 많은 유다가 말했다.

　　식사 중에 내가 야고보와 저스터스에게 물었다. "라자로는 어떻게 지내고 있더냐? 잘 지내고 있더냐?"

　　야고보가 대답했다. "주님, 라자로와 여동생들은 건강하게 잘 있습니다. 다만 주님께서 언제쯤 그들을 찾아 주실 것인지 궁금해 하더군요."

　　"때가 오면…." 야고보에게 대답하면서 하느님과 나의 사랑을 라자로를 통해 이 세상에 보여 주게 될 날을 생각했다.

　　저스터스가 허리를 굽히고 불룩한 가방을 집어 올렸다.

　　"라자로가 이걸 주님께 갖다 드리라고 했습니다. 필요하실 때 쓰시라고요."

라자로의 너그러운 마음씨를 보면서, 유익하게 쓸 수도 있는 것이 재산이라고 생각했다. 또한 라자로의 너그러운 마음씨는 그의 겸손함도 보여주었는데, 항상 그는 충분히 못 준 것처럼 생각하며, 더 주지 못해서 안타까워 했다. 가난한 사람들을 도와 주고, 배고픈 사람들을 먹여 주고, 병든 사람들을 보살펴 주는 참으로 너그러운 마음씨를 지니고 있었다. 하느님의 참된 친구인 라자로는 조용하고 부드러운 태도로써, 재산은 나눠 갖는 기쁨을 누리게 해 주는 은총이 될 수 있다는 것을 보여 주고 있었다.

유다가 가방을 나꿔채며 "이건 내가 간수하겠네." 하는 소리에 나는 깊은 상념에서 깨어났다. 유다는 가방을 열고 속에 든 돈을 들여다보며 싱글벙글 했다.

"유다, 자넨 이미 지고 있는 가방도 무거울 텐데, 그 무거운 돈가방을 같이 지겠다는 것은 무리일 것 같네. 자네 몸이 짓눌려 버릴 거야." 베드로는 유다가 얼마나 많은 돈을 가지고 다니는지 다 알고 있다는 사실을 넌지시 알려 주었다.

"문제 없어." 즐거운 표정으로 유다가 대답했다. "다른 사람의 짐을 가볍게 해 준다면, 내가 좀 더 무겁게 짊어진들 어떻겠나." 모두들 유다를 쳐다보면서 아무도 그 말을 믿지 않았다. 그의 속마음을 알고 있었기 때문이다.

"라자로에 관해 좀더 이야기해 보아라." 내가 야고보와 저스터스에게 말했다.

야고보가 대답했다. "주님, 라자로는 참 훌륭한 일을 많이 하고 있습니다. 주님의 말씀을 들어 본 사람들을 모아서 주님의 말씀에 대해 토론합니다. 주님의 말씀을 들어 보지 못한 사람들도 오는데, 그들은 라자로한테 와서 주님의 말씀을 듣고 토론합니다. 토론이 끝나면 그들은 기도를 하며 시간을 보냅니다. 정말 행복하고 즐거운 시간을 보냅니다."

"사실입니다, 주님," 저스터스가 야고보의 말을 이었다. "그들은 주님의 말씀 속에서 많은 것을 배우게 됩니다. 주님께서 들려 주신 비유 속에 얼마나 많은 교훈이 담겨 있는지를 깨닫고 놀라워 합니다."

야고보가 다시 말을 받았다. "라자로는 간단한 말 속에서 많은 의미를 알아낼 수 있는 사람인 것 같았습니다. 그리고 라자로의 동생들은 음식과 마실 것을 열심히 날라 주고는 뒤쪽에 앉아서 가만히 듣고 있었습니다."

"참으로 훌륭한 가족이다." 하고 내가 말했다.

저스터스가 생각에 잠기며 말했다. "가끔 바리사이파 사람들이 거기 왔었는데 말끝마다 질문을 하고, 주님께서 하신 말씀을 받아쓰기도 했습니다. 그러나 그들의 가슴 속에는 별로 사랑이 없는 듯 했습니다."

"그들을 라자로가 어떻게 대하던가?" 베드로가 관심을 보이며 야고보에게 물었다.

"라자로는 별 상관을 안하는 것 같았어요. 그저 사랑으로 친근하게 대해 주면서 진실되게 대답하기만 했어요."

라자로가 하느님께 의지하며 여러 가지 어려운 질문에 대답하고 있는 것을 나는 보았다. 그에 도전하는 사람들에게 화를 내는 기색이 조금도 없고, 오직 사랑으로 그들을 대했다. 그는 사랑과 신뢰와 겸손으로써 어떻게 하느님께 봉사해야 하는지를 모든 사람에게 보여 주는 참으로 좋은 본보기였다.

"라자로가 나에 대해 무슨 말을 하지 않았어?" 유다가 야고보에게 불쑥 물었다.

"아니, 왜?"

"아, 아니, 아무것도 아냐."

당황해 하며 유다는 얼버무렸다. 우리가 라자로의 집에 갔을 때, 라자로의 돈을 훔쳤던 유다는 아무도 그 사실을 모른다고 생각하고 안심을 했다. 라자로가 그것을 다 알고 있었지만 사랑으로 용서해 주었다는 사실을 유다는 알지 못했던 것이다. 유다는 도둑질한 것을 들키지 않았으니 그 일에 대해 잊어 버려도 된다고 생각하고는 기뻐했다.

많은 사람들이 그렇듯이, 유다 역시 들키지만 않으면 괜찮다고 생각하고 더 이상 걱정할 필요가 없다고 생각했다. 악마의 속임수에 쉽게 넘어가 양심의 가책을 피한 것이다. 그렇게 사는 사람들은 심판 날에 얼마나 많은 고통과 슬픔을 감당해야 할 것인가!

나는 무거운 마음으로 입을 열었다. "잘못을 수없이 저지르고도 아무렇지 않게 생각하는 사람들이 있다. 그들은 그런 일을 예사로 생각하고, 착하게 살아가는 사람들을 조롱하고 멸시한다. 그들은 착하게 산다는 것을 우스꽝스럽고 어리석다고 생각하면서, 착한 사람들을 이용하고, 부려먹고, 학대하고 조롱한다. 더구나 악행을 당하고도 참아 주는 착한 사람들을 바보라고 생각한다.

착한 사람들의 사랑과, 남을 신뢰하는 고운 마음씨는, 하느님께서 아직도 이 세상에 당신의 사랑을 베풀고 계시다는 것을 보여 주는 것이다. 이 세상에 선량함이 없다면 산다는 것이

얼마나 괴롭고 슬프겠느냐." 나의 말에 제자들은 동의를 하며
고개를 끄덕였다. 유다는 자기에 대해 말하는 줄도 모르고, 덩
달아 내 말에 동의했다.

　　라자로가 내 이름으로 말하고 행동하는 것에 대해 반대하
고, 나를 위하여 라자로가 베푸는 선행을 비난하는 바리사이파
사람들이라도, 선량함이 없다면 산다는 것이 괴롭고 슬프다는
사실에는 동의할 것이다.

　　"주님, 오늘밤에 떠날 예정입니까? 아니면 여기서 머무를
것입니까?" 바르톨로메오는 이곳에 머물기를 바라면서, 눕기만
하면 잠이 들도록 자리를 편안하게 깔아놓은 채 묻고 있었다.

　　"여기서 하룻밤 더 지내도록 하자. 야고보와 저스터스가
휴식을 취할 시간이 필요하니까." 하고 내가 말했다. 바르톨로
메오는 만족스러운 표정으로 드러눕더니 금방 잠이 들었다.

예
예수님
님

예수님 †††　1996년 12월 5일

　　동이 트고 아침 하늘에 찬란한 햇살이 가득 찼다. 나는
일어나서 약간 축축한 이른 아침 공기를 들여 마시며 두 팔을
뻗치고 기지개를 켰다. 아직 자고 있는 제자들을 둘러보았다.
유다는 라자로가 나에게 보낸 돈주머니를 껴안고 있었다. 잠자
는 유다의 얼굴은 행복한 표정이었다. 제자들이 깨어나기 전에

산책을 할 작정으로 몇 걸음을 옮기는데 베드로가 내 곁으로
왔다.

"내가 널 깨웠느냐, 베드로?"

"아닙니다, 주님. 저를 깨우신 게 아니었습니다. 주님께서
기지개 켜실 때 눈이 떠졌는데, 주님께서 산책을 가시기에 함께
기도를 하고 싶어서 따라왔습니다."

"베드로, 나는 네가 내 곁에 있는 것이 좋다. 너와 함께
기도하는 것은 더 좋고."

나의 선창으로 베드로와 함께 시편을 낭독한 다음, 하늘
에 계시는 아버지께 기도하면서 우리의 마음을 열어 드렸다.

기도를 시작하자 아버지의 사랑이 나를 가득 채우시는 것
을 느꼈고, 나는 마음 속으로 성령을 포옹했다. 사랑의 천주 성
삼으로 일치하여 나는 기쁨이 넘쳤다. 기도를 마쳤을 때는, 마
치 영원한 시간이 흘러간 듯 하였다. 베드로가 같이 있다는 것
을 문득 생각하며 이 세상으로 돌아와 보니, 두려움과 경외감에
떨며 땅에 엎드려 있는 베드로를 보았다.

"베드로, 무슨 일이냐?" 대답을 알면서도 내가 물었다.

"주-주-주님, 저-저," 베드로는 말을 더듬으며 할 말을 찾
지 못했다.

"그래, 베드로." 나는 허리를 굽히고 베드로의 손을 잡아
일으켰다.

베드로는 내 눈을 빤히 쳐다보며 떨고 있었다. "주님, 믿
을 수 없는 일이었습니다. 주님께서 기도를 하시는데, 주님한테
서 빛이 발하며 주님께서 투명해지셨습니다. 제가 주님을 올려
다 보니, 주님의 가슴에 흰 비둘기가 있었고, 나이가 더 많고

상냥해 보이는 남자분이 두 팔로 주님을 감싸안으시더군요. 주위에는 천사들이 아름다운 목소리로, '하늘 높은 데서 호산나.'를 노래하고 있었고, 공중에는 온화한 흥분이 넘쳤습니다. 입으로 다 표현을 할 수가 없습니다. 얼마나 겁이 났는지 모릅니다, 주님. 제가 그 자리에 있기에는 너무나 합당하지 못하게 느껴졌고, 제 자신이 너무나 비천하게 느껴졌습니다.

　제가 쳐다보니 주님과, 비둘기와, 나이가 많으신 남자분이 한 사람인 것 같았는데… 그래도 주님은 여전히 주님이시고… 뭐가 뭔지 모르겠더군요. 그때 주님 옆구리에서 피가 흘러 나오고 있는 것을 보았습니다. 주님의 피는 마치 온 세상을 덮고 있는 바다 같았습니다. 그 순간 저는 이전에 경험해 보지 못한 기쁨과 터질 듯한 행복으로 죽을 것만 같았습니다. 주님, 너무나 아름다웠습니다. 그것을 어떻게 설명해야 할지 모르겠습니다."

　"베드로, 설명하지 않아도 된다. 그것은 네게 준 선물이다. 다른 사람들도 많은 표시를 받게 될 것이지만, 그것은 너한테만 준 표시이니 잘 간직하여라. 그리고 의혹이 들 때나, 어려움이 닥쳤을 때나, 두려움에 마주쳤을 때에는 그것을 돌이켜 생각하여라. 그러면 어려움을 극복할 수 있을 것이다."

　"그런데, 주님. 그 모든 것이 무엇을 뜻하는 겁니까?" 아직도 어리둥절한 표정으로 베드로가 물었다.

　"베드로, 네가 본 것은 하느님에 대한 진리이다. 성부와 성자와 성령, 천주 성삼에 대한 진리이다. 너는 이 진리를 온 세상에 전해야 한다. 이것이 유일한 진리이다. 네가 결코 이해할 수 없는 진리이지만, 방금 너는 천주 성삼을 보았다. 이제 천주 성삼을 믿고, 이 믿음을 세상에 전해야 한다. 그러면 다른 사람들도 이 진리 안에서 살 수 있게 될 것이다."

"주님, 제가 알 수 있는 것은 다만, 주님께서 메시아라는 것과, 제가 주님을 사랑한다는 것뿐입니다. 제가 오늘 본 것은 이해할 수가 없고, 주님께서 설명을 해 주셔도 이해가 잘 안 되지만 주님께서 그렇다고 하시니 그런 줄로 알겠습니다." 베드로는 여전히 얼떨떨해 하고 있었다.

"베드로, 너의 사랑과 너의 믿음은 누구보다도 더 강하다. 너 같은 사람이 좀 더 있다면 좋으련만…." 대화를 마치고 우리는 돌아서서 다른 제자들이 모여 있는 곳을 향해 걸어갔다. 제자들에게 돌아온 후에도 베드로는 한동안 조용히 혼자 앉아 있었다.

야고보가 나에게 와서 물었다. "주님, 베드로한테 무슨 일이 있었습니까?"

"베드로는 오늘 진리를 만났는데 잠시 동안 그 진리를 받아들일 시간이 필요할 것 같다." 야고보에게 대답하면서 나는 불에 데워진 빵을 먹었다.

"아, 겨우 그런 걸 가지고 난 뭐 중요한 일이라도 있었는 줄 알았지." 야고보가 대수롭지 않은 듯이 말했다.

† † †

예
예수님
님

예수님 ††† 1996년 12월 7일

　　다음 마을로 떠나기 전에 기도를 바치려고 우리는 한자리
에 모였다. 내가 제자들에게 말했다.
　　"이 곳을 떠나기 전에, 하늘에 계신 아버지께 모든 것을
감사해야 한다. 우리에게 편안히 쉴 수 있는 장소를 주시고, 사
랑을 함께 나눌 동반자들을 주신 것을 감사해야 한다." 우리는
모두 함께, 지금까지 베풀어 주셨고 앞으로도 계속해서 모든 것
을 베풀어 주실 하느님께 찬미와 감사의 기도를 드렸다.
　　기도가 끝나자 베드로가 말했다. "주님, 기도를 하면 기
분이 참 좋아집니다. 기도는 제 가슴을 하느님께 들어올려 줍니
다. 오늘 저는 구름 위를 걷는 기분입니다. 하느님께 조금 더
가까이 간 것 같은 느낌입니다." 베드로는 그날 아침에 목격한
하느님의 진리를 생각하고 있었다.
　　"자네가 무슨 말을 하는지 난 알 것 같네." 하고 유다타
대오가 말했다. "난 가슴이 마구 뛰는 것을 느껴. 내 안에서
일고 있는 흥분을 느낄 수 있네. 기도할 때면 자주 이렇다네.
그리고 이럴 때마다 하느님께서 나와 함께 계시는 것을 느끼게
된다네."
　　"그래, 그래, 얼마 전에 이 일에 대해 예수님께 말씀드린
적이 있었어. 기도는 참 즐거운 거야, 안 그래?" 하며 야고보는

기쁨이 가득한 눈으로 환하게 웃었다. 그러자 다들 기도할 때 각자가 어떻게 느끼는지에 대해 이야기를 나누면서 비슷한 점이 있다는 것을 그들은 알게 되었다.

베드로가 나에게 말했다. "떠날 시간이 되었습니다, 주님. 지금 떠나지 않으면 어둡기 전에 다음 마을에 도착하지 못할 것 같습니다."

"그렇구나, 베드로. 지금 떠나야겠다."

"자, 짐을 챙겨라. 어서 떠나야 해." 베드로가 모두에게 큰 소리로 외쳤다.

나를 따라오는 제자들, 내가 정말 누구인지에 대해 때로는 의심하고 의혹이 쌓이긴 해도, 나를 위해 생애를 바치는 그들을 바라보며 나의 가슴은 기쁨으로 가득했다. 제자들 각자가 나에 대해 갖고 있는 사랑을 보았다. 제자들 모두, 심지어 유다까지도 나를 사랑했다. 다만 안타깝게도 유다는 자기 자신에 대한 사랑이, 나에 대한 사랑을 덮고 있었다.

우리가 길을 가고 있는데, 베드로의 신발이 돌에 걸려 찢어지면서 베드로가 땅에 곤두박질 쳤다. 그것을 보고 유다가 배를 쥐고 깔깔거리며 웃었다. 땅에서 일어서는 베드로는 길바닥에 있던 돌에 얼굴과 손을 찍혀 피가 흐르고 있었다. 모두들 베드로를 도와 주러 달려갔지만, 유다만 혼자 여전히 웃어대고 있었다.

"그 꼴 참 우습네, 베드로. 천하 멍청이 꼴이지 뭐야."

내가 갔을 때, 베드로는 넘어져서 다친 것은 고사하고, 유다 때문에 화가 잔뜩 나서 울화통을 터뜨릴 찰나였다.

"베드로!" 그의 얼굴에서 피를 닦아내며 내가 말했다. "앉

아라. 상처를 좀 닦자." 베드로는 도로 앉았으나 분노에 찬 눈
으로 유다를 노려보았다.

"베드로, 그렇게 화내지 말아라. 넘어져서 아프겠지만, 아
프다고 사랑하는 것을 포기하거나, 용서하는 일을 중단해서는
안 된다. 사랑이 메마른 유다를 보아라. 그리고 남을 업신여기
는 그의 어리석음을 보아라. 그의 어리석음을 염두에 두고, 그
의 어리석음으로 인해 너마저 어리석어지지 않도록 하여라. 유
다를 용서하고, 너보다도 유다가 더 많은 아픔을 겪고 있다는
것을 알아야 한다. 그리고 너의 아픔은 곧 사라질 것이지만, 유
다의 아픔은 항상 그를 따라다닐 것이다."

내가 조용하게 타이르자 베드로는 울기 시작했다.

"주님, 언제쯤에나 제가 뭘 좀 깨우치게 될까요? 저는 항
상 주님을 실망시켜 드리고, 제 성질대로만 하고 있습니다. 그리
고 가끔씩 남을 해치고 싶은 마음을 가질 때도 있습니다. 언제
쯤이면 제가 좀 달라져서 주님을 기쁘게 해드릴 수 있을까요?"

"울지 말아라. 너는 지금 깨우치고 있는 중이고, 내 마음
을 기쁘게 하고 있다." 나는 베드로를 위로하며 상처를 깨끗히
씻어 주었다.

유다가 큰 소리로 말했다. "베드로, 별로 다치지도 않았
으면서, 어린아이같이 울긴 왜 울어."

나는 유다를 돌아보고 부드럽게 말했다. "가슴에 사랑이
없는 어른이 되는 것보다 어린아이처럼 되는 것이 더 낫다. 어
린아이는 모든 사람을 사랑하고, 모든 사람에게 사랑을 가져다
준다. 그러나 대부분의 어른들은 자기만 사랑하고 다른 사람에
게는 아무것도 베풀어 주지 못한다."

유다가 풀이 죽은 표정을 하고 잠잠해지자, 베드로가 말했다. "유다, 괜찮네. 그렇게 넘어지는 게 우스웠을 걸세. 자네를 조금이라도 재미있게 해 줄 수 있어서 오히려 기쁘다네."

유다와 다른 제자들은 자기 귀를 의심하며 베드로를 쳐다보았다. 그러나 나는 베드로를 보면서, 아름답게 변해 가는 그의 마음을 바라보았다.

예
예수님
님

예수님 ††† 1996년 12월 8일

베드로의 상처를 치료하고 난 후, 우리는 다음 마을을 향해 계속 걸어갔다. 구부러진 어느 길목을 돌아가자 사람들이 길가에 모여 있는 것이 보였다. 시몬이 사람들에게 가서 물었다.

"무슨 일이 있습니까? 왜들 여기에 이렇게 많이 모여 있는 겁니까?"

그 곳에는 약 50명쯤 되는 사람들이 서 있었는데, 그 중 한 남자가 대답했다. "여기서 치유를 해 주시는 선지자가 한 분 계십니다. 매일 이 시간에 그분이 와서 강론도 하고 온갖 질병을 다 치유해 줍니다. 그분을 보러 사람들이 여기로 모이는 것입니다. 조금 있으면 더 많이 모일 겁니다. 그분의 말을 듣기 위해 어떤 때는 이삼백 명 이상이나 모이거든요."

"그 선지자가 누굽니까?" 야고보가 약간 미심쩍은 얼굴로 그 남자에게 물었다.

"그 사람의 이름은 토마스입니다. '지혜의 토마스' 라고 부르지요." 나의 제자 토마스는 그 남자가 마치 자신을 그 선지자라고 말하기라도 한 듯 민망해 하며 나를 쳐다보았다. 나는 토마스에게 미소를 지어 주었다. 그 남자는 계속 말했다.

"기다렸다가 한번 들어 보십시오. 한 사람당 은전 한 닢밖에 안 받습니다."

"뭐라고요? 돈을 내고 들어야 한단 말입니까?" 유다가 놀란 목소리로 외쳤다.

"그럼요. 그 사람은 아주 훌륭하고 거룩한 사람입니다." 그 남자가 대답했다.

"주님, 여기서 기다려 볼까요?" 베드로가 귓속말을 했다.

"그래, 잠깐 동안만." 하고 대답해 주었다.

시간이 갈수록 점점 더 많은 사람들이 모여 들어 '지혜의 토마스' 라는 사람을 기다리고 있었는데, 어떤 남자 둘이서 군중들 사이를 돌아다니며 돈을 거두고 있었다.

유다가 나에게 와서 말했다. "주님, 우리도 저렇게 해야 할까 봅니다. 저것 보십시오. 돈을 얼마나 많이 거두고 있습니까!" 나는 아무 말도 하지 않고 유다를 쳐다보며 미소만 지었다.

마침내 '지혜의 토마스' 가 작은 바위 위에 올라서서 말하기 시작했다. "여러분들, 오늘 이렇게 와 주어서 감사합니다. 집으로 돌아가면 여러분의 친구와 가족들에게 내가 어디에 있다는 것을 알려 줘서, 그들도 축복을 받게 해 주기 바랍니다.

오늘은 집으로 가는 길에 돈주머니를 주은 어떤 남자의 이야기를 하겠습니다. 그 사람이 길에서 돈주머니를 주워 열어 보니, 불쌍한 자기 가족들을 적어도 일년 동안은 먹여 살릴 수 있을 만한 큰 돈이 들어 있었습니다. 그는 그 돈을 자기가 가질 것인지, 아니면 성전에 바칠 것인지, 혹은 돈의 주인을 찾아서 돌려 줄 것인지를 생각하며 망설였습니다. 어떻게 하는 것이 옳은지를 결정하지 못한 채 마음에 갈등을 느꼈습니다. 그러다가 불쌍한 자기 가족들을 생각하며 결국은 자기가 돈을 가지기로 했습니다. 그리고 성전 옆을 지나가다가 성전 안에 들어가서 십일조를 냈습니다.

하느님께 바쳐야 할 돈을 내고 나니 그는 기분이 좋았습니다. 그는 집으로 가서 남은 돈으로 가족을 부양하고, 풍족한 생활을 할 수 있었습니다. 몇 주가 지난 후, 그가 성전에 바친 십일조 때문에 성전 안에서 자기 위치가 올라간 것을 알았습니다. 그리고 사제들과 사제 보좌관들이 그의 새 친구들이 되었습니다. 생활이 나아지고 운이 점점 더 좋아지더니, 사회의 훌륭한 사람으로 받들어지게 되었습니다. 그 모든 것은 하느님께 바쳐야 할 돈을 바쳤기 때문이었습니다.

여러분도 마찬가지입니다. 하느님의 일을 하는 사람들에게 돈을 많이 내면 낼수록 그 만큼 많이 되돌려 받게 될 것입니다. 너그러운 마음으로 내십시오. 그러면 하느님께서도 여러분에게 너그러우실 것입니다. 하느님께 푸짐하게 드리지 않으면서, 어떻게 치유의 은사를 하느님께 간청할 수 있겠습니까?'

그가 연설을 마치자 군중들은 마치 최면술에 걸린 사람들 같이 광란하였다. 사람들은 그를 향해 돈을 마구 던지며 소리쳤다.

"나를 치유해 주십시오. 하느님께 선물을 드립니다. 치유
해 주십시오."

'지혜의 토마스'는 돈을 던지거나 돈을 바치는 사람들에
게 가서 그들을 만지며 말했다. "하느님의 이름으로 당신을 치
유하노니, 자만심을 버리고 하느님의 치유를 받아라. 하느님께
너그럽게 바치고, 그리고 하느님의 너그러우심을 받아라."

'지혜의 토마스'가 사람들 사이를 걸어가자 사람들은 열
광적으로 날뛰었다. 베드로가 옆에서 말했다. "주님, 이건 옳은
모습이 아닌 것 같습니다."

"그렇다, 베드로. 이것은 옳지 못한 것이다." 하고 베드로
에게 대답한 후 나는 '지혜의 토마스' 쪽으로 발걸음을 향했다.
'지혜의 토마스'는 내게 손을 뻗치며 크게 소리쳤다.

"치유를 받고 싶은가? 자, 그러면 하느님께 바쳐야 할 것
을 바쳐라. 그리고 치유를 받아라." 그러다가 '지혜의 토마스'
가 내 눈을 빤히 들여다보더니 굳어버린 듯 꼼짝을 하지 않았
다. 군중들은 잠잠해졌다. '지혜의 토마스'가 내게 물었다. "당
신은 누구십니까?"

"나는 진리이다. 허위의 사슬을 깨뜨리고, 악마의 거짓을
폭로하며, 옳지 못한 모든 것을 쳐부수는 진리이다."

"무, 무슨 말씀이신지요?" '지혜의 토마스'가 작은 소리
로 중얼거렸다.

"네 마음 속을 살펴 보아라. 그러면 내가 무슨 말을 하는
지 알 수 있을 것이다. 너로 하여금 하느님의 자식들을 하느님
으로부터 멀어지게 하여, 이기심과 죄악 속에 빠지도록 조종하

고 있는 것이 누구인지 너는 알 것이다." 나는 분명하게 말했다.

"이 사람을 쫓아내라!" '지혜의 토마스'는 나를 가리키며 군중들을 선동하며 외쳤다. 군중들은 침묵 속에서 지켜보고 있었다. '지혜의 토마스'는 얼굴을 찡그리며 "나는 당신을 알아요." 하고는 나를 욕하기 시작했다.

"내가 명하노니 이 사람한테서 나가거라. 악마야, 사라져라." 나의 명령을 듣고 지혜의 토마스'는 찢어지는 절규와 함께 땅에 쓰러져, 입에 거품을 물고 몸을 뒤틀었다. 그러다가 "살려 주십시오, 살려 주십시오." 하는 목소리가 점점 희미해지며 바람 속으로 사라지고 난 후, '지혜의 토마스'가 정신을 차렸다.

나는 군중을 향해 입은 열었다. "이 사람은 마귀가 들렸던 사람입니다. 이 사람은 여러분에게 탐욕과 이기심을 가르치고, 죄를 짓도록 가르치면서 그것을 하느님의 뜻이라고 말했습니다. 이 사람이 하는 말을 귀담아 들은 여러분은 얼마나 어리석었습니까? 하느님께서는 오직 여러분의 사랑을 원하시고, 여러분이 하느님의 계명에 순명하고, 이웃을 사랑하기를 원하십니다. 하느님께서는 당신의 사랑과 치유에 대한 대가를 바라시지 않습니다. 여러분이 성전의 앞자리에 앉거나 뒷자리에 앉는 것을 상관하지 않으시고, 사제나 성전 종사자들의 눈에 들든 말든 상관하지 않으십니다. 중요한 것은 여러분이 오직 하느님의 눈에 드느냐 하는 것입니다.

마귀가 여러분을 얼마나 쉽게 속여 넘기는지 아십시오. 마귀는 여러분이 악을 선으로 잘못 보게까지 합니다. 하느님의 말씀을 선포한다는 사람들의 말을 들을 때 조심하십시오. 그들

이 어떤 보상을 바라거나, 여러분으로 하여금 다른 사람 생각은
말고 오직 여러분 자신만 생각하게 하거나, 여러분이 사회의 어
떤 계급에 속해 있느냐가 하느님께 중요하다고 가르치거나, 하
느님께서 여러분에게 어떤 대가를 요구하신다고 말한다면, 그들
은 하느님의 말씀을 가르치는 것이 아니고, 그들 자신의 말을
가르친다는 것을 명심하십시오. 그런 사람들은 이 사람처럼 마
귀가 그들의 영혼에 들어 있다는 것을 아십시오. 마귀는 열심한
교우까지도 유혹하고 속일 수 있습니다. 오늘 여러분이 목격한
일을 잊지 말고, 마귀가 여러분을 얼마나 혼동시켰는지 기억하
십시오."

'지혜의 토마스'가 내 앞에 무릎을 꿇고 말했다. "어떻게
된 영문인지 알 수가 없습니다. 제가 왜 여기에 와 있습니까?"

나는 손을 그의 머리 위에 얹고 말했다. "너는 이제 다
나았으니, 가족들이 있는 집으로 돌아가거라."

'지혜의 토마스'는 더 이상 교만하고 억센 남자가 아니었
고, 아주 온순해졌다. 그 사람 안에 들어 있던 마귀가 떠났고,
원래의 자신으로 돌아온 것이다.

"그렇지만 저 사람이 많은 사람들을 치유했습니다." 군중
속에서 한 사람이 소리쳤다.

"마귀도 치유할 힘이 있습니다. 그러나 그것은 거짓된 치
유이기 때문에 오래 가지 않습니다. 그런 치유는 여러분에게 준
죄악스러운 가르침을 감추기 위한 것입니다. 그래서 사람들은
기적을 눈으로 보게 되지만 그것은 기적이 아니고, 사람들을 하
느님으로부터 멀리하기 위한 속임수에 불과한 것입니다. 악마는
많은 것을 할 수 있는 힘이 있지만 결코 하느님을 능가하지 못

하고, 하느님의 사랑 안에 있는 영혼을 파괴하지 못합니다."

나의 대답을 듣고 군중들이 '지혜의 토마스'를 향해 소리 쳤다. "저 놈을 돌로 쳐 죽여라. 저 놈은 분명 마귀다!"

나는 손을 들어올리고 군중을 진정시키며 말했다.

"이 사람 안에 마귀가 있었습니다. 그러나 이제는 마귀가 떠났습니다. 이 사람이 그 동안 내적으로 겪어야 했던 힘든 싸움만으로도 충분히 벌을 치렀고, 이제는 그 억압에서 풀려났습니다. 이 사람의 목숨을 빼앗으면 여러분 자신이 죄의 사슬에 묶이게 될 것입니다."

군중이 조용해지자 다시 타일렀다.

"집으로 돌아가십시오. 그리고 앞으로는 무엇을 듣고, 누구의 말을 들을 것인지 주의하십시오. 하느님께서 여러분을 사랑하시고, 용서해 주고 싶어 하시며, 여러분도 다른 사람을 용서해 주기를 원하신다는 것을 기억하십시오. 이것을 가슴에 새겨 두면 여러분은 옳고 그른 것을 알 수 있게 될 것입니다."

사람들이 뿔뿔이 흩어져 떠난 후에도, '지혜의 토마스'만은 여전히 남아 있었다.

"꿈을 꾼 것만 같습니다. 악몽을 말입니다. 이제는 악몽이 끝났으니 하느님께 감사할 뿐입니다."

"집으로 돌아가거라. 네 식구들이 너를 보고 싶어 하니 돌아가거라. 너를 사랑하는 식구들이 집에서 기다리고 있다." 하고 내가 말했다.

"네, 가겠습니다. 그 악몽이 시작된 후로 식구들을 떠난 지가 아주 오래 되었습니다. 감사합니다. 정말 감사합니다." 그는 내 손에 입을 맞추며 고마워했다.

'지혜의 토마스'가 떠난 다음 베드로가 나에게 와서 물었다.

"속임수를 당하고 있다는 것을 사람들이 왜 깨닫지 못했을까요? 토마스가 한 말은 모두 재물과 돈에 관한 것이었고, 사람들에게 돈을 달라고 한 것뿐이었는데, 사람들이 왜 그것을 알아채지 못했을까요?"

"왜냐하면 그들은 무엇인가를 믿고 싶었고, 치유되고 싶었기 때문이다. 그리고 자신들이 살아 가는 그런 방식을 인정해 주는 말을 듣고 싶어 했기 때문이다. 많은 탐욕과, 이기주의와, 자만심으로 살아 가는 그들은, 그렇게 살아 가는 것이 옳다고 누군가가 말해 줄 때 그 말을 믿고 싶어 했다. 진리를 들었을 때 받아들이기 어려운 이유는, 자기 생활 속에 넘치는 죄를 알아보게 되고, 자기 생활을 바꾸어야 한다는 것을 알게 되기 때문이다. 사람들은 자기 생활을 바꾼다는 것을 너무 어려운 일로 생각한다. 그래서 자기한테 적당하다고 생각되는 말과, 불편하게 느껴지지 않는 말과, '네가 살고 싶은 대로 살아라.' 하는 말만을 잘 받아들이게 된다. 그것이 바로 마귀의 속임수인 것이다."

나의 설명을 듣고 제자들은 다들 고개를 끄떡이며 동의하였지만, 유다만은 군중이 얼마나 돈을 많이 바쳤는지에 대해서 생각하고 있었다.

"유다야, 조심하지 않으면 탐욕의 죄가 너의 영혼을 파괴시킬 수 있다." 하고 충고하였지만 유다는 "네, 주님" 하고 건성으로만 대답하고 귀담아 듣지 않았다.

†††

예
예수님
님

예수님 ††† 1996년 12월 9일

얼마 안 있어 우리는 한 마을에 도착했다. 어두워 가는 하늘 아래, 금빛 태양은 이제 빨간 황혼이 되어 점점 희미해지고 있었다.

"주님!" 하고 누군가 부르는 소리에 모두 돌아보았다.

"주님, 주님께서 우리 마을에 오실 줄 몰랐습니다." 20대 초반의 청년이 반가운 표정으로 서 있었다. 그는 몇 달 전에 내가 치유해 준 장애인이었다.

"주님!" 청년은 내 손을 잡고 너무나 기뻐했다. "저희 집은 주님의 집이오니, 오서서 저희와 함께 묵으십시오."

"다시 만나서 반갑다. 아주 건강해 보이는구나."

청년과 내가 서로 아는 체를 하자 베드로가 귓속말로 속삭였다. "누굽니까, 주님?"

"얼마 전에 내가 이 청년의 상처받은 마음과 불편한 몸을 치유해 주었다. 하느님께서 이 청년의 기도를 들어 주셨던 것이다." 내가 제자들을 향해 크게 말했다.

"아, 그랬습니까?" 하고 베드로는 고개를 끄덕였지만 그 청년을 기억하지 못하는 듯 했다.

"주님, 저의 집에 머무르지 않으시겠습니까?" 청년은 다시 열성적으로 물었다.

"물론 너희 집에서 머물러야지. 그런데 내 제자들은 어떻게 했으면 좋겠느냐?"

"제 친척들 집에 제자분들을 나누어 모시겠습니다. 그렇지만 주님과 또 한 사람은 저와 함께 지내셔야 합니다." 청년은 말을 하면서도 좋아서 어쩔 줄을 몰라 했다.

우리는 청년을 따라 집으로 갔다. 집으로 가는 길에 그는 만나는 사람마다 신이 나서 나를 소개했다. "이분이 예수님이십니다. 나를 치유해 주신 분이십니다."

집에 도착했을 때에는 많은 사람들이 따라와 있었다. 그는 어머니와 아버지를 불러서, 나를 소개했다. "이분이 제가 말씀드린 바로 그분이십니다. 이분이 나자렛의 예수님이십니다. 저를 치유해 주신 분이라고요."

그의 부모는 무릎을 꿇고 내 손에 입맞춤을 했다. "축복 받으십시오, 축복 받으십시오. 저희 아들을 치유해 주신 분이군요. 축복 받으십시오!"

많은 사람들이 모였고, 점점 더 많은 사람들이 몰려오고 있었는데, 군중 속에서 한 사람이 소리쳤다. "오늘 토마의 속임수를 밝혀내신 분이다." 사람들은 감사하다고 외치고, 말씀을 해 달라고 외치고, 치유해 달라고 외쳤다.

나는 긴 의자 위에 올라서서 손을 들어올려 조용히 하라고 신호를 했다. "오늘 밤에는 간단하게 이야기하고, 하늘에 계신 아버지께 치유를 간청하며 기도하겠습니다. 오늘은 제가 좀 피곤하니, 내일 여러분과 더 많은 시간을 갖도록 하겠습니다."

점점 수가 늘어난 군중이 기대에 차서 웅성거리고 있었다. 나는 군중을 향해 입을 열었다. "내가 지금 하는 말을 오늘 밤에 좀더 생각해 보시기 바랍니다. 기쁨이 넘치는 마음은 이 세상의 돈을 모두 다 가진 것보다 더 값진 것입니다. 마음에 가득 찬 기쁨은 여러분의 삶을 아름답게 완성시켜 주지만, 주머니에 가득한 돈은 여러분의 삶을 공허하게 만듭니다. 여러분은 항상 하느님으로부터 오는 기쁨을 찾고, 돈으로부터 오는 슬픔을 거부하십시오."

군중들 사이에 침묵이 흘렀다. 옷을 잘 입은 바리사이파 사람들과 율법학자들과 원로들은 깊은 생각에 잠겨 있었다. 그들 중 한 율법학자가 말했다. "그렇지만 돈이 없는데 어떻게 행복할 수 있겠습니까?"

그의 마음 속을 들여다 보니, 그는 비록 많은 재산을 가지고 있긴 하지만, 참으로 외로운 사람이었다.

"그러면 당신은 돈을 가지고 행복할 수 있을 것 같소?" 하고 내가 되묻자, 그는 내 말을 곧 알아들었다.

"주님." 또 다른 사람이 말했다. "그렇지만 먹을 것과 입을 것을 사고, 세금을 바치고, 십일조를 내고, 살아가는 데 필요한 것을 얻기 위해서는 돈이 필요합니다. 생활하는 데에 돈은 꼭 필요한 것입니다."

내가 대답했다. "돈은 필요합니다. 먹을 것과 입을 것을 사기 위해서, 세금과 십일조를 내기 위해서도 필요합니다. 그러나 그런 모든 것들은 사람이 사람한테 강요하는 것입니다."

"살기 위해서는 돈을 가져야 합니다."

"돈은 필요합니다. 그러나 필요한 만큼만 가져야 합니다. 필요한 것보다 더 많이 가졌다는 것은, 다른 사람들이 그만큼 적게 가지게 되는 것입니다."

"그럼 어떻게 해야 합니까?" 이번에는 부유한 옷차림을 한 남자가 다시 물었다.

"불쌍한 사람들에게 나누어 주고, 병든 사람들과 궁핍한 사람들을 도와 주십시오. 그렇게 하는 것은, 남을 돕는 것이 아니고 자기 스스로를 돕는 것임을 알게 될 것입니다."

그 대답을 듣고 나서도 군중들의 질문이 계속 되었기 때문에 다시 약속을 했다. "내일 시간이 많이 있을 것입니다. 지금은 하늘에 계신 아버지께 영광을 드리기 위해, 병자들을 나한테 불러모으겠습니다." 그리고 나서 앞 못보는 사람들, 귀가 안들리는 사람들, 다리를 저는 사람들을 치유해 주었다. 내가 그들 가운데를 걸어가고 있었는데, 눈이 커다란 어린 소녀가 벽에 기대어 앉아 나를 바라보고 있는 것을 보았다. 나는 그 소녀에게 가서 물었다.

"네 이름이 뭐니?"

"그 애는 귀도 안 들리고 말도 못하기 때문에 대답을 할 수가 없습니다." 군중 속에서 한 사람이 소리쳤다.

그러자 그때 소녀가 큰 소리로 말을 하였다. "저는 리디아예요. 제 이름은 리디아라고 해요." 그리고는 울음을 터뜨렸다. 나는 소녀를 안아 올렸다.

"얘야, 울지 말아라." 다정하게 소녀의 뺨에 흐르는 눈물을 닦아 주었다. 소녀가 치유되는 것을 본 군중들은 더 열광적으로 자신들을 치유해 달라고 외쳐댔다.

베드로가 곁으로 와서 나를 집 안으로 이끌었고, 제자들은 사람들을 집으로 돌려보내기 시작했다.

예
예수님
님

예수님 ††† 1996년 12월 10일

　　　제자들은 치유받은 사람들의 초대를 받아 몇몇 집으로 나뉘어 갔고, 베드로와 나는 청년의 집에 머물렀다. 그의 부모님은 우리한테 무엇을 더 해 주지 못해서 전전긍긍이었다. 필요한 것이 없는지, 불편한 것은 없는지 끊임없이 물었다. 차려 준 저녁 식사는 거창하지는 않았지만, 정성이 듬뿍 담겨 있었고, 사랑으로 대접해 주는 식사라서 아주 맛있고 만족스러웠다. 식사 후 우리는 모두 둘러앉아서 이야기를 나누었다.

　　　"선생님, 저희 집에 와 주셔서 정말 기쁩니다." 하고 청년이 말했다.

　　　"다윗아, 나도 기쁘구나." 내가 웃으면서 대답을 하자 베드로도 동의하며 고개를 끄덕였다.

　　　그의 부모가 조용히 앉아서 나에게 미소를 짓고 있는 가운데, 다윗이 말했다. "선생님, 잠깐 동안 제 어머니와 개인적으로 말씀을 나누어 주시지 않겠습니까? 어머니는 오랜 세월 동안 마음 속에 뭔가를 앓고 계십니다. 선생님께서 도와 주셨으면 좋겠습니다."

　　　"물론 도와 주고 말고." 다윗의 어머니와 아버지의 가슴 속에 담겨 있는 슬픔을 보며 내가 대답했다.

　　　"선생님과 어머니가 단둘만의 시간을 갖도록 제자분은 우

리 아버지와 저와 함께 산책이나 하시겠어요?" 하고 다윗이 권
했다.

"거 좋은 생각이군. 산책을 다녀오면 오늘 밤에 잠을 잘
자게 될 거야." 베드로가 그들과 나가려고 일어서며 말했다.
"우리는 회당으로 가서 다윗 어머니의 슬픔이 치유받도록 기도
하면 좋겠군." 베드로는 자신이 다른 사람의 마음을 읽을 수 있
는 은사를 받았다는 것을 알지 못했고, 장차 성령이 임하시면
다른 사람들을 도와 주기 위해 그 은사를 자주 쓰게 될 것이라
는 것도 알지 못했다.

그들은 나가면서 문을 닫았다. 나는 내 눈길을 피하려고
애쓰는 다윗의 어머니를 쳐다보았다. "두려워하지 마십시오. 다
윗 어머니를 비난하러 온 것이 아니고 도와 주러 왔습니다. 나
에게 마음을 열고 나의 치유를 받으십시오." 나는 손을 내밀어
그녀의 손을 잡았다.

처음에는 주저하는 듯 하다가, 눈물을 흘리며 그녀가 말
했다. "다윗이 아직 태어나지도 않았던 젊은 시절이었습니다.
어느 날 시장에 갔다가 돌아오는 길이었는데, 로마군 세 명이
나를 붙잡아 방으로 끌고 가서 밤새도록 저를 가두어 두었습니
다." 그녀는 심하게 흐느꼈다.

"괜찮습니다. 다윗 어머니, 괜찮습니다."

"그 군인들은 돌아가며 나를 강간했습니다. 그들을 막을
길이 없었습니다. 다 끝나자 나를 때리고 방구석으로 던졌습니
다. 나중에 술이 잔뜩 취해서 돌아오더니 그들은 다시 나를 강
간했습니다." 그녀는 앞으로 엎드려 나를 피하려는 듯이 손으로
얼굴을 감싸고 울었다. "너무 부끄럽습니다. 제 자신이 너무나

더럽습니다. 저는 더러운 죄인입니다. 하느님, 저를 용서해 주십시오. 이 부정한 죄인을 용서해 주세요."

얼굴을 손에 파묻고 몸을 앞뒤로 흔들며 울고 있는 그녀를 나는 한 팔로 감싸며 말했다. "다윗 어머니는 아무것도 잘못한 것이 없습니다. 다윗 어머니가 하려고 해서 생긴 일이 아닙니다."

"제가 지은 것이… 제가 죄를 지은 것이 틀림 없습니다. 제 아들 다윗은 그 사람들 가운데 한 사람의 자식으로 태어났고, 다윗이 주님을 만나기 전까지 하느님께서는 다윗을 저주하시어 장애자로 만드셨습니다. 가련한 제 남편은 다윗이 자기 아들이 아닌 줄을 알고 있으니 얼마나 괴롭겠습니까? 그리고 다윗이 태어난 후로 아이가 더 생기지 않았습니다. 이 사실을 아는 사람은 제 남편밖에 없으니 주님, 제발 아무에게도 말씀하지 말아 주십시오.

다른 사람이 이 사실을 알게 된다면 차라리 저는 죽는 게 더 낫겠습니다. 다윗이 이 사실을 알게 된다면 그 아이 앞길을 망치게 될 것입니다. 다윗은 자기 아버지를 정말 사랑하고 있거든요." 그녀는 가슴이 터져라 울면서 말했다.

"다윗 어머니." 나는 그녀의 머리를 쓰다듬었다. "다윗 어머니는 아무 잘못을 저지르지 않았어요. 그러니 자신을 너무 탓하지 마십시오. 아름다운 젊은 여인을 강제로 겁탈한 그 사람들이 죄를 지은 것입니다. 다윗 어머니는 죄를 짓지 않았습니다. 다윗 어머니가 그것을 원했던 것이 아니었는데 어떻게 죄가 되겠습니까?"

"그렇지만 주님." 그녀가 가로막으며 말했다. "저는 그 사람들 중 한 사람의 아이를 뱄고, 하느님께서 그 아이를, 우리 불쌍한 다윗을 처벌하지 않으셨습니까?"

"하느님께서 다윗을 처벌하신 것이 아닙니다. 하느님께서는 다윗을 치유하셨습니다. 다윗이 자기 어머니와 아버지에게 얼마나 많은 기쁨을 가져다 주었는지 생각해 보십시오. 그것을 어떻게 벌이라고 할 수 있겠습니까? 어떠한 괴로움 속에 있을 때라도 다윗의 마음은 항상 사랑으로 가득했습니다. 하느님께서는 다윗을 통해 다윗 어머니에게 얼마나 큰 선물을 안겨 주셨습니까?"

"자식도 없는 불쌍한 제 남편…, 다윗을 볼 때마다 그 로마군인들이 나에게 한 짓을 생각하게 되는 불쌍한 제 남편은 어떻게 합니까?" 그녀는 비통해 하며 울부짖었다.

"다윗 어머니, 다윗 아버지는 다윗을 분명히 자기 친아들 같이 사랑합니다. 그리고 그는 부인을 사랑하고, 부인한테 아무런 한을 품고 있지 않습니다. 그는 언제나 부인을 사랑했습니다. 그의 사랑은, 부인을 탓하지 않고 부인의 고통을 함께 나누는 진실한 사랑입니다. 그는 참으로 좋은 사람입니다."

"그건 사실입니다, 주님. 그는 저를 한 번도 원망하지 않았고, 항상 저를 사랑해 주기만 했습니다. 그날 옷이 찢어진 채 온 몸에 멍이 들어 집에 돌아왔을 때, 저를 목욕시켜 새 옷을 갈아 입혀 주고는, 저를 끌어안고 몇 시간이나 사랑한다고 했습니다." 그녀는 울면서 내 눈을 들여다 보았다.

나는 앞으로 몸을 기울여 그녀의 이마에 입맞춤하며 말했다. "당신과 당신의 남편한테서 내가 그 고통을 들어냅니다. 서로에 대한 사랑의 기쁨과, 하느님께 대한 사랑의 기쁨이 두 사람 안에 넘치도록 하겠습니다."

갑자기 그녀가 울음을 그치며 미소를 지었다. "주님께 말씀드리고 나니 얼마나 기분이 좋은지 모르겠습니다. 제 남편과 제 아들이 저를 얼마나 사랑하는지 알기 때문에, 지난날에 있었던 모든 일들이 이제는 아무렇지도 않습니다. 나는 처음으로 그 로마군인들을 용서해 주고 싶기까지 합니다. 그리고 앞으로 제 인생을 잘 살아야겠다는 생각이 듭니다."

그녀가 하는 말의 진실성이 얼굴에 광채로 나타났다. 바로 그때 문이 열리며 세 사람이 돌아왔다. 그녀의 남편은 자기 부인에게 미소를 지으며 말했다. "당신 아주 행복해 보이는구려. 근래들어 당신이 이렇게 행복해 보인 적이 없었소."

말이 끝나자마자 남편이 달려가서 아내를 껴안았다. 동시에 아내도 "사랑해요. 여보, 당신을 사랑해요." 하며, 남편의 뺨에 입을 맞추었다.

다윗은 울음을 터뜨리며 "감사합니다, 주님. 어머니가 저렇게 행복해 하시는 것을 본 적이 없습니다. 감사합니다." 하고는 아버지와 어머니한테 가서 두 사람을 감싸안았다. 베드로 역시 사랑이 넘치는 정경을 눈 앞에 보며 너무 기뻐서 그들과 함께 울고 있었다.

흥분이 가라앉자 나는 다윗의 아버지를 바깥으로 데리고 나갔다. "당신은 참으로 좋은 하느님의 아들이오. 그런 괴로움을 겪으면서도 가슴 속에 분노나 노여움을 품지 않았어요. 당신은 하느님의 참된 아들이오."

"주님, 베풀어 주신 모든 것에 감사합니다. 하느님께서 저의 기도를 들어 주셨습니다. 아내가 다시 행복해지기만 원했거든요. 그 로마 군인들은 옛날에 벌써 다 용서해 주었습니다. 다만 제 아내가 그것을 떨쳐 버리지 못하고 있어서 괴로웠을 뿐입니다. 다윗이 제 아들이 아닌 것을 저도 압니다. 그러나 다윗은 제 아들입니다. 다윗을 제 아들로서 사랑하는 것은, 다윗한테서 제 어머니를 볼 수 있고, 하느님께서 다윗을 저희에게 보내 주셨기 때문입니다. 그러니 어떻게 다윗을 사랑하지 않을 수 있겠습니까?"

"다윗은 당신의 아들이오. 다만 로마 군인들이 저지른 짓 때문에 당신의 생각이 흐트러졌을 뿐이오. 그 일이 있었던 며칠 전 일을 돌이켜 생각해 보시오. 부인과 함께 당신 여동생의 결혼식에 갔다가 돌아온 다음, 기분이 좋아서 저녁에 부인과 사랑으로 잠자리를 같이 한 것을 기억해 보시오. 바로 그때가 다윗의 생명이 시작된 때였오."

"그걸 어떻게 아십니까! 저는 잊어 버리고 있었는데요. 오! 그래. 주님, 맞습니다. 다윗은 제 아들입니다. 제 아들입니다!" 그는 기쁨의 소리를 외쳤다.

"한 가지 더 말하겠는데, 다윗은 곧 남동생을 갖게 될 것이오."

"무, 무슨 말씀이십니까?" 놀란 표정으로 그가 물었다.

"부인이 아이를 가졌소. 그리고 아들이오."

"정말입니까! 그 말씀이 사실입니까?" 그가 흥분하여 물었다.

"그렇소." 나의 대답을 듣고 그는 그것이 사실임을 확실히 알게 되었다. 그는 부인과 다윗에게 달려가서 기쁜 소식을 전했다.

그날 밤에는 축하의 인사 말이 오가고, 하느님께 드리는 감사기도가 끊이지 않아서 밤 늦도록 잠을 잘 수가 없었다. 베드로가 나에게 와서 말했다. "주님께서 이 가정에 너무나 많은 기쁨을 가져다 주셨습니다."

"그렇다, 베드로. 내가 하느님을 사랑하는 사람들에게 기쁨을 가져다 준다는 것을 기억하여라."

예
예수님
님

예수님 ✝✝✝ 1996년 12월 11일

다음날 아침에 다윗이 와서 나를 깨웠다. 아침 식사로 음식과 마실 것을 들고 있었다. "주님, 아침 식사가 늦었습니다. 주님께서 피곤하신 줄 알기 때문에 깨워드리고 싶지 않았지만, 밖에 사람들이 많이 와서 주님을 기다리고 있습니다."

나는 일어나서 음식을 받으며 말했다. "다윗아 내 제자들한테 가서 사람들을 조금만 더 기다리게 하라고 전해 줄 수 있겠니? 사람들한테 가기 전에 잠시 동안이라도 기도를 바쳐야 해서 그런다."

"물론 입니다, 주님. 전해 드리고 말고요." 다윗은 내 말을 전하러 밖으로 나갔다. 나를 위해 양보해 준 다윗의 침대에서 조금 더 쉬고 싶다는 생각이 간절했다.

그러나 나는 침대 옆에서 무릎을 꿇고 기도드렸다. "아버

지, 아버지께 간구하오니, 아버지의 뜻을 이룰 수 있도록 힘을
주십시오. 아버지께 영광을 드리기 위해 저 사람들을 도와 주고
치유해 주어야 하는데, 오늘 제가 너무 피곤합니다."

　"내 아들아, 네가 쉴 때가 곧 올 것이다. 그러니 오늘은
우리의 사랑을 우리 자녀들에게 가져다 주어라. 우리의 성령으
로 그들의 가슴을 채워 주고, 우리의 자비로 그들에게 힘을 불
어넣어 주어라." 하시며 아버지께서 나와 함께 계셨다.

　"아버지, 너무 어려운 길입니다. 너무나 많은 슬픔이 있
고, 많은 요청이 있고, 수없이 많은 죄악이 있습니다. 그럼에도
불구하고 너무나 많은 사랑이 있습니다."

　"내 아들아, 너를 통하여 슬픔은 기쁨이 되고, 기도하며
간청하는 것을 얻게 되고, 죄가 패배를 당할 것이다. 나의 사랑,
내 아들, 너를 통하여 말이다." 말씀 한 마디 한 마디를 통하여
내 안에서 아버지를 느낄 수 있었다. 그때 내 앞에 성령께서
나타나 나에게 감동을 주셨고, 힘을 불어넣어 주셨다. 나는 다
시 무릎을 꿇고, 처음과 같이, 이제와, 항상 영원하실 천주 성삼
으로 사랑의 일치를 이루었다. 지친 내 몸에서 피로가 거두어지
고, 새로운 활기를 느끼게 되었을 때 아버지께서 말씀하셨다.
"어서 나의 자녀들에게 가거라."

　나는 일어나서 받아놓은 음식을 먹고 난 후 기다리고 있
는 군중에게 갔다. 내가 대문을 열자, 아름다운 비둘기 한 마리
가 집 안에서 날아 나와, 가까이 있는 지붕 위로 날아가 앉았
다.

　"예수님!" 군중이 소리쳤다. "예수님, 예수님!"

　베드로가 나에게 와서 말했다. "사람들이 아주 많이 왔습

니다. 주님을 뵙고 주님의 말씀을 듣기 위해 인근 마을에서 온 사람들로 마을이 꽉 찼습니다. 이 집으로 오는 길도 사람들로 미어지고 있으니, 믿기 어려울 정도입니다. 주님, 적어도 5000명은 될 것 같습니다. 어디서 이렇게 많은 사람들이 왔을까요?"

"나의 아버지께서 그들을 내게 보내신 것이다."

베드로는 나를 쳐다보며 미소만 짓고 있었는데, 내 말의 의미를 잘 이해하지는 못했지만, 이해하려고 무척 노력하는 것 같았다.

갑자기 군중들이 소란해지면서, 로마 군인들이 사람들을 헤치고 앞으로 나왔다. 대장이 앞으로 나서며 큰 소리로 물었다. "여기서 무엇을 하고 있는 거요? 사람들이 왜 이렇게 많이 모인 거요?"

베드로가 그 군인에게 가서 설명했다. "사람들은 우리 선생님의 말씀을 들으러 왔습니다. 우리 선생님께서는 선지자이시며 치유자이십니다."

"어쨌든 마을을 이렇게 붐비게 해서는 안 되오. 소동이 일어날 수도 있단 말이오!" 로마군 장교가 호통을 쳤다.

베드로가 겸손하게 물었다. "그러면 우리가 어디로 갔으면 좋겠습니까?"

"내가 알게 뭐요. 좌우지간 여기서는 안 되오!"

군중이 소리치기 시작했다. "우리는 예수님의 말씀을 듣고 싶소. 예수님께서 우리를 치유하게 해 주시오."

그 로마군 장교는 나를 쳐다보고는 어깨를 으쓱했다. 그의 마음 속을 들여다 보니 그는 착한 사람이었다. 그러나 상관이 지시하는 명령을 따라야 했다. 그가 나에게 걸어오더니 말했다. "당신이 이 사람들에게 설교를 하는 것은 상관 없습니다. 그러나 여기 이렇게 모여 있어서는 안 됩니다. 말썽을 일으키게 될 지도 모르거든요."

"친구." 내가 손을 내밀어 그의 어깨 위에 얹으며 말했다. "마을 바깥에 있는 당신 소유의 들판을 우리가 쓸 수 있으면 좋을 것 같은데요."

"그렇군요. 그 들판이 아주 적당하겠군요. 그 곳이라면 얼마든지 쓰십시오." 그는 부드러운 표정으로 내게 미소를 지었다. 그런 다음 군중을 향해 돌아서서 말했다. "이 마을로 들어오는 북쪽 입구에 내가 들판을 하나 가지고 있는데, 여러분에게 그 들판을 쓰도록 해 줄테니, 조용히 질서 있게 거기로 가시오!"

사람들이 투덜거리며 그 들판을 향해 움직이기 시작하자, 로마군 장교가 내게 물었다. "제가 그 들판을 가지고 있는 것을 어떻게 아셨습니까? 저는 당신을 모르고, 당신도 이 지방 사람이 아니신데 말입니다."

"나는 알아요. 당신이 태어난 그 날부터 당신을 알고 있습니다."

"그건 불가능한 일입니다." 로마군 장교는 놀랐는지 눈을 크게 뜨고 말했다.

"당신이 전장에 나갔던 그 날, 아무도 죽일 수 없었던 당신을 알고 있어요. 다른 사람을 죽이느니 차라리 당신 자신의 목숨을 내놓으려 했다는 것을 알고 있소. 당신이 생명을 얼마나 귀중하게 여긴다는 것도 알고 있고, 상관이 당신을 비겁하다는 이유로 처벌하려는 것을 당신 삼촌의 중재로 모면했다는 것도 알고 있소. 삼촌이 뒤로 손을 써서 당신을 전근시키고, 당신이 전투를 하지 않아도 되게 한 것도 알고 있소. 당신의 삼촌, 아버지, 형님들, 부하들까지도 당신을 졸장부라고 생각하는 그 이유를 나는 알고 있소.

그러나 나는 당신이 용감한 사람이라는 것도 알고 있소. 왜냐하면 용기 있는 사람만이, 절대로 남을 해치지 않겠다는 맹세를 지킬 수 있기 때문이오. 용기를 가진 사람만이 인간에 대한 사랑을 위해 무시와 학대를 받아들일 수 있기 때문이오. 용기 있는 사람만이 남의 목숨을 빼앗느니 자신의 목숨을 내놓을 수가 있는 것이오. 당신은 좋은 사람이오. 내가 친구라고 부르고 싶은 사람이오!"

로마군 장교는 눈에 띄게 동요하였고, 몹시 놀란 듯 하였다. "어떻게 그 모든 것을 아실 수가 있단 말입니까?"

"나는 다 알고 있소. 장차 당신은 나의 좋은 친구가 되어, 모든 것을 나에게 바칠 것이라는 사실도 알고 있으니 말이오." 장차 나를 주님으로 선언하며, 나를 위해 괴로움을 받고 죽음을 당하는 그를 눈 앞에 보면서, 나는 그의 팔을 부드럽게 쥐었다.

로마군 장교는 나에게 미소를 짓고 말했다. "제 이름은 알로이시오입니다. 당신의 친구가 될 수 있다면 저도 기쁘겠습니다." 나는 그가 진심으로 말한다는 것을 알았고, 그가 하느님의 참된 아들인 것도 알았다.

††

예
예수님
님

예수님 ††† 1996년 12월 13일

    들판에 모인 사람들이 참을성 있게 나를 기다리고 있었다. 그들한테 가까이 다가가자 흥분한 군중의 목소리들이 크게 들렸다. 베드로와 다른 제자들과 함께 들판 한가운데로 걸어 들어가니, 거기에는 올라서서 설교를 할 수 있도록 긴 의자들이 놓여져 있었다.

    "형제 자매 여러분, 이해하면서 참고 기다려 주셔서 감사합니다. 약속한 바와 같이 오늘 여러분과 함께 시간을 보내면서 이야기도 하고, 필요한 사람들에게는 치유도 해드리기로 하겠습니다. 이렇게 많은 형제 자매들을 만나게 되어서 반갑습니다." 잠시 말을 멈추고 사람들이 잔디 위에 자리를 펴고 편안히 앉을 때까지 기다렸다.

    "갈릴래아 호수에서 고기잡이를 하는 어느 어부에 관한 이야기를 하겠습니다. 그 어부는 가족을 부양하고도 약간의 여유가 있을 만큼만 고기를 잡았습니다. 그 사람은 자기 생활에 만족했습니다. 그는 필요 이상으로 고기를 잡으려 하지 않았습니다. 다른 사람들과 나누어 가지는 것이 옳고, 필요한 만큼만 가지는 것이 옳은 일이기 때문에, 나머지 고기는 잡지 말고 남겨 두어야 한다고 그는 생각했습니다.

    그 어부는 다른 어부들처럼 일을 많이 하지 않고, 고기도 많이 잡지 않았기 때문에, 사람들은 그를 바보로 생각했고 게으름뱅이라고 불렀습니다. 다른 어부들은 잡을 수 있는 만큼 최대한의 고기를 잡아서 많은 돈을 벌었습니다. 그들은 큰 고기잡이 배를 구입하여 점점 더 많은 고기를 잡았고, 더 많은 돈을 벌었습니다. 어떤 어부들은 사람들을 고용하여 고기잡이를 하였는데, 고용인들에게는 가능한 한 돈을 적게 지불하고 자신들은 많은 이익을 남겼습니다.

큰 고깃배들은 그 욕심 없는 어부 가족이 일하는 바다 쪽으로 와서 그가 잡을 고기들을 마구 잡아갔습니다. 그러면서 큰 고깃배 주인들은 당당하게 말하는 것이었습니다. '우리는 여기 와서 고기잡이할 권리가 있다. 고기한테는 주인이 없어. 우리가 원하는 곳이면 어디서나 고기를 잡아도 돼. 게다가 우리는 저 어부보다 지출이 많은 임금을 지불해야 하거든.'

다른 어부들이 고기를 다 잡아가 버려서 그 어부는 끼니를 이어가기조차 어렵게 되었습니다. 그래서 큰 고깃배 주인들에게 가서 자신의 딱한 사정을 하소연했습니다. 그랬더니 그 사람들은, '그야 당연하지. 작은 규모로 살아남기를 기대할 수는 없는 거요.' 하고 단호하게 말했습니다.

그 어부가 말했습니다. '그렇지만 모든 사람들이 나눠 가질 수 있을 만큼 충분한 고기가 바다에 있으니 우리는 같이 나눠 가질 수 있지 않겠소. 당신들이 작은 규모로 고기잡이를 하고 있었을 때도, 나는 한 번도 당신 고기를 빼앗은 적이 없었소. 나는 내게 필요한 만큼만 잡았고, 그 나머지는 다른 사람들을 위해 남겨 두었단 말이오.'

그러자 그들은 그 어부를 비웃었습니다. '어리석기도 하군. 잡을 수 있는 만큼 고기를 많이 잡아야 편안하게 살 수가 있는 거요. 그래야 다른 사람들에게 일거리를 줄 수도 있고 그들을 도와 줄 수도 있는 것이고…. 그렇게 하는 것이 바로 나눠 갖는 것이오.'

마침내 그는 자기 배를 팔아야 했고, 적은 품삯을 받으며 남의 고기잡이 일을 해야 했습니다. 그런 어려움을 겪으면서도 그는 여전히 행복했고, 그의 가족들도 마찬가지로 행복했습니다.

사람들은 그를 두고 수근댔습니다. '저 사람은 미쳤나봐. 가진 재산을 모두 다 잃었는데도 아무렇지 않게 여기고 있으니 말이야.'

어느 날 그 어부는 고기잡이 배 안에서 일하다가 심하게 몸을 다쳤습니다. 사람들은 서둘러 배를 몰고 해변가로 돌아왔습니다. 그러나 모래 위에 눕혀진 채 죽어가는 그는 여전히 행복한 표정이었습니다. 그를 둘러싸고 서 있던 사람들은 그의 그러한 모습을 보고 다들 놀랐습니다. 그의 가족들은 뒤늦게 연락을 받고 달려왔는데, 가족들 역시 밝은 표정이었고 그렇게 걱정하고 슬퍼하는 표정이 아니었습니다. 그들의 아버지요 남편이 겪고 있는 고통이 마음 아팠지만, 정작 슬퍼하는 것은 아니었습니다.

그 어부는 자기 가족들을 바라보며 말했습니다. '이제 집으로 갈 시간이 된 것 같다.' 그는 미소를 지으며 눈을 감고 숨을 거두었습니다. 가족들은 눈물을 흘리지 않았습니다. 잠깐 동안 침묵을 지키고 있다가 함께 기도했습니다. 죽은 사람을 둘러싸고 서 있던 사람들은 놀라움 속에서 그 가족들을 지켜보았습니다. 그리고, 그들이 기도를 끝마친 후에 물었습니다. '어떻게 울지도 않는 거요? 아버지와 남편을 잃었는데도 어쩌면 그렇게 만족스런 표정들이오? 이 사람처럼 당신들도 제 정신이 아니오?

그러자 죽은 어부의 아내가 일어서서 말했습니다. '남편은 하느님을 사랑하고, 가족들을 사랑하며, 주위 사람들을 사랑하면서 한 평생을 착하게 살았습니다. 그분은 자기가 가진 것 외에는 더 이상을 원하지 않았고, 절대로 남을 이용해 이득을 취하지 않았을 뿐 아니라, 항상 남에게 나누어 주고 싶어 했습니다.

자기 생계를 뺏아가는 사람들을 용서해 주고, 그들을 위해 기도해 주었습니다. 보잘것없는 품삯을 받으며 여러분의 배에서 노동을 해야 했지만 즐겁게 살았습니다. 그분은 최선을 다했고, 누구도 원망하지 않았습니다. 비록 먹을 것이 없고, 입을 것이 없고, 식구들에게 필요한 것을 사 주지 못하는 아픔을 겪을 때라도, 그 양반은 행복했습니다.

남편이 왜 그렇게 살았느냐고 묻고 싶습니까? 그 분은 하느님을 사랑했기 때문이고, 사람들이 그렇게 살기를 하느님께서 원하신다는 것을 알고 있었기 때문입니다. 살면서 어려움을 당할 때마다 그것을 잘 참고 견디어 가는 것이, 자신의 사랑을 하느님께 보여 드리는 방법이라고 생각했기 때문입니다.

어려움이 닥쳐도, 그것이 하느님의 뜻인 줄을 안다면 어떻게 화를 내겠습니까? 그리고 하느님께서 자신의 죄를 용서해 주신 것을 알고 있는 남편이 어떻게 남의 죄를 용서해 주지 않을 수가 있겠습니까? 남편이 돌아가셔서 슬픕니다. 그러나 우리는 울부짖거나 흐느끼지는 않을 것입니다. 그분이 하느님께서

원하시는 대로 살았기 때문에, 천국에서 하느님의 보상을 받을
것을 알기 때문입니다.'

　　그 어부의 아내가 하는 말을 듣고 사람들은 감명을 받았
습니다. 그러나 며칠이 지나자 그 사람들은 벌써 다 잊어 버리
고 여전히 이전 생활로 되돌아갔습니다. 부자는 가난한 사람들
을 이용하여 점점 더 부자가 되었고, 가난한 사람은 자신의 가
난을 하나의 생활 방식처럼 받아들이고 체념하면서 말입니다."

　　이야기를 끝마쳤을 때 들판에 있던 많은 사람들이 울고
있었다. 대부분의 사람들은 침묵을 지키고 앉아 있었는데, 부유
한 옷차림을 한 어느 남자가 말했다. "나는 그 말에 동감할 수
가 없습니다. 부자라고 해서 가난한 사람들을 다 이용하는 것은
아닙니다. 부자가 없으면 가난한 사람들은 일거리도 없을 것입
니다!"

　　"부유하다는 것이 죄는 아니오. 부자가 자기만의 부귀를
찾고, 그 부귀를 유지하기 위해서 다른 사람의 것을 이용하거나
빼앗을 때, 그것이 죄가 되는 것이오. 당신의 말이 맞소. 부자
라고 다 남을 이용하는 것은 아니오. 그러나 많은 부자들이 남
을 이용하고 있소. 그들은 정당한 품삯을 지불하지 않음으로써
고용인들을 심하게 부려먹거나, 오래 일을 시킴으로써, 고용인들
이 자기 가정에 할애해야 할 시간을 무시당하고 있소.

　　고용인들에게 무조건 복종하기를 강요함으로써 고용인들
을 고용주보다 가치 없는 인간으로 생각하고 있소. 그리고 고용
인들을 동등한 인간이 아닌 물건처럼 취급하면서, 존경심 없이
다룸으로써 그들을 약탈하고 있는 것이오.

부자가 기억해야 할 것은, 오직 하느님의 은총으로 부귀를 누리고 있다는 사실이오. 부자가 가난한 사람보다 권리가 더 많은 것은 아니오. 권리가 더 많다고 생각한다면 그것은 잘못된 생각이오. 가난한 사람이 가난하게만 살아야 할 의무가 있는 것이 아니듯이, 부자가 혼자서만 부유하게 살 권리가 있는 것이 아니오. 부자들이 가진 재산을 다른 사람들과 나누어 가지지 않으면, 언젠가, 참으로 가난한 자는 바로 그들 자신이라는 것을 알게 될 것이오."

그 부자는 이제 얼굴이 홍당무가 되었는데, 내가 한 말이 그의 급소를 찔렀기 때문이었다.

또 다른 한 사람이 질문을 했다. "그러면 모두 나누어 가지고, 서로 동등하게 취급하면, 우리가 하느님께서 원하시는 대로 사는 것입니까?"

"첫째로 여러분이 해야 할 것은 하느님을 완전히 사랑하는 것입니다. 그렇게만 하면, 남과 나눠 가지는 일이나 남을 내 몸같이 사랑하는 일은 저절로 될 것입니다. 이웃에 대한 사랑은, 하느님을 사랑할 때 가능해 지는 것이기 때문입니다." 나는 말을 마치고 그를 향해 부드럽게 미소를 지어 주었다. 그는 내 대답에서 어떤 헛점을 찾아내려는 의도로 질문을 던졌던 것이다.

"선생님, 그 어부는 화를 내지 않고 있기가 참 힘들었을 것 같습니다. 저 같으면 아주 화가 났을 것입니다." 어느 젊은 이가 솔직하게 큰 소리로 말했다.

"자신의 약한 점을 안다는 것은 좋은 것입니다. 그러나 하느님의 사랑 속에서는 노여움도 없고, 분노도 없고, 질투도 없으며, 오직 사랑과 용서만 있다는 것을 알아야 합니다." 내 말에 동조하는지, 그는 나를 쳐다보며 고개를 끄떡였다.

내가 긴 의자에서 내려오니 제자들이 곁으로 왔다. 나는 군중들 사이를 걸어가며 사람들에게 안수를 해 주고, 많은 사람들을 치유해 주었다. 사람들은 손을 뻗쳐서 나를 만지려 하고, 내게 가까이 오려고 아우성이었다. 그래서 내가 큰 소리로 말했다.

"병든 사람들은 치유를 받으십시오. 용서를 구하는 사람들은 용서를 받으십시오. 그리고 사랑을 구하는 사람들은 사랑을 받으십시오."

"내가 나았다!"

"눈이 보인다. 볼 수 있다!"

"내가 걷는다!"

"나도 걸을 수 있다!"

"귀가 들린다. 선생님이 나를 치유해 주셨다!"

사방에서 사람들이 환성을 올렸다.

"주님!" 베드로가 감탄하며 외쳤다. "주님께서 사람들을 만지시지도 않았는데 다들 치유를 받았습니다!"

나는 미소를 지으면서 베드로에게 말했다. "집으로 돌아가자."

우리는 들판을 떠났다. 들판에서는 마치 큰 잔치가 벌어진 듯이 치유의 기쁨으로 모두들 춤을 추고 노래를 부르고 있었다.

"주님!" 자기가 그 어부였더라면 아주 화가 났을 것이라고 말했던 그 젊은이가 따라와서 나를 불렀다. "저도 주님을 따라가면 안 될까요?"

"물론 안 될 것 없지. 네 이름이 무엇이냐?"

"재커리입니다." 하고 그가 대답했다.

"잘 왔다, 재커리. 환영한다." 나는 한 팔로 그의 어깨를
감싸 안았다.

예

예수님

님

예수님 ††† 1996년 12월 14일

유다가 와서 말했다. "주님, 주님께서는 사람들이 우리를
많이 따라오게 하시는데, 이 사람들을 어떻게 다 먹여 살리실
작정이십니까?"

"나에게 의탁하여라, 유다야. 필요한 것을 모두 얻게 될
것이다." 나는 주위에 있는 제자들을 바라보았다. 점점 많은 사
람들이 우리와 함께 하고 있지만, 가는 길이 험하고 힘든 것을
알고 나면 어떤 사람들은 스스로 도중에 떠나 버릴 것을 알고
있었다.

각자 자기가 머물 집으로 가기 위해 우리는 헤어졌다. 헤
어지기 전에 내가 큰 소리로 말했다. "아버지께서 우리에게 베
풀어 주신 은혜에 감사기도를 드리기 위해, 잠시 후에 회당으로
갈 것이다."

베드로와 함께 다윗의 집으로 가고 있는데, 길에서 흙을 만지며 놀고 있는 어린이를 만나게 되었다. 나는 그 아이를 내려다보고 웃으면서 말했다. "얘야, 노는 게 재미있니? 아주 재미있어 보이는구나."

그 아이는 커다란 갈색 눈동자를 굴리며 나를 쳐다보았다. "네, 재미있어요. 나는 지금 농장을 만들고 있는데, 이건 집들이에요." 그리고는 흙 속에 쌓아놓은 몇개의 흙무더기를 가리켰다. "그리고 이건 동물들이에요." 반짝거리는 작은 돌멩이들을 가리키며 아이가 설명했다.

나는 아이 곁에 앉아서 물었다.

"너는 자라서 농부가 되고 싶은 게로구나?"

"네, 농부가 되고 싶어요. 농부가 되면 우린 안 굶어도 될 테니까요!" 당연하다는 듯이 아이가 대답했다.

"너 지금 배가 고프니?" 베드로가 물었다.

"네, 배가 고파요." 아이가 대답했다. "아침에 조금밖에 안 먹었거든요. 엄마가 그러는데 내일까지는 아무것도 먹을 게 없대요. 아까 풀을 조금 먹긴 했어요." 하며 아이는 곁에 있는 풀을 뜯었다.

"자주 굶게 되니?" 걱정스러운 목소리로 베드로가 물었다.

"굶는 날이 주로 많아요." 여전히 흙과 돌을 가지고 놀면서 그 아이가 대답했다.

"아빠는 어디 계시니?" 하고 묻는 베드로의 뺨에 눈물이 흘러내렸다.

"엄마가 그러는데 아빠는 사고로 돌아가셨대요. 그런데

있잖아요. 내 친구들이 그러는데 로마 군인들이 아빠를 십자가에 못박아 죽였대요. 십자가에 못박는 게 뭐예요?" 천진스럽게 묻는 아이의 질문이었다.

나는 아이의 얼굴을 쓰다듬어 주면서 가슴이 아팠다. "아, 그건 말이다. 엄마한테 물어봐야 하는 거야." 그리고 베드로에게 말했다. "베드로, 이 아이가 엄마한테 갖다 줄 만한 것이 있느냐?"

"네, 주님." 하고 대답하는 베드로의 뺨에 이제는 눈물이 줄줄 흘러내렸다. 베드로는 옆구리에 차고 있던 작은 돈주머니를·꺼내서 아이에게 주었다. "얘야, 이것을 엄마에게 갖다 드려라."

아이는 돈주머니를 받아 들고 나에게 물었다. "이 아저씨 왜 우세요? 슬픈 일이 있어요?"

"어어, 그건 아저씨 가슴에 사랑이 넘치기 때문에 우시는 거란다…."

아이는 두 팔로 베드로를 껴안으며 "아저씨 울지 마세요. 저도 참 많이 울었지만, 아직도 슬픈 걸요. 울지 마세요." 그리고 나서는 베드로의 뺨에 입을 맞추며 말했다. "제가 아저씨의 친구가 되어 줄께요. 울지 마세요." 그 아이의 말에, 베드로는 더 흐느껴 울기 시작했다. 어린 나이에 그렇게 심한 괴로움을 겪었으면서도 사랑을 잃지 않은 그 아이의 사랑과 순진함을 보면서 나 역시 울지 않을 수 없었다.

나는 그 아이의 아버지를 내 눈 앞에 보았다. 착한 사람이었지만 병에 걸려 일을 할 수 없었기 때문에 가족을 먹여 살릴 방도가 없었다. 어느 날 그는 절망에 빠져 자포자기한 나머지 로마 군인의 돈과 칼을 훔쳤고, 칼을 팔아서 먹을 것을 사려다가 로마 군인에게 들켜서 모진 매를 맞았다. 그리고 로마군 장교는 그가 로마 군인들을 죽이려고 칼을 훔쳤다고 몰아붙여 십자가에 못박아 죽이라고 명령을 내렸던 것이다.

물론 아이 아버지는 로마 군인들을 죽이려고 한 것이 아니었는데도, 억울하게 사형을 당한 것이었다. 어려운 처지에 있는 그를 도와 주지 않은 냉정한 이웃들 때문에, 착한 사람이 죄를 짓게 된 것을 생각하니 가슴이 몹시 아팠다. 만약 그 이웃과 친구들이 불쌍한 병자를 동정하여 도와 주었더라면, 그가 그토록 절망에 빠지지 않았을 것이고, 도둑질을 하지도 않았을 것이다.

죄는 고통을 가져다 줄 뿐이지, 절대로 고통을 덜어 주지 않는다. 그 사람은 십자가 위에서 고통을 당했고, 부인과 아들은 그를 잃고 고통을 당해야 했다. 그 사람이 죽고 난 후에도 그 가족을 전혀 도와 주지 않는 이웃 사람들은, 그들의 영혼을 점점 더 손상시키면서 무거운 죄를 짓고 있었다.

아이 엄마가 왔다. 그녀는, 아이가 울고 있는 베드로와 나를 껴안고 "울지 마세요. 괜찮아질 거예요. 울지마세요." 하면서 오히려 어린 아이가 어른을 달래 주고 있는 광경을 보았다.

"무슨 일이에요? 내 아들한테 뭘하고 있는 거예요?" 하면서 그녀는 아이를 들어올렸다.

베드로는 그녀를 보고 말했다. "그냥 이야기하고 있었어요. 아이가 아빠 이야기를 해 주더군요."

"아," 하는 소리를 내면서 그녀는 부끄러운 듯 고개를 푹 숙였다.

나는 일어서서 그녀의 얼굴을 손으로 받쳐 올리며 말했다. "부인, 부끄러워 할 것 하나도 없습니다. 아주 좋은 아들을 두셨군요. 당신은 사랑을 지니고 있어요."

"가야 하겠습니다." 아이 엄마는 불안하게 말하며 돌아섰다.

"엄마, 이 좋은 아저씨들이 주신 거예요." 아이가 엄마에게 돈주머니를 보여 주었다.

아이 엄마는 믿을 수 없다는 듯 망연히 서 있다가 입을 열었다. "네가 훔친 것은 아니겠지?"

"아니예요. 엄마한테 갖다 드리라고 우리가 준 겁니다." 베드로가 나서며 말했다.

"아니, 왜 이런 돈을 저희에게 주시는 거지요?" 그녀는 의아스러운 듯이 우리를 쳐다보았다.

"이 돈으로 가이사리아에 살고 있는 가족들한테 돌아갈 수 있을 것이오." 나는 상냥하게 미소를 지어 주며 말했다.

"저희 가족이 거기 있는 것을 어떻게 아셨어요?" 그녀가 놀라서 물었다.

"삼촌이 거기 있는 것을 알고 있소. 삼촌한테 가면, 엄마와 아들을 잘 보살펴 줄 것이오."

"그-그런데 어떻게 그것을 아십니까? 이 마을에 사는 사람 중에서 그것을 아는 사람은 아무도 없는데요!" 그녀는 깜짝 놀라서 외쳤다.

"나는 알고 있어요. 남편을 용서해 달라고 하느님께 매일 간청하고 있는 것과, 살아가는 데 조금만 도움을 달라고 하느님께 기도하고 있는 것도 알고 있어요. 하느님께서는 당신의 기도를 항상 듣고 계시오."

"오, 주님!" 하면서 그녀는 무릎을 꿇었다.

"저 아저씨도 이 아저씨를 주님이라고 불렀어요." 아이가 큰 발견이라도 한 듯이 베드로를 가리키며 말했다.

"주님…!" 그녀는 흐느끼며 감히 나를 쳐다보지 못하고 땅만 내려다보았다.

나는 그녀를 일으켜 세우며 말했다. "하느님께서 당신의 기도를 들어 주셨소. 당신에게 베풀어 주시는 하느님의 은혜를 잊지 말고 항상 감사하시오."

그녀는 눈을 뜨고 나를 쳐다보았다. 그리고 나를 알아보았다. 그녀는 다시 무릎을 꿇고는 내 발에 입맞추기 시작했다.

"감사합니다, 주님. 감사합니다. 저같이 미천한 사람한테 와 주시다니, 오! 감사합니다, 주님."

나는 다시 그녀를 일으켜 세우며 말했다. "당신 마음 속에 있는 모든 슬픔을 걷어내고, 기쁨으로 채웁니다. 그리고 당신 뱃속에 있는 아기에게 말하노니, 아가야, 너에게 생명의 기쁨을 주노라."

"아기라니요? 주님, 아기라니요. 어쩐지 이상하다 했는데, 네, 맞습니다. 아기, 제 남편의 아기…" 그녀는 진심으로 기뻐하고 있었다.

아이가 나에게 활짝 웃으며 말했다.

"아저씨가 이제 울지 않아서 기뻐요."

"그래, 나도 기쁘구나. 나도 기뻐!"

우리는 엄마와 아이를 떠나 묵고 있는 다윗의 집으로 향했다. "좋은 아이였습니다. 도와 줄 수 있어서 기쁩니다." 베드로가 말했다.

"네가 사랑으로 기도하면서 하느님께 청한다면, 하느님께서 들어 주신다는 것을 믿고 끊임없이 기도하여라. 그리고 그것이 너에게 유익한 것이라면, 하느님께서는 무엇이든지 들어 주신다." 우리는 회당으로 가기 전에 준비를 하려고 다윗의 집에 잠시 들렀다가 다시 회당으로 향했다.

회당에 도착하니 제자들이 기다리고 있었다. 야고보가 나에게 와서 말했다. "주님, 걱정하고 있었습니다. 두 시간이 넘게 기다리고 있었습니다."

"늦어서 미안하다. 도중에 우리 도움이 필요한 사람을 만나서 그랬다." 야고보는 누군가가 주님의 사랑으로 기쁨을 누린 것을 알아차렸고, 그것이 야고보에게 큰 기쁨이 되어 만족스런 미소를 지었다.

나는 제자들과 앉아서, 나이가 많은 한 라삐의 설교를 들었다.

"아브라함 시절에는 많은 사람들이 하느님과 가깝게 살았고, 아브라함의 인도로 많은 사람들이 하느님의 사랑을 이해할 수 있었습니다. 머지않아 하느님께서 아브라함 같은 사람을 다시 보내 주시어, 우리에게 하느님의 사랑을 상기시켜 주시기를 바라는 마음입니다.

오늘날 많은 사람들이 어떻게 하면 좀더 잘 살까, 어떻게 하면 남들에게 잘 보일까, 어떻게 하면 이 사회에서 좀더 높은 자리를 차지할까 하는 것만 생각하면서 이기적인 모습으로 살고 있습니다. 그들은 하느님 면전에 보여지는 자기 자신의 모습을 생각하지 않습니다. 하느님께서 그들을 어떻게 보시느냐가 중요하고 하느님의 계명을 어떻게 잘 지키며 사느냐가 중요하다는 것을 그들은 잊어 버렸습니다.

지금의 세대는 죄많고 교만한 세대입니다. 이 세대의 한 사람인 나도 같은 잘못이 있습니다. 가르침을 받아야 할 사람들이 들으려 하지 않고 이해하려 하지 않는다면, 하느님의 거룩하신 뜻을 가르치는 라삐가 무슨 소용이 있겠습니까? 내 말을 들으려 하지 않는다는 것은, 여러분이 하느님에 대해 무엇을 알아야 하는지를 내가 미처 파악하지 못했다는 것을 증명합니다.

나의 교만으로 인해, 하느님의 거룩하신 말씀을 사람들에게 잘 설명할 수 있는 은총을 나 자신이 겸손되이 받아들이지 못했다는 것을 증명합니다. 라삐와 교사들이, 지금의 세대에게 하느님 안에서 참되게 사는 길을 가르치지 못했다면, 어떻게 지금의 세대를 탓할 수가 있겠습니까?'

그는 입고 있던 외투를 찢으며 말했다. "하느님, 저의 교만을 용서해 주시고, 당신의 뜻대로 살지 못한 것을 용서해 주십시오." 그리고는 자리에 앉아서 조용히 흐느꼈다.

회당 안에는 그 노인이 우는 소리를 제외하곤 침묵이 흘렀다. 마침내 내가 일어서서 말했다.

"라삐께서 하신 말씀은 사실입니다. 오늘날 많은 사람들이 하느님께 등을 돌리고 있습니다. 그것은 사제들의 나쁜 본보기와 그릇된 가르침 때문입니다. 그러나 사제들도 그릇된 가르침을 받았고, 그래서 그 그릇된 가르침을 대대로 물려 주고 있는 것입니다. 자비하신 하느님께서는 사제들과 선생들에게 그리고 모든 사람에게 용서와 사랑을 베풀어 주고 싶어 하십니다.

하느님의 용서를 받아들이려면 우선 이 라삐처럼 자신을 솔직하게 관찰하여, 자기 잘못을 깨닫고, 하느님께 용서와 인도하심을 간청해야 합니다. 그러면 자비하신 하느님께서는 용서를 해 주실 것입니다.”

내가 자리에 앉자 사람들이 동감을 표시하며 웅성거리고 있었는데, 연로한 그 라삐가 다시 말했다. “사랑의 말씀과 용서의 말씀이었습니다. 그것은 참으로 하느님의 말씀입니다. 모두 귀담아 들으십시오!”

얼마 후에 우리는 회당을 떠나 저녁 식사를 하러 다윗의 집으로 돌아왔다.

예
예수님
님

예수님 ††† 1996년 12월 16일

집에 도착했을 때, 다윗이 우리를 기다리고 있었다. “주님, 오늘 밤에 축제를 열 생각입니다. 주님께서 오신 것을 온 가족과 친구들이 경축하고 싶어 합니다.” 다윗이 흥분된 목소리로 말했다.

“그렇게 하면 참 좋겠구나. 나도 너희들과 함께 경축하고 싶었다.”

내 말이 끝나자마자 베드로가 끼어들었다. “그래요, 주님! 잔치를 해 본 지도 오랩니다.” 베드로가 하는 말에도 일리가 있었다. 제자들은 머나먼 길을 걸어왔고, 아직도 가야 할 길이 많이 남아 있었지만, 그동안 휴식하거나 잔치를 할 시간이 없었던 것이다.

다윗이 말했다. "오늘 갔던 그 들판에서 다들 모이기로 했습니다. 아주 많은 사람들이 오기 때문에 집에 다 들어갈 수가 없어서 말입니다!"

"나는 조금 쉬고 있을 테니까 떠날 때가 되면 불러 주지 않겠느냐?" 이렇게 말하고 나는 침대 있는 방으로 갔다. 자리에 누운 지 얼마 되지 않아서 누가 문을 두드렸다. 잔치 장소로 떠날 시간이 되었다고 야고보와 요한이 나를 부르러 왔다.

야고보가 흥분하여 나를 불렀다. "주님, 떠날 시간이 되었습니다. 준비 되셨습니까?"

"그래, 나가마." 나는 눈을 비비며 일어났다. 좀더 잘 수도 있었는데….

그 집 중간 마당으로 들어가니 베드로, 야고보, 요한, 다윗 그리고 다윗의 부모가 나를 기다리고 있었다. 야고보만큼 흥분된 목소리로 다윗이 말했다. "들판으로 가 보았더니, 벌써 수백 명이 와서 노래를 부르고 춤을 추고 있더군요. 재미있는 밤이 되겠습니다, 주님."

요한은 약간 걱정스럽게 말했다. "그렇지만, 주님. 그 사람들이 주님을 편안히 즐기시도록 놔 둘까요?"

베드로가 요한을 안심시켰다. "다윗하고 내가 거기 있는 사람들에게 벌써 신신당부해 놨어. 주님께서 편안한 마음으로 잔치를 즐기실 수 있도록, 질문은 삼가해 달라고 말이야. 그런 조건이라야만 우리가 가겠다고 했어." 나를 지켜 주고, 항상 나를 보호해 주는 참으로 좋은 친구들이었다.

"자, 가자. 그 곳으로 가서 같이 즐기자." 나는 힘차게 말했다.

들판에는 의자들이 많이 놓여 있었고, 여러 군데 피워놓은 모닥불을 둘러싸고 사람들이 앉아 있는 것이 보였다. 들판 가운데 있는 널찍한 공터에서 대여섯 명의 악단이 연주하는 음악에 발을 맞추어 사람들이 춤을 추었고, 다른 사람들은 춤추는 사람 주위에 둘러 앉아 손뼉을 치며 노래를 부르고 있었다. 다윗이 우리를 큰 탁자로 안내했는데, 그 탁자에는 제자들과 몇몇 사람들이 앉아 있었다. 유다는 탁자 위에 잔뜩 놓여 있는 음식들을 게걸스럽게 먹으며 앉아 있었다.

의자에 앉으면서 거기 있는 사람들을 둘러보니, 그들은 나의 방문을 함께 기뻐하며 신나게 즐기고 있었다. 나는 모든 사람들이 그렇게 행복하기를 간절히 원했다.

들판 건너편에 탁자 하나가 그림자에 가려 있었는데, 로마군 장교와 부인이 앉아 있었다. 사람들이 그 두 사람을 외면하는데도 불구하고 장교는 축제 분위기 속에 어울리며 즐기고 있었다. 내가 베드로를 불렀다. "베드로, 저기 있는 저 착한 사람과 부인을 이리로 초대해서 우리와 함께 앉도록 해 주지 않겠느냐?"

베드로는 놀란 것 같았다. "주님, 하지만 저 사람은 로마 군인입니다!"

"그렇다. 그리고 그는 우리와 같은 사람이다. 모든 사람이 다 하느님의 자녀이니, 그도 하느님의 자녀이다."

"그러나 그렇게 하면 여기 있는 사람들이 분개할 텐데

요." 베드로가 자기 의견을 말했다.

"만약 그들이 화를 낸다면 그것은 그들의 마음이 닫혀 있어서 그런 것이다." 베드로는 내가 단념하지 않을 것을 알아차리고는 로마군 장교의 탁자로 가서 그들과 한참 이야기를 했다. 처음에는 주저하는 것 같더니, 마침내 그 장교가 베드로를 따라왔다. 그들이 우리 탁자에 왔을 때 내가 먼저 인사를 했다.

"어서 오시오. 아름다운 부인도 어서 오시오."

둘 다 불안한 표정이었다. 장교가 조심스럽게 입을 열었다. "로마인인 제가 선생님과 함께 앉아 있으면 사람들이 싫어하지 않을까요?"

"친구, 나와 함께 앉아 주면 참 기쁘겠소. 자, 앉으시오."

우리 탁자에 같이 앉아 있던 사람들은 처음에 몹시 충격을 받은 것 같았지만, 시간이 갈수록 점차로 눈길이 한결 부드러워지더니, 얼마 후에는 그 두 사람이 로마인이라는 사실도 잊어 버린 듯 했다. 그런데 술이 만취한 재커리가 우리한테 오더니 소리쳤다. "주님, 로마인이 여기서 뭘하고 있는 겁니까?"

베드로가 얼른 재커리를 부축해 세우며 타일렀다. "주님께서 저 부부를 초청하셨네. 주님께서 초청하시는 사람이면 누구나 여기 올 수 있는 것 아닌가. 유다인, 그리스인, 로마인, 사마리아인 할 것 없이 말이야. 주님께서 초청하시고 환영하시는 사람은 우리도 환영해야 할 것 아닌가?" 나는 그때 베드로가 지닌 힘을 다시 보았다. 내가 쌓아놓은 기초 위에 새 교회를 세울 그 힘을…!

"하지만 저 사람은 로마인입니다!" 재커리가 술이 잔뜩 취한 목소리로 소리쳤다.

"그리고 자네는 술취한 사람이고, 가서 좀 쉬어야겠네." 베드로가 단호하고도 친절하게 말했다.

"전 괜찮습니다. 이 정도의 술로는 끄떡없습니다. 좌우지간 저 사람은 로마인입니다!" 다시 소리치는 재커리를 베드로가 탁자에서 멀리 데리고 갔다.

나는 로마군 장교와 부인에게 미소를 지으며 말했다. "젊음과 과음은 화합이 잘 안 되지요. 그것은 성미를 급하게 만들고 헛용기만 불어넣어 줍니다."

로마군 장교는 어깨를 한번 으쓱하더니 말을 했다. "그것은 어디서나 마찬가지입니다."

나머지 저녁시간은 아주 즐거웠다. 유다조차도 즐거워했는데, 가끔 일어나서 춤도 추고 노래도 불렀다. 이 세상에 있는 내 가족들이 이렇게 행복해 하며 재미있게 노는 것을 보니 나는 참으로 기뻤다. 내 앞에서 벌어지고 있는 축하잔치를 바라보며 내 가슴은 사랑이 흘러 넘쳤다. 그때 갑자기 음악소리가 멈추고 침묵이 흐르는 가운데, 한 라삐가 들판 중앙으로 걸어들어왔다. 회당에서 만났던 그 노인 라삐였다.

"여러분!" 그는 크게 말했다. "우리는 오늘 밤에 위대하신 나자렛의 예수님께서 우리를 방문해 주신 것을 경축하고 있습니다. 오늘 회당에서 예수님이 말씀하시는 것을 들었는데, 그 말씀은 내 가슴에 불을 놓았습니다. 여러분도 예수님의 말씀을 들었을 것이고, 치유를 받았거나 치유를 받은 사람들을 보았을 것입니다. 예수님은 분명히 하느님께서 보내신 분이십니다. 예수님께서 우리와 함께 계신다는 이 사실은 우리에게 큰 축복이며, 예수님의 말씀을 들을 수 있었다는 것이 얼마나 축복을 받은 일입니까?"

모든 사람들이 환호성을 올렸다. "예수님! 위대하신 선지자! 예수님께 찬미 드립니다!"

나는 일어서서 그 라삐에게 감사하는 표시로 미소를 지으며 가볍게 목례를 했다.

그러자 라삐는 아주 슬픈 목소리로 노래를 부르기 시작했는데, 그 목소리의 심연한 아름다움으로 인해 많은 사람들이 눈물을 흘렸다. 노인이 그토록 아름다운 목소리로 노래하는 것을 듣고 다들 놀랐는데, 나는 그 목소리가 사랑에 넘치는 그의 가슴 속에서 우러나오고 있음을 알았다.

라삐는 노래를 다 부르고 나서 내게로 걸어오더니, 두 팔로 나를 껴안으며 내 뺨에 입을 맞추었다. 너무나 아름다운 목소리로 노래를 부르고 나서, 너무나 애틋한 사랑으로 나를 껴안는 것을 보고 사람들은 모두 손뼉을 쳤다. 음악소리가 다시 들리고, 사람들이 음악에 맞추어 손뼉을 치고 있는데, 라삐는 내 손을 잡고 사람들이 춤추는 곳으로 나를 데리고 갔다. 우리는 다른 사람들과 함께 춤을 추었다.

우리가 탁자로 돌아와 앉자 라삐가 물었다. "왠지는 몰라도, 나뿐만이 아니라, 다른 사람들도 모두 예수님을 모시고 싶어 하고, 함께 계시기를 바랍니다. 무엇 때문에 그러는 걸까요?"

"그것은 내 안에 계시는 나의 아버지 때문입니다."

"그게 무슨 말씀입니까? 예수님의 아버님이 누구라고 하셨습니까?"

"내 아버지는 모든 창조물의 아버지시고, 내가 있는 곳에

는 아버지도 계십니다." 나는 라삐의 눈 속을 들여다보며 대답
했다.

"그게 무슨 말씀입니까? 잘 이해가 안 되는데요." 그 라
삐가 다시 물었다.

나는 그에게 웃으며 대답했다. "나로다(I Am)."

놀라서 눈이 휘둥그래진 그 라삐는 순간, 진리를 알아보
았다. "당신은 메시아이십니다!" 그 라삐는 의자에서 내려 두
무릎을 꿇었다.

"그렇다, 나로다(I Am)." 하며 나는 그 라삐의 손을 잡아
일 으켜 세웠다.

라삐의 눈에서 눈물이 흘러내렸다. "제가 이 날을 맞게
되리라고는 생각지도 못했습니다. 주님, 제 생애는 이제 완성되
었습니다." 라삐는 춤추고 있는 다른 사람들 사이로 가더니 함
께 어울려 춤을 추면서, 기쁨에 넘쳐 흐느껴 울었다.

베드로가 와서 말했다. "주님, 재커리는 잠이 들었고, 라
삐께서는 아주 즐거워 보입니다."

"그래, 라삐는 오늘 진리를 보았기 때문에 마냥 즐거우신
것이다."

"그런데 주님, 재커리를 어떻게 했으면 좋겠습니까? 그렇
게 행동하는 사람이 우리와 함께 주님을 따라와도 되겠습니까?"
베드로가 걱정스럽게 물었다.

"나는 모든 사람을 용서해 준다. 재커리가 용서를 구하
고, 스스로 노력하여 자신의 약점을 극복한다면, 재커리도 나를
따라올 수 있는 것이다." 베드로에게 대답하며 나는, 모든 사람
들이 약점을 가지고 있고 자신의 약점을 알고 있지만, 그것을

극복하려고 노력하지 않는 것을 생각했다.

"내일이면 알게 될 것이다." 베드로에게 재커리에 대해 말해 준 다음 잠시 침묵하고 있는데, 노인 라삐가 되돌아와서 베드로에게 말했다. "이분이 바로 그분이시네! 이분이 누구신지 알고 있는가?"

베드로는 라삐와 나를 번갈아 쳐다보며 대답했다. "네, 알고 있습니다." 그러나 베드로는 라삐의 말이, 그의 영혼 깊은 곳에서 나온 것인 줄은 알지 못했다. 노래하고 춤을 추는 저녁 잔치 행사로 들뜬 흥분 때문에, 나이 많은 노인의 몸에 무리가 왔는지 그는 자리에 와서 앉았다.

"주님, 저는 잠깐 쉬어야겠습니다. 제가 쉬고 있는 사이에 떠나시는 것은 아니겠지요?" 라삐가 물었다.

"아니오. 여기서 기다리고 있겠습니다." 나는 때가 온 것을 알고 말했다. 라삐는 눈을 감고 탁자에 엎드려 잠이 들었다. 그 소란 속에서도 잠이 들었던 것이다.

"이분은 저보다 더 잘 주무시네요. 저는 이렇게 시끄러운 곳에서는 잠을 못 자거든요." 바르톨로메오가 신기하다는 듯이 말했다.

"이것이 그의 마지막 잠이 될 것이다." 내가 말하자, 그 노인의 잠든 머리가 내 어깨 위로 떨어졌다.

"돌아가셨습니까?" 바르톨로메오는 걱정스러운 얼굴을 하고 물었다.

"아니다. 지금은 자고 있다."

"돌아가시지 말았으면 좋겠습니다. 저는 이분 라삐가 참 좋습니다. 목소리도 아름다우시고 유머도 많으시고… 우리 아버지와 아주 비슷합니다."

"그렇구나. 하느님께서 이 사람에게 많은 선물을 주셨는데, 이 사람은 그 선물로 남을 도와 주고 격려해 주면서, 남에게 기쁨을 안겨 주었다." 나는 라삐의 지나간 생애를 눈 앞에 보았다. 그는 많은 선행을 베풀었고, 자기가 받은 은총으로 하느님께 영광을 드리고, 사람들에게 사랑을 베풀었으며, 사람들을 항상 한 가족으로 생각했다.

라삐가 눈을 뜨고 내 어깨에 놓여 있던 머리를 들면서 졸리운 듯이 말했다. "주님, 저는 주님을 떠나지 않으렵니다."

그때 라삐의 머리가 내 어깨 위로 떨어졌다. 나는 그 라삐에게 말했다. "당신은 나를 떠난 적이 없고, 앞으로도 결코 나를 떠나지 않을 것입니다." 라삐의 눈을 감겨 주고 나서 바르톨로메오에게 말했다. "라삐는 이제 평화롭게 쉰다."

옆에 서 있던 베드로가 나에게 안겨 있는 라삐를 안아 올리며 바르톨로메오에게, 도움을 청했다. "좀 도와 주게. 아주 무거워!" 바르톨로메오는 슬픈 표정을 하고 베드로와 요한을 도와 주었다. 요한은 라삐가 숨을 거둘 때부터 곁에 가까이 와서 있었다. 셋이서 라삐를 땅에 눕혔다. 그런 다음 장례식 때까지 시신보관을 준비할 사람들을 찾으러 갔다.

바르톨로메오가 무겁게 입을 열었다. "주님, 저는 사람이 죽는 것을 많이 보아 왔기 때문에 이제는 이런 일에 익숙해져 있어야 할 텐데, 그렇지 못하고 아직도 마음이 아픕니다."

나는 바르톨로메오의 어깨를 한 팔로 감싸며 말했다. "사랑하기 때문에 마음이 아픈 것이다."

몇몇 남자들이 와서 시신을 회당으로 옮겨갔고, 장례식

때까지 다른 라삐가 시신을 보관하기로 했다.

베드로가 와서 말했다. "이 일 때문에 축하잔치가 망치게 되어서 안 됐군요."

"잔치가 망쳐진 것이 아니다. 잔치는 이 거룩한 사람이 귀향함으로써 마무리를 짓게 된 것이다. 죽음은 벌이 아니라는 것을 잊지 말아라. 성스러운 사람에게는 죽음이 큰 보상인 것이다." 내가 자상하게 죽음이란 보상임을 설명했다.

사람들이 집으로 돌아가면서, 들판은 이제 빈자리로 남겨지게 되었다. 나는 다윗의 집으로 가면서 제자들에게 말했다.

"할 일이 많으니, 내일은 이 곳을 떠나야겠다."

유다가 와서 말했다. "이 곳에서 저는 참 즐거웠습니다. 아주 고마운 휴식이었습니다." 나는 유다를 바라보며, 잔치를 즐기며 아무런 걱정도 없이 행복하기만 했던 어린아이의 모습을 보았다. 그런 유다가 다시 바뀔 것을 생각하니 나는 슬퍼졌다.

예

예수님

님

예수님 ††† 1996년 12월 18일

다음날 눈을 떠보니 제자들이 떠드는 소리로 온 집안이 요란했다. 제자들은 떠날 준비를 끝내고 바깥에 모여 있었다. 다시 떠나는 여행길에 대한 기대로 다소 상기된 제자들의 목소리에 귀를 기울이며 나는 한동안 누워 있었다.

아버지께서 내 가슴을 당신의 사랑으로 가득 채워 주셨고, 성령에 감싸인 나의 온몸에 새 힘이 솟아나는 것을 느꼈다. 내 안에 사랑이 점점더 열절해지면서, 나는 기쁨의 황홀경 속에서 천주 성삼으로 일치했다.

문을 두드리는 소리가 들리고 요한이 나를 조용히 불렀다. "주님, 일어나셨습니까? 떠날 시간이 되었습니다."

"요한, 잠깐만 더 있다가 나가마." 그 잠깐은 영원한 사랑의 순간들이었다.

집 정문으로 나오자 다윗의 어머니가 나에게 따뜻한 빵을 갖다 주었다. "주님, 이것 좀 드십시오. 지금 드시지 않으면 나중에 시장하실 겁니다."

감사의 인사를 하고 탁자에 앉아서 빵을 먹고 있는데, 다윗의 어머니가 물에 술을 약간 타서 주며 말했다. "이것도 마셔야 합니다."

그녀는 미소를 지으며 말했다. "주님, 저희 마을에 와 주셔서 정말 기쁩니다. 주님께서 많은 사람들에게 마음의 평화를 찾게 해 주셨고, 많은 사람들을 치유해 주셨습니다. 저는 주님을 잊지 못할 것입니다. 주님께서 저희 가정에 베풀어 주신 은혜도 결코 잊지 않을 것입니다."

"내가 도와 준 것을 그토록 감사해 하니 참 기쁘군요. 하느님께서 이 마을에 베풀어 주신 그 모든 은혜를 항상 기억하십시오."

그때 요한이 와서 말했다. "저희는 떠날 준비가 다 되었습니다. 베드로가 주님께 가서 말씀드리라고 했습니다."

"요한, 잠깐만 더 기다려라. 다윗하고 다윗의 아버지에게 작별인사를 하고 싶구나."

다윗의 어머니가 내 말을 바로 받았다. "주님, 다윗하고 아버지가 곧 돌아올 겁니다."

잠시 후에 다윗과 아버지가 돌아왔다.

"주님." 다윗의 아버지가 불렀다. "떠나시기 전에 주님께 이것을 드리고 싶었습니다." 그는 방금 시장에서 사 온 외투를 나에게 주었다.

다윗이 말했다. "주님, 비싼 것은 아니지만 이것이 주님한테 쓸모가 있었으면 좋겠습니다."

나는 그 외투를 받고 기뻐서 웃지 않을 수 없었다. "이것은 나에게 참 좋은 선물이다. 사랑으로 주는 것이니 사랑으로 고맙게 받겠다." 나를 위해 가진 돈을 몽땅 털어서 그 외투를 샀기 때문에, 앞으로 한동안 그들은 먹는 음식을 아껴야 한다는 것을 나는 알고 있었다.

"저희들이 적어도 이 정도는 해드려야 마땅하지요, 주님." 다윗의 아버지가 내 손에 입을 맞추며 말했다. "주님께서 제 마음 속에 평화를 가져다 주셨고, 제 아내에게는 기쁨을 가져다 주셨습니다. 그리고 제 아들을 치유해 주셨습니다. 남은 여생 동안 저는 항상 주님을 위해 기도하겠습니다. 하느님께서 주님을 보호해 주시도록 하느님께 매일 작은 희생을 바치겠습니다."

그 약속을 틀림없이 지켜갈 것을 알았기에, 나는 그를 자애롭게 바라보았다.

그때 다윗의 어머니가 말했다. "주님께서 가족이 필요하시다면 여기 제 마음 속에 있다는 것을 아십시오." 내가 모든 사람들에게 바라는 것이 바로 그것이라는 사실을 그녀는 알지 못한 채 말했던 것이다.

제자들을 따라 밖으로 나가면서, 나는 베드로에게 조용히 귓속말을 했다. "저 착한 사람들을 위해 돈을 좀 남겨 두어라. 그렇지만 우리가 멀리 떠날 때까지는 그 사람들이 알지 못하게 하여라."

"네, 주님." 대답을 한 후 베드로는 유다한테로 갔다. 불만스러운 표정으로 유다가 베드로에게 동전 몇 개를 건네 주었다. 베드로가 유다의 손을 움켜쥐더니 유다 손 안에 있는 돈을 더 빼내는 것을 보았다. 유다는 아주 낭패한 표정이었다.

"이 마을을 떠나기 전에 회당으로 가서 우리의 안전한 여행을 위해 기도하도록 하자. 그리고 무덤에 묻히기를 기다리고 있는 그 거룩한 노인에게 작별인사를 하자." 나를 에워싸고 서 있는 제자들에게 말을 마치자, 베드로가 고개를 끄덕하고는 슬그머니 빠져나갔다.

우리는 다윗의 가족들과, 우리에게 인사하러 온 사람들에게 작별인사를 한 후 회당으로 갔다. 회당에서 한 시간 정도 있다가, 라삐의 시신이 있는 데로 갔다. 라삐는 아주 평화롭고 행복해 보였다. 그는 이제 죽음의 진리를 알았기 때문이다.──죽음은 은총이지 벌이 아님을….

우리는 라삐를 위해 기도하고 축복해 주었다. 그리고 나서 막 떠나려고 하는데, 저녁 잔치에 참석했던 로마군 장교가 들어섰다. "선생님은 좋은 분입니다. 제가 마음의 평화를 느낄 수 있게 해 주셨습니다. 제 아내도 마찬가지였구요. 선생님의 말씀은 제 마음과 영혼을 가득 채워 주는 것 같았습니다. 그 말씀들을 잊을 수가 없습니다."

"친구, 나도 친구를 잊지 않을 것이오. 친구의 마음 속에 있는 사랑과 온화함도 잊을 수 없을 것이오." 하면서 두 손으로 그의 어깨를 잡았다.

"선생님과 좀더 같이 있었으면 좋겠습니다."

"지금부터 나는 항상 친구와 함께 있을 것이오." 이 말을 할 때, 나의 사랑이 그의 가슴으로 가득 부어졌다.

"오, 주님. 주님이라고 부르지 않을 수 없습니다. 로마군 장교로서 그렇게 불러서는 안 되는 줄 알지만, 주님 앞에서 제 자신이 너무나 작게 느껴지고, 한편으로는 너무나 중요하게도 느껴지면서, 사랑이 넘치는 것같이 느껴집니다."

"친구는 나에게 아주 중요한 사람이고, 내가 모든 사람을 사랑하듯이, 나는 친구를 사랑하오." 나의 말에 그는 어리둥절한 표정으로 물었다.

"어떻게 모든 사람을 사랑하실 수가 있습니까? 주님은 신(神)들 중 한 분이십니까?"

"하느님은 오직 한 분이시고, 그 하느님은 사랑의 신이시며 창조의 신이시오. 성부이신 하느님과, 그 성부와 함께 있는 나입니다(I Am)."

그는 내 말의 뜻을 알아듣지 못했는데, 내가 그의 눈 속을 들여다보자, 그는 곧 진리를 깨닫게 되었다. 그는 내 앞에 무릎을 꿇고 "주님!" 하고 외치면서 기쁨이 넘치는 얼굴로 나를 올려다보았다.

그와 같이 왔던 다른 로마 군인이 그에게 말했다. "어서 일어나게! 유다인에게 절을 하다니! 자네 모가지가 날아가고 싶어 그러나?"

그러나 그 장교는 미동도 않고, "주님."이라고만 되뇌이면서 기쁨에 찬 미소를 짓고 있었다. 나는 그를 일으켜 세우며 말했다.

"부하들에게 가서 하느님의 사랑을 전하여라."

"네, 주님."

그의 대답을 뒤로 하고 우리는 그 곳을 떠났다. 얼마 후 재커리가 와서 말했다 "주님, 어젯밤에 제가 무례했던 것을 용서해 주십시오. 술을 너무 많이 마셨습니다."

"네가 그것을 알고 있으니 반갑구나. 용서해 주고 말고… 다시 또 그럴 셈이냐?"

"아닙니다, 주님. 안 그러겠습니다. 약속합니다. 하지만 제발 부탁인데요, 제가 마음이 약해지면 도와 주십시오. 저는 마음이 강하지를 못합니다." 재커리는 간절한 눈길로 애원했다.

"내가 너를 도와 주기를 네가 진심으로 원한다면, 나는 항상 너를 도와 줄 것이다."

"주님, 원합니다. 진심으로 원합니다." 재커리는 솔직하게 말했다.

"마티아한테 너를 맡기도록 하겠다. 앞으로 마티아가 너를 돌봐 주고, 네 마음이 약해질 때마다 도와 줄 것이다."

"감사합니다, 주님. 감사합니다. 그 로마군 장교한테 가서 사과를 해야 할까요? 어젯밤에 제가 너무 건방지게 굴어서 기분이 많이 상했을 것입니다."

"그것이 참된 통회의 표시이다." 나의 대답을 듣고, 재커리는 곧바로 마을을 향해 달려갔다. 나는 마티아를 불러서 재커리를 부탁했다. "나를 대신해서 재커리를 보살펴 주기 바란다. 재커리는 너의 도움이 필요하니, 네가 잘 보살펴 주어야겠다."

"주님, 기꺼이 하겠습니다. 주님께 봉사할 수 있다면 무엇이든지 하겠습니다." 싱글벙글 웃는 마티아는 도와 달라는 나의 부탁을 받은 것이 좋아서 마냥 행복해 했다.

두 시간 후에 재커리가 즐거운 표정으로 웃으며 돌아왔다. 베드로와 마티아하고 같이 걷고 있었는데, 재커리가 "주님." 하고 불렀다. "주님, 그 로마군 장교는 참 좋은 사람이었습니다. 이제 우리는 친구가 되었습니다. 그리고 그는 저를 용서해 주었습니다. 제가 로마인을 좋아하게 될 줄이야 생각도 못한 일입니다. 그는 유다인보다 더 친절했습니다."

"네가 그것을 알게 되어 기쁘다. 오늘 중요한 교훈을 한 가지 배웠구나. 어느 민족이든지 어떤 피부색깔을 가지고 있든지 상관없이 모든 사람은 동등하다. 하느님께는 모든 사람이 다 같은 한 가족이다. 어느 나라에나 좋은 것이 있는가 하면, 나쁜 것이 있고, 어느 나라에나 죄인들이 있는가 하면, 죄를 짓지 않으려고 노력하는 사람들이 있다. 어느 나라에나 하느님의 사랑으로 창조된 조물이 있고, 어느 나라에나 희망이 있다." 나는 말을 마치고 침묵하면서 길을 걸었다. 제자들은 내가 한 말을 묵상하고 있었는데, 내 말 속에는 그들 각자가 배워야 할 교훈이 담겨 있었다.

††† †

예

예수님

님

예수님 ✝✝✝ 1996년 12월 21일

제자들과 길을 가면서, 하느님께서는 모든 사람을 당신의 자녀로 여기신다는 사실과, 모든 사람들에게 당신의 사랑을 베풀어 주신다는 사실을 잘 이해해야 하는 것이 중요하다고 이야기했다. 야고보와 안드레아는 그것을 이해하기가 어려웠다. 다른 모든 유다인들이 그러하듯이, 그들도 유다인들만이 구원을 받을 것이라고 믿고 있었기 때문이다. 성서에 나오는 여러 선지자들이, 하느님께서 모든 나라를 구원하실 것이라고 한 말과, 이방인들이 주님의 백성이 될 것이라고 한 말을 그들은 이해하지 못했다.

그것을 이해하지 못하는 야고보(요한의 형)에게 내가 물었다. "너는 하느님께서 모든 것을 당신의 사랑으로 창조하셨다는 것도 믿느냐?"

"물론입니다, 주님."

"그러면 아버지께서 모든 사람들을 당신의 사랑으로 창조하신 것도 믿느냐?"

"네, 주님, 물론입니다." 야고보가 약간 성급하게 대답했다.

"그렇다면 모든 사람들이 하느님의 사랑에서 창조되었는데, 하느님께서 왜 그들을 멀리 하시겠느냐?"

"그들은 이스라엘의 자녀들이 아니기 때문입니다."

"그러나 그들도 하느님 가족의 일원이고, 유다인들처럼 그들도 하느님께 지음을 받았다."

"하지만 주님, 우리 유다인들은 선택된 사람들입니다. 그건 성서에 적혀 있습니다." 야고보는 아직도 내 말을 이해하지 못했다.

"내가 하는 말은, 하느님을 사랑하고 하느님의 계명을 지키는 사람들이면 누구나 하느님의 선택된 백성이 된다는 것이다. 그런 사람들은 성서에서 말하는 이스라엘의 백성이 되기 때문이다. 이스라엘이란, 하느님을 사랑하는 마음을 지닌 사람들의 나라라는 뜻이다. 그들이 어떤 사람이든지, 무엇을 하는 사람이든지, 어디서 온 사람이든지 상관이 없다."

야고보가 말했다. "이제 조금 이해가 되는 것 같습니다, 주님. 그렇지만 지금까지 저희가 배워 온 것을 쉽게 바꾸기란 어려운 일인 것 같습니다."

"나도 알고 있다. 그러나 앞으로 네가 사람들을 대할 때, 오직 하느님께서 그 사람을 어떻게 보시는지를 생각하도록 하여라. 다른 사람이 그 사람을 어떻게 보느냐가 아니고 말이다."

내 말이 끝나자, 안드레아가 흥분하여 소리쳤다. "바로 그거야! 사람들을 볼 때, 하느님께서 그 사람을 보시듯이 보면 되는 거야!" 안드레아는 그제야 내 말을 분명히 이해하게 된 것이다.

야고보가 안드레아를 쳐다보고 말했다. "이해하도록 노력해 보겠네. 자네가 이해할 수 있듯이 나도 확실하게 이해할 수 있었으면 좋겠네."

"이해할 수 있게 될 것이다. 언젠가는 너도 이해할 수 있을 날이 올 것이다." 야고보에게 다정하게 말해 주면서 나는 그가 성령을 받은 후 얼마나 굳세게 될 것이며, 모든 사람들을 얼마나 사랑하게 될 것인지를 생각했다.

예
예수님
님

예수님　†††　1996년 12월 22일

날이 저물어 갈 즈음, 예루살렘에 있는 시장으로 줄지어 가고 있는 대상을 만났다. 30여 마리의 낙타와 당나귀 등에는 장사할 상품들이 가득 실려 있었다. 그들은 동물들이 쉴 수 있도록 풀어 주고, 밤을 보낼 막사를 준비하고 있었다.

우리가 가까이 다가가자 덩치가 큰 사람이 굵직한 목소리로 정중하게 인사를 했다. "여러분, 어서 오십시오. 어디로 가시는 길입니까?"

"우리는 예루살렘으로 가는 길입니다. 도중에 여러 동네에 들려서 묵었다가 가지요." 베드로가 대답했다.

"우리도 상품을 팔려고 예루살렘으로 가고 있는 중입니다." 덩치 큰 사람이 우리와 이야기를 나누는 것을 보고 다른 상인들도 다가왔다.

"오늘 저녁은 우리와 함께 지내지 않겠습니까?" 덩치 큰 사람의 제안에 베드로가 나를 쳐다보았다. 나는 좋다는 뜻으로 고개를 끄덕여 주었다.

"그렇게 하겠습니다. 그렇게 하면 좋겠습니다. 저의 이름은 베드로입니다." 반색을 하며 베드로가 악수를 청했다.

"저는 마르코입니다." 덩치 큰 사람이 베드로의 손을 잡으며 말했다. 우리는 서로 소개를 한 뒤에, 대상들이 길가에 막사를 치는 것을 거들어 주었다. 한 젊은이가 나한테 얼이 빠져 커다란 눈으로 뚫어지게 나를 쳐다 보고 있었다. 내가 그에게 말을 걸었다.

"젊은이, 네 이름이 무엇이냐?"

"토비아입니다." 여전히 나를 뚫어지게 똑바로 쳐다보며 대답했다.

"이름이 참 좋구나." 나는 다정하게 미소를 지어 주었다.

"네, 제 부모님이 성서에서 따온 이름입니다." 하고는 덧붙여서 말했다. "왠지는 모르겠지만 저는 선생님한테 마음이 끌립니다. 선생님의 얼굴을 쳐다보지 않을 수가 없습니다. 선생님의 얼굴이 너무나 평화롭게 보입니다."

"네가 그렇게 느낀다니 기쁘구나. 내 이름은 예수다." 나는 그의 등을 가볍게 두드려 주었다.

야고보와 요한이 와서 물었다 "주님, 별일 없으십니까? 뭘 좀 도와드릴까요?" 내가 귀찮아 할까 봐 걱정이 돼서 하는 말이었다. 정말 좋은 친구들이다.

"아니, 괜찮다. 여기 토비아와 방금 친구가 되었는데, 잠깐 이야기를 나누고 싶구나." 내가 부드럽게 말했다.

요한과 야고보는 토비아를 보고 씽긋 웃음을 지어 보였다. 요한이 먼저 말했다. "그럼 주님, 둘이서만 얘기할 수 있게 저희들은 저기로 가서 있겠습니다."

"고맙다." 나는 사랑으로 답했다.

토비아는 여전히 나를 뚫어지게 처다보며 말했다. "저 사람들이 선생님을 왜 주님이라고 부릅니까? 선생님은 특별한 분이십니까?"

"나로다(I Am)." ('I Am'은 나로다, 혹은 그렇다는 뜻이 되기도 한다.)

"그러신 것 같았습니다. 선생님은 뭔가 신비스러우신 데가 있거든요. 꼭 집어서 뭐라고 설명할 수는 없지만요."

"여기 앉아서 잠깐 이야기하자." 나는 땅에 펴놓은 담요 위에 앉았다. 토비아가 곁에 앉자 내가 물었다. "여행을 한 지 얼마나 되었느냐?"

"별로 오래 되지는 않았습니다. 7일쯤 되었습니다."

"여행길에 많은 것을 보고 경험했겠구나."

"네, 여러 가지 많이 경험했습니다. 사막의 대상을 따라다닌 것이 벌써 여러 번째인데, 앞으로도 계속 따라다닐 생각입니다."

"네가 맡아서 하는 일이 무엇이냐?"

"그저 동물 몇 마리를 보살펴 주고 있습니다. 저는 그 일이 참 좋습니다. 동물을 좋아하고, 동물도 저를 좋아하는 것 같기 때문입니다."

"그렇다. 동물들은 하느님께서 사람에게 주신 사랑의 선물이다."

"선생님, 저는 사람들보다 동물들한테서 사랑을 더 많이 받습니다. 그리고 저는 사람들하고 있기보다는 동물들하고 있는 것이 더 좋습니다. 선생님을 제외하고는 말입니다. 선생님과 가까이 있으니 행복한 기분이 듭니다." 토비아는 동물들과 있을 때를 생각하면서 미소를 지었다.

"그런데 토비아야, 네가 동물한테서 받는 그 사랑을 사람들한테서는 더 많이 받을 수가 있단다."

"그게 무슨 말씀입니까?" 토비아는 당황해서 물었다.

"하느님께서는 당신의 사랑으로 동물들을 창조하셨는데, 사람도 당신의 사랑으로 창조하셨다. 그러나 동물과는 달리 사람은 하느님의 모상대로 창조되었기 때문에, 사람 안에는 하느님의 모습이 담겨 있다. 그러니까 사람 안에 들어 있는 하느님의 사랑은 동물 안에 있는 그것보다 훨씬 더 위대한 것이고, 동물하고는 다른 것이다."

토비아가 말을 가로챘다. "그러나 동물은 우리를 해치지도 않고, 학대하거나 무시하는 일도 없습니다. 동물은 우리를 사랑하기만 합니다!"

"그래, 그것은 사실이다. 동물은 너를 사랑하기만 한다. 그러나 동물이 너를 사랑하는 것은 동물 안에 들어 있는 하느님의 사랑 때문에 사랑하는 것이다. 사람 안에 있는 하느님의 사랑은 훨씬 더 크기 때문에, 네가 사람으로부터 받을 수 있는 사랑은 훨씬 더 강력한 것이고, 열매를 맺을 수 있게 하는 것이다."

내가 토비아를 쳐다보고 말을 하는 중에, 토비아는 내 말 한 마디 한 마디에 흠뻑 빠져들어 갔다.

나는 계속해서 설명했다. "어떤 사람은 자신이 가지고 있는 사랑을 보여 주지 않고, 안에다가 숨겨 두고 있다. 살아 오

면서 남에게 상처를 받았기 때문에, 다시 상처를 받게 될까 봐
두려워서 그 사랑을 표현하지 않는 것이다. 어떤 사람은 숨겨
두고 있는 사랑을 이기심, 탐욕, 권력, 분노 같은 것으로 덮어
버리지만, 사랑은 여전히 그들 안에 남아 있는 것이다. 또 어떤
사람은 사랑을 겉으로 표현하면서, 자신이 가지고 있는 사랑을
모든 사람을 위해 바친다. 이런 사람들을 통해서 사람의 참된
모습을 볼 수 있고, 사랑의 기쁨과 삶의 기쁨을 볼 수 있는 것
이다."

　　"사실입니다, 선생님. 많은 사람들이 그렇습니다. 그러나
저는 다른 사람들과 친해지기가 어렵습니다. 사람들이 저를 괴
롭히고 놀리거든요." 토비아가 솔직하게 말했다.

　　"다른 사람들과 친해지지 않으려고 하는 것은 하느님께서
네게 주신 사랑을 숨겨 두는 것이다. 다른 사람들이 너를 괴롭
히고 놀린다고 해서, 네 안에 있는 사랑을 묻어 버려서는 안 된
다. 그러다 보면, 언젠가는 네 안에 있는 사랑이 죽어 버리고
말 것이다."

　　"하지만 저는 동물을 사랑해요."

　　"그래, 너는 동물을 사랑한다. 그러나 너를 사랑해 주고
너를 해치지 않는 것만 사랑한다면 그것이 참된 사랑이겠느냐?
참된 사랑이란 너를 학대하고, 괴롭히고, 조롱하는 사람들까지도
사랑하는 것이다. 참된 사랑이란 그런 사람들을 용서해 주고,
여전히 변함없이 너의 사랑을 베풀어 주는 것이다. 그렇게 하지
않으면 너의 사랑은 조금씩 사라져 버릴 것이다."

　　"하지만 그건 어려운 일입니다, 선생님. 저는 동물들과
있으면 마음이 편안해지는데, 사람하고 있으면 그렇지 않거든

요." 토비아가 말하는 중에, 개 한 마리가 와서 그의 손을 핥았다.

"나와 함께 있으면 네 마음이 편안하느냐?"

"네, 마음이 아주 편안합니다." 토비아가 나에게 미소를 지었다.

"그러면 나중에 다른 사람들과 있을 때도, 지금 네가 나와 함께 있는 기분을 생각해 보고, 똑같은 기분을 느낄 수 있도록 노력해 보아라."

"그렇지만 사람들이 저를 냉대하면 어떻게 해요?"

"그럴 경우에는 그 사람들의 잘못이지 네 잘못이 아니라는 것을 알아라. 그리고 그들을 더욱더 사랑해 주고, 용서해 주고, 이해해 줄 수 있도록 노력하여라."

"그러면 동물들을 더 이상 사랑하지 말라는 말씀입니까?"

"아니다. 그런 뜻이 아니다. 동물은 동물대로 아름다운 것이다. 그러나 다만 동물 뒤에 숨어서 자신을 가두어 두지 말라는 말이다." 내가 말하는 동안, 개 한 마리가 나한테 와서 얼굴을 핥았다. 나는 웃으면서 개의 배를 쓰다듬어 주자, 개가 내 앞에 드러누웠다.

"선생님께서는 뭔가 아주 특별하신 데가 있습니다. 정말 지혜로우십니다. 이제부터 저는 말씀하신 대로 하도록 노력하겠습니다." 토비아가 가려고 일어섰다.

"토비아야, 너는 사랑을 아주 많이 간직한 좋은 사람이다. 다른 사람들처럼 그렇게 사랑을 안에 감춰 두고만 있지 말아라."

"네. 주님, 노력하겠습니다. 들으셨습니까? 제가 주님이라

고 불렀습니다. 제가 왜 그랬을까요?' 자기도 모르겠다는 듯 고
개를 갸웃거리며 동물들을 보살피러 가는 토비아의 뒤를 개가
따라갔다.

예
예수님
님

예수님 ††† 1996년 12월 23일

　　얼마 후에 우리는 큰 모닥불을 피워놓고 모두 둘러앉았
다. 모닥불 옆에는 저녁 식사로 조리할 음식들이 가득 놓여 있
었다. 제자들과 대상의 상인들로 꽤 많은 사람들이 붐볐다. 마
르코가 큰 소리로 말했다. "오늘 밤에는 새로 만난 친구들과 자
리를 함께 하게 되었으니 즐거운 시간을 가지시기 바랍니다."
마르코는 두 팔을 활짝 벌리고는 음식들을 쳐다보고 말했다.
"이 식품들을 요리해서 함께 잔치를 벌입시다."

　　몇몇 남자들이 요리할 음식을 들고 가는데, 베드로가 앞
으로 나서며 말했다. "우선 하느님께 감사 기도를 바치십시다."

　　"기도라고요! 여기 있는 사람들은 기도 같은 것은 안 합
니다. 우리는 바쁜 사람들이라서, 하루가 끝나면 너무 피곤하거
든요." 마르코가 멋적게 웃었다. 다른 사람들도 마르코에게 동
의를 표하며 웅성거렸다.

　　베드로가 말했다. "기도를 하는 것은 중요한 일입니다.
앞에 있는 이 좋은 음식을 우리에게 주시고, 지금까지 이 세상

에서 살아가는 데 필요한 모든 것을 주셨고, 앞으로도 그 모든 것을 주실 하느님께 감사하면서 매일 기도를 드려야 합니다."

"그건 당치 않는 말입니다. 이 음식은 우리 손으로 장만한 것이고, 우리가 가지고 있는 모든 것은, 우리가 열심히 일을 해서 얻은 것입니다. 그러니 기도를 할 필요는 없습니다." 마르코는 베드로에게 와서 한 팔로 베드로의 어깨를 감싸고 살짝 흔들며 말했다. "기도란 할 일이 없는 사람들이나 하는 것이라고요."

베드로가 나를 쳐다보았다. 나는 미소만 띄우고 가만히 있었다. 베드로가 마르코에게 다시 말했다. "기도는 우리 생활을 완성시켜 줍니다. 기도 속에서 우리는 야훼와 이야기를 나눌 수 있고, 야훼께서는 우리의 기도를 귀담아 들으시며, 우리의 청을 들어 주십니다. 때때로 생활이 힘든 것은 사실이고, 또 많은 사람들이 자기 힘으로 모든 것을 이루어 간다고 생각하고 있지만, 그렇지 않습니다. 모든 것은 하느님의 뜻에 의해 이루어지고 있는 것입니다."

"그럼, 그건 그렇다 해 두고, 다툴 필요까지는 없습니다. 기도를 하고 싶으면 하십시오. 그러나 우리가 기도를 할 것으로 기대하지는 마십시오."

베드로는 더 이상 할 말을 찾지 못했고, 다른 제자들은 나를 쳐다보았다. 마침내 내가 마르코에게 가서 말을 시작했다. "당신은 좋은 사람이오. 인정이 많고 마음이 너그럽소. 우리를 이렇게 반겨 주니 고맙소. 만나는 사람들에게 기쁨을 주는 당신의 모습은, 하느님께서 당신에게 바라시는 모습 그대로요. 하느님께서는 각 사람에게 은총을 주셨는데, 바로 그것이 당신이 받은 은총이오. 그리고 당신은 그 은총을 아주 많이 받았소.

당신이 기도의 가치를 잘 모르고 있다는 것은 알고 있소. 착하게 살아가기만 하면 할 바를 다 한 것이라고 생각하고 있는 것도 알고 있소. 그러나 그것은, 하느님께서 당신에게 청하시는 것을 거절하는 것이고, 당신 자신을 하느님의 위치에 올려 놓는 격이오. 비록 착하게 살아 간다고 해도 하느님을 무시한다면 그것은 공허한 삶이오.

당신은 간혹 자신의 과거나, 장래나, 인생에 대해 의문이 일어날 때가 있소. 인생이 무엇이며, 무엇 때문에 여기 살고 있는 것인가 하고 말이오. 그런 의문이 마음 속에 일어나는 것은, 당신이 생활 속에서 하느님을 받아들이지 않기 때문이오. 마음 속에 하느님을 모시고 있으면, 인생의 의미를 저절로 알게 될 것이오.

언젠가 어떤 사람들에게 우정을 베풀었는데 그들이 당신을 냉대하던 일을 기억해 보시오. 그때 기분이 어땠는지 돌이켜 생각해 보시오. 화가 나고, 괴롭고, 어떤 때는 자신이 그들보다 못난 인간으로 느껴지기도 했을 것이오. 하느님을 내 생활에 받아들이면 그런 분노나 괴로움은 덜어질 것이고, 자신이 누구보다 못나지도 더 잘나지도 않았으며, 하느님의 눈에는 똑같다는 것을 알게 될 것이오.

언젠가 당신이 재난을 당했을 때, '만약 하느님이 계시다면 나를 좀 도와 주십시오.' 하고 기도했던 일을 생각해 보시오. 그 후로 다시는 재난이 일어난 적이 없지 않소? 그것 보시오. 당신은 기도를 했고, 자비로우신 하느님께서 당신의 기도를 들어 주셨던 것이오. 그런 일을 돌이켜 볼 때, 하느님께 의탁하면서 사랑으로 기도하면, 하느님께서는 당신의 기도를 들어 주신다는 것을 알 수 있을 것이오.

지금까지 살아 오는 동안, 하느님께서는 당신의 기도를 수없이 많이 들어 주셨소. 당신이 보통 쓰는 쉬운 말로 날마다 조금씩 기도해 보도록 하시오. 그러면 하느님께서 당신의 생활 속에 역사하시는 것을 알게 될 것이오."

침묵 속에서 마르코는 나를 쳐다보고 있었다. 나는 그의 손을 잡고 말했다. "자, 이리 와서 함께 기도하면서 하느님의 사랑을 느껴 보도록 합시다."

마르코는 잠시 멍한 채로 있다가 입을 열었다. "그럼 당신을 봐서 기도를 해 보기로 하겠습니다." 내가 기도를 선창하자, 모두 손을 합장하고 따라했다. 이 사람들이 함께 기도하는 목소리는 나의 가슴을 기쁨으로 부풀게 했다.

기도가 끝났을 때 마르코가 웃음을 머금고 크게 말했다.

"기도를 했더니 기분이 상쾌합니다. 아주 즐겁습니다. 이제부터 자주 기도를 해야 할까 봅니다."

"내가 바라는 것은 그것뿐이오. 하고자 하는 그 마음!" 나는 진심으로 말했다.

"기도하겠습니다. 기도하도록 노력하겠습니다. 기도를 하고 나니까 정말 기분이 좋습니다. 말씀하신 것은 사실입니다. 여러 번 하느님을 불렀습니다. 그리고 지금 생각하니, 정말 제 기도를 들어 주셨던 것 같습니다." 마르코는 돌아서서 나를 힘차게 껴안은 뒤에 요리하는 사람들을 감독하러 갔다.

베드로가 풀이 죽어서 말했다. "주님, 실망을 시켜드려서 죄송합니다. 기도에 대해서 잘 설명하지 못해서 말입니다."

"베드로, 너는 나를 실망시키지 않았다. 너는 하고자 노력했고, 나한테 의탁했다. 그것이 중요한 것이다." 나는 한 손을 베드로의 어깨 위에 놓고 덧붙여 말했다. "하느님께서 네게 일을 맡기실 때, 너는 거절하지 않았다. 너는 네가 아는 만큼의 진리를 저 사람에게 말해 주었고, 저 사람이 나에게 오도록 성심껏 도와 주었다. 내 친구야, 내가 더 이상 무엇을 네게 바라겠느냐? 네가 한 것은 아주 큰일이었다."

"감사합니다, 주님. 제가 무식해서 주님께서 창피하셨을 것이라고 생각했습니다." 고개를 떨구고 베드로가 말했다.

"언젠가는 하느님의 위대하심을 선포하는 데 필요한 모든 지식이 너에게 가득 넘치게 될 것이다." 나는, 베드로가 하느님께 대한 순수한 사랑을 가슴에 안고, 수많은 학자들 앞에 서서, 성령의 힘으로, 그들이 묻는 말에 막힘 없이 대답하고 있는 것을 보았다. 그리고 나를 위해 목숨을 바침으로써, 모든 사람들에게 진리를 선언할 것을 보았다. 얼마나 좋은 친구이며, 얼마나 큰 나의 기쁨인가.

예
예수님
님

예수님 ††† 1996년 12월 24일

음식을 다 준비한 다음 우리는 모두 식사를 같이 나누면

서 재미있게 이야기했다. 밤이 되어 모닥불의 불빛만이 어두움
을 밝혀 주며 타오르고 있었다.

토비아는 여러 사람들과 함께 이야기를 나누다가, 아주
즐거운 표정으로 나에게 왔다. "선생님, 아까 하신 말씀이 맞습
니다. 사람들과 이야기를 나누는 것이 재미있어졌습니다. 한 번
도 이런 적이 없었거든요."

"이제 네가 사람들 안에 있는 그 사랑을 발견하게 되었
으니 기쁘구나. 많은 사람들이 그 사랑을 알아보지 못하는 장님
이라는 것은 슬픈 일이다." 잠시 동안 나와 이야기를 나눈 토비
아는 다른 사람들과 더 이야기를 나누러 갔다.

마태오와 시몬은 내 양쪽에 앉아 있었고, 바르톨로메오는
마태오의 어깨에 기대어 자고 있었다. 시몬이 바르톨로메오를
쳐다보며 말했다. "또 자는군! 어쩜 저렇게 잠을 잘 잘 수 있을
까? 좌우지간 어디서든지 자거든!"

"주위가 아무리 산만할 때라도 마음의 평화를 유지할 수
있다는 것은 좋은 일이다."

마태오가 내 말을 받았다. "주님, 바르톨로메오가 다른
데로 가서 평화를 유지해 줬으면 좋겠습니다. 너무 무거워서 말
입니다."

나는 미소를 지으며, 마태오의 어깨에 기대어 자고 있는
바르톨로메오를 땅에 눕히고는, 접어 두었던 담요로 그의 머리
를 받쳐 주었다.

마태오가 팔을 쭉 뻗치면서 말했다. "감사합니다, 주님.
어깨가 아프기 시작했거든요."

천둥이 떨어져도 상관하지 않을 듯, 어린 아기처럼 깊이

잠든 바르톨로메오의 모습을 바라보았다. 그의 얼굴을 보며 잠을 이루지 못하는 사람들과, 한 번 푹 쉬어 볼 수 없는 사람들과, 생활 속에 평화를 유지하지 못하는 수많은 사람들을 생각했다. 나는 그 모든 사람들이 바르톨로메오처럼 평화롭기를 바랐다.

"주님, 어쩌면 이렇게 잘 수 있습니까? 어쩌면 그렇게 많이 자면서도 이렇게 곤히 잘 수 있습니까?" 시몬이 궁금한 표정을 하고 물었다.

"바르톨로메오가 이렇게 잘 수 있는 것은 마음에 평화가 있기 때문이다. 사소한 일을 걱정하지 않고, 분노하거나 원한을 품지 않기 때문이다. 모든 것을 하느님께 맡기면 마음에 평화가 오는데, 그 평화가 그의 마음을 편안하게 해 주고, 그의 영혼을 편안하게 해 준다. 그러니 바르톨로메오가 잠을 잘 자는 것은 당연하다. 모든 사람들이 바르톨로메오와 같았으면 좋으련만."

이번에는 마르코가 와서 내 팔을 잡고, 사람들이 없는 곳으로 끌고 가며 조용히 말했다. "예수님, 오늘 밤에 토비아를 보셨습니까? 토비아는 원래 그렇지 않았습니다. 아무 말도 하지 않고 언제나 혼자 조용히 앉아 있곤 했는데, 오늘 밤에는 아무하고나 이야기를 하면서 아주 즐거워 보입니다. 정말 기쁩니다. 토비아는 제 조카인데, 걱정을 많이 해 왔습니다. 하느님께 감사 기도를 드려야겠습니다."

"그렇게 하시오. 토비아가 너무 수줍어 하고, 사람들을 두려워하기 때문에 당신이 오랜 세월 동안 혼자 남몰래 하느님께 기도해 오지 않았소. 기도는 했지만, 누구에게도 토비아에 대해 말을 한 적은 없었소. 당신은 사랑하는 조카가 외롭지 않도록 기도해 왔던 것이오. 그리고 하느님께서는 당신의 기도를 들어 주셨소. 기도를 한 것이 아니라고 당신은 생각했지만, 바로 그것이 기도였소.

나는 당신이 하느님을 믿고 있는 것을 알고 있소. 당신은 다만 그것을 마음 속에 단단히 숨겨 왔을 뿐이오. 지금부터 매일 감사 기도를 드리면, 그것은 하느님께서 즐겨 받으시는 선물이 될 것이고, 그 기도는 당신을 하느님께 더 가까워지게 해 줄 것이오."

"어떻게 제 자신과 제가 살아 온 과정에 대해 그렇게 잘 아십니까? 제 생각까지 다 아시는군요! 당신은 누구십니까?" 마르코는 불안한 듯이 물었다.

"나는(I Am) 갇힌 자들을 풀어 주려고 세상에 내려온 천주 성부의 사랑이오."

"무슨 말씀인지 모르겠습니다." 이렇게 대답하는 마르코의 목소리가 떨렸다.

나는 그의 가슴 속을 들여다 보며 말했다. "너는 하느님께 기도했고, 하느님께서는 너의 기도를 들어 주셨다. 어느 날 하느님께서 너를 부르실 것이고, 너는 하느님의 부르심에 응답할 것이다."

"당신이 누구신지 이제 알 것 같습니다. 사람들이 메시아에 대해 이야기하는 것을 들었는데, 이렇게 만나 뵙게 될 줄이야…." 마르코는 무릎을 꿇고 내 발에 입을 맞추었다.

나는 그를 일으켜 세우며 말했다. "이것은 우리 둘만 아는 일로 하자. 다른 사람들이 알 때가 아직 아니다."

"약속하겠습니다, 주님. 약속하겠습니다." 그는 연거푸 말했다. 그가 약속을 지킬 사람이라는 것을 나는 알았다.

　"주님, 필요하신 것이 있으시면 무엇이든지 말씀하십시오. 제가 가지고 있는 것이라면 무엇이든지 드리겠습니다." 마르코가 제의했다.

　"내가 원하는 것은 오직 너의 사랑과 너의 기도뿐이다. 장차 어느 날 내가 너를 부를 것인데, 그때 네가 나의 부름에 응답할 것을 알고 있다." 나는 새로 세운 나의 교회를 위해 일하고 있을 마르코를 보았다.

　박해를 받다가 사울이라고 불리는 사람에 의해 치명을 당하고, 그의 생애 마지막 순간에 그를 부르면 주저하지 않고 내게 올 그를 보았다. 내 눈에 눈물이 고였다.

　"가서 다른 사람들과 즐겁게 놀아라. 나는 잠깐 동안 산책을 하고 오겠다." 나는 마르코에게 눈물을 보이고 싶지 않았다.

　마르코는 어느 때보다 즐거운 모습으로 걸어갔다. 나를 위해 목숨을 바칠 사람들의 깊은 사랑을 생각하며 나는 혼자서 걸었다.

예

예수님

님

예수님　†††　1996년 12월 25일

　사람들은 모닥불 주위에 누워서 잠이 들어 있었다. 나는

불 가까이로 가서 조용히 누웠다. 따스한 불꽃이 몸을 녹여 주
어 금방 잠이 들었다. 아침 일찍 눈을 뜨고 주위를 돌아보니,
몇몇 사람이 그 날 하루를 준비하고 있었고, 대부분은 여전히
잠들어 있었다. 다시 혼자 있기 위해 길을 따라 걸어갔는데, 한
동안 걷다 보니 무화과나무들이 서 있는 들판의 가장자리에 도
달했다. 기도하려고 무화과나무 밑에 앉자, 무화과 냄새가 뭉클
풍겨 왔다. 나뭇가지 위에는 작은 새들이 날아왔다 날아갔다 하
며 생명의 기쁨을 만끽하고 있었다.

　　　나는 눈을 감고 기도하기 시작했다. 한 마디씩 기도를 바
치자, 아버지를 가까이 느낄 수 있었다. 나의 가슴은 아버지의
사랑에 싸여 일렁거렸다. 내가 성령에게 손을 내밀자, 나의 몸
은 마치 하느님의 사랑의 불꽃으로 타오르는 듯 했고, 나의 기
도는 내 안팎에 넘치고 있는 사랑과 하나로 일치했다. 영원하신
천주 성삼으로 일치하여 나는 한동안 그 곳에 누워 있었다.

　　　아버지와 성령께서는 앞으로 가야 할 길을 위하여 내게
힘을 불어넣어 주셨다. 나는 기도를 마치고 대상(隊商)이 있는
곳으로 돌아갔다. 사람들은 동물의 등에 짐을 싣고 떠날 준비를
하고 있었고 더러는 앉아서 아침식사를 하고 있었다.

　　　안드레아가 나에게로 오면서 말했다. "주님, 식사를 제가
준비해 드리겠습니다. 시장하시겠습니다."

　　　"고맙다, 시장하구나." 안드레아에게 대답하면서 곁눈으로
보니, 야고보와 요한이 야영지로 돌아오고 있었다. 그들은 나를
보호하느라고 따라오면서 지금까지 지켜보고 있었던 것이다. 나
의 좋은 친구들!

　　　안드레아가 물었다. "주님, 다음 마을에 들리실 것입니까,

아니면 이 대상과 합류하여 예루살렘으로 바로 가실 것입니까?"

"도움이 필요한 사람들이 많으니, 가는 길에 될 수 있으면 여러 마을에 들려야 할 것 같다."

"네. 주님, 그렇군요. 그것 때문에 우리가 여행을 다니는 것이지요. 안 그렇습니까?" 안드레아는 내가 여기 와 있는 이유를 잊어 버렸다가 그 순간에 깨닫게 되었던 것이다.

마티아가 와서 말했다. "주님, 재커리의 행실이 아주 좋아져서, 같이 지내기가 참 좋아졌습니다. 그런데 같이 데리고 가도 될지 모르겠습니다. 어젯밤에는 어머니와 가족들이 그리워서 울고 있더군요. 어머니에 대한 재커리의 사랑이 극진하기 때문에, 자기 없이 지내실 어머니를 무척 걱정하고 있습니다."

"내가 가서 얘기하마." 마티아를 안심시키고 나서 나는 재커리를 찾아갔다.

"재커리야, 가족을 떠나 지내기가 힘드느냐?"

재커리는 약간 당황해 하며 말했다. "주님, 어머니가 걱정됩니다. 연세가 많으신데…. 전에는 제가 다 보살펴 드렸거든요. 이젠 누가 보살펴 드릴지 걱정입니다."

"재커리, 걱정하지 말아라. 네 형들과 누나들이 어머니를 잘 돌봐 드리고 있다. 네가 집에 꼭 있어야 했다면, 따라오도록 내가 허락했겠느냐? 나는 항상 가족을 결합시켜 준다. 결코 가정을 파괴하지 않는다. 그리고 나를 따라올 수 있는 조건이 있는 사람만을 부른다. 네가 힘들 때도 있겠지만, 그것은 나를 따라오는 사람들이 바쳐야 할 희생이다. 그것은 사랑의 희생이며, 그 희생은 가정을 깨뜨리지 않고, 오히려 가정을 지켜 줄 것이다.

그러나 마음먹기에 따라서는, 마음을 무겁게 하는 짐이 될 수도 있는 희생이지만, 그 희생은 하느님께 드리는 선물이라는 사실을 알아야 한다. 그리고 네가 사랑하는 사람들을 하느님께서 잘 보살펴 주고 계신다는 것을 알아라."

"알겠습니다. 주님, 노력하겠습니다. 하지만 때로는 마음이 괴롭습니다." 재커리가 울상이 되어 말했다.

"그렇지 않다면 어떻게 그것을 희생이라고 말할 수 있겠느냐?"

"주님의 말씀이 옳습니다. 이 아픔을 매일 하느님께 바치겠습니다. 그리고 하느님께서 제 어머니를 보살펴 주실 것을 믿겠습니다."

나는 한 팔로 재커리를 감싸며 말했다. "네가 할 일이 바로 그것이다. 걱정하지 말고, 나에게 의탁하여라."

그때 나를 위해 수많은 희생을 바칠 사람들을 보았다. 가족, 친구, 부귀와 명예를 희생으로 바칠 사람들을 보았다. 나를 위해 희생을 바친다는 것이 때로는 어렵고 힘들겠지만, 성령의 은총으로 희생할 수 있는 힘을 얻게 될 것이다.

또한, 나에게 모든 것을 바치고 싶지만, 자신에게 맡겨진 사람들이 있기 때문에 그럴 수 없는 수많은 사람들을 보았다. 자신을 필요로 하는 곳에 남아 있는 그 희생도 위대한 것임을 이해하지 못하는 사람들도 보았다. 그러한 희생으로도 나에 대한 사랑과 내 뜻에 대한 순명을 보여 줄 수 있는 것이다. 그들을 필요로 하는 곳에 내가 그들을 보내는 것이기 때문이다.

† † †

예
예수님
님

예수님   †††   1996년 12월 26일

　나는 아침 식사를 끝낸 후 제자들을 불러 모았다.

　"다시 여행길에 나서는 우리를 인도하시고 보호해 주시기를 아버지께 기도하자. 그리고 아버지께서 저 착한 상인들을 보살펴 주시기를 기도하자."

　내가 이렇게 말하고 있는데, 대상들이 우리와 함께 기도를 하려고 모두 모였다. 그들을 둘러보니 모두의 얼굴에는 기도를 하려는 열성이 넘치고 있었다. 그 전에는 볼 수 없었던 열성이었다. 하느님께 사랑의 기도를 함께 바치고 있는 그들의 목소리는 나에게 큰 기쁨을 주었다. 과거에 기도를 우습게 여겼거나, 기도를 쓸데없는 것이라고 생각하던 사람들이 이렇게 열심히 기도하게 된 것이다. 그들의 모습을 바라보면서, 사람들에게 기도가 무엇인지를 가르쳐 주어, 기도가 생활의 일부가 되도록 도와 주어야 한다고 생각했다.

　기도가 끝나자, 대상의 지도자인 마르코가 토비아를 데리고 나에게 와서 "주님!" 하며 고개를 숙였다. 그는 감히 나를 쳐다볼 수 없다고 느낀 것이다. 얼마나 겸손한 사람인가.

　"나의 친구." 그의 얼굴을 가만히 들어올리며 불렀다.

　"주님, 저희들과 얼마나 더 오래 동행해 주실 수 있겠습니까?" 마르코가 물었다.

"다음 마을까지 동행하게 될 것이다. 우리가 도와 주어야 할 사람들이 다음 마을에 있으니까 말이다."

마르코와 토비아는 슬픈 표정이 되었다.

토비아가 간청했다. "다음 마을이면 금방인데요! 조금만 가면 길이 갈라지는데 거기서 우리와 헤어지시겠네요. 저희들하고 조금만 더 함께 계시면 안 됩니까?"

"너희들은 이제 하느님의 사랑에 의해 많은 감명을 받고 변화되었다. 너희들이 얼마나 착해졌는지 보아라. 다른 사람들한테도 그런 기회를 주어야 하지 않겠느냐?"

"그럼요, 물론이지요. 다만 주님께서 저희들을 떠나시지 않았으면 싶을 뿐입니다!" 마르코는 동의를 하면서도 슬픈 얼굴이 되었다.

"나는 항상 너희들과 함께 있을 것이다. 너희들을 결코 떠나지 않을 것이다. 나는 너희들 가슴 속에 있고, 너희들 또한 내 가슴 속에 항상 있을 것이다." 나는 그들을 위로하며 미소를 지었다.

베드로가 요한과 야고보를 데리고 와서 물었다. "선생님, 오늘 저희가 이 친구들을 떠나게 될 텐데, 떠나기 전에 우리를 만나게 해 주신 하느님께 감사하면서 함께 시편을 노래하는 것이 어떻겠습니까?"

주위에 있던 사람들이 모두 찬성했다. 우리는 모두 손을 합장하고 노래를 부르기 시작했다. 슬픈 곡조가 점점 기쁜 노래로 변하더니, 나중에는 모두들 춤을 추거나 노래에 맞추어 몸을 흔들고 있었다. 노래와 춤이 끝났을 때는 행복이 사방 가득히 번지고 있었다.

그때 시몬이 제안했다. "헤어질 때까지 노래를 하면서 가는 것이 어떻습니까?"

모두들 찬성하며 좋아했다. 그리하여 다음 마을로 가는 길에는 우리가 시편을 노래하는 소리가 울려퍼졌다. 마침내 헤어져야 할 지점에 도달했을 때는, 하느님께 사랑의 노래를 부르느라고 부풀은 흥분이 모두의 가슴 속에 넘쳐 흘렀다. 제자들과 나는 대상들과 일일이 껴안으며 작별 인사를 했다.

서로 헤어진 후에도 양쪽으로 갈라진 사람들이 여전히 노래를 부르고 있었기 때문에, 서로의 노랫소리를 들을 수 있었다. 우리는 하느님께 찬미의 노래를 부르면서 계속 걸어가고 있었는데, 그때 우리와 반대방향으로 가고 있던 로마 군인들과 마주치게 되었다. 군인들은 지쳐서 모두 시무룩한 표정들이었다. 그들이 지나가도록 우리는 기꺼이 길을 비켜 주었다. 말 탄 장교가 화난 얼굴로 나를 쳐다보았는데, 그는 어느 마을에서 한 젊은이를 십자가에 못박아 죽인 바로 그 사람이었다.

"유다인들, 정말 증오스러워!" 그는 나에게 침을 뱉고, 악담을 하며 지나갔다.

군인들 뒤에는 서너 명의 부상자가 동료들의 부축을 받으며 따라오고 있었다. 나는 그들을 도와 주고 싶었지만, 그들이 나의 도움을 원치 않는다는 것은 너무나 뻔한 일이었다. 그들이 그토록 원한을 품어야만 하다니 정말 슬픈 일이었다.

베드로가 나한테 와서 말했다. "전투가 있었던 모양입니다. 근처에 과격파들이 있는 것은 아닐까요?"

요한의 형인 큰 야고보가 말했다. "용감한 과격파 사람들! 로마에 대항하여 싸우는 사람들!"

나이가 어린 작은 야고보가 그 말을 받아서 말했다. "그 과격파들은 뭔가를 잘못 알고 있어. 그 사람들은 속임수를 당한 사람들이지 용감한 사람들은 아냐!" 작은 야고보의 그 빛나는 지혜는 하느님께서 주신 선물이었다.

작은 야고보를 항상 업신여기기를 좋아하는 유다가 말했다. "자네같이 어린 사람이 뭘 안다고 그래? 풋내기가 건방지긴…."

그때 큰 야고보가 말했다. "아냐, 야고보 말이 옳아. 유다! 자넨 야고보를 나무라지 말게. 야고보는 사실대로 말했을 뿐이야. 자네 말이 틀렸어. 야고보가 한 말이 옳아!"

유다는 기분이 상해 소리질렀다. "하지만 난 자네 편을 들어준 거야!"

"그렇다면 자넨 옳지 않은 쪽 편을 든 걸세." 하고 제베대오의 아들 큰 야고보(요한의 형)가 또 말했다.

우리가 걸어가는 동안 유다는 계속 뾰루퉁해 있었다.

그래서 내가 유다에게 가서 말했다. "네가 자칫 실수한 것을 깨닫지 못한 것은 괜찮지만, 누가 지혜로운 말을 할 때는 귀담아 듣는 것이 중요하다. 그래야 너도 언젠가는 그 말을 이해할 수 있게 될 테니까 말이다. 어린아이의 입에서도 지혜로운 말이 나올 수 있다. 그러니 비록 어린아이가 하는 말이라도 귀담아 듣도록 하여라. 나이에 상관 없이 높은 지혜를 지닌 사람들이 많단다."

"네, 주님." 유다가 여전히 불만스럽게 대답하고는 덧붙여 말했다. "그런데 저는 과격파들이 이스라엘을 위해서 많은 일을 하고 있다고 생각합니다."

"그들이 좋은 뜻으로 할 때도 있지만, 그들의 활동 자체는 옳지 못한 것이고, 죄악이다. 아무리 좋은 뜻으로 했다고 하더라도, 죄를 정당화할 수는 없는 것이다." 나는 유다한테 조용하게 타일렀다.

"네, 주님." 동의하는 대답을 했지만 유다는 내가 하는 말에는 흥미가 없었다.

"유다야, 네 곁에서 걸어가니 기분이 좋구나." 나는 아주 다정하게 웃으면서 말했다.

"네, 주님." 유다는 이제 아예 내 말을 듣지도 않고 건성으로 대답했다. 얼마나 슬픈 일인가. 수많은 사람들이 유다처럼, 내가 곁에서 함께 걸어가고 있는 사실조차 깨닫지 못하고 있다.

우리는 마을에 도착했다. 마을 안으로 들어가 보니, 마차가 뒤집어져 있고 옷, 항아리, 냄비들이 여기저기 땅바닥에 잔뜩 흩어져 있었다. 아버지, 남편, 오빠, 아들의 시체를 끌어안고 여자들이 통곡하고 있었다. 인간이 인간에게 가하는 그 고통을 다시 보고 나는 가슴 깊이 차 오르는 슬픔을 느꼈다. 광장으로 들어가 보니 그 곳에 많은 사람들이 모여 있었는데, 한 남자가 탁자 위에 올라서서 연설을 하고 있었다. 그는 바라빠였다.

바라빠가 소리쳤다. "우리는 오늘 로마인들에게 대항했습니다. 그리고 로마인들은 우리한테서 도망을 갔습니다. 오늘 우리는 그들에게 유다인의 강한 힘을 보여 주었습니다. 우리 조국을 위해 굳게 뭉쳐서 대항합시다. 우리 모두 힘을 합해 선택된 백성의 군대가 됩시다. 야훼의 자식들을 종으로 만들면 어떻게 된다는 것을 보여 줍시다!" 젊은이들 중에는 열렬한 반응을 보이는 사람도 있었지만, 대부분의 노인들과 좀더 사려 분별이 있는 사람들은 침묵을 지키고 있었다.

바라빠는 그들을 바라보며 비난했다. "도대체 여러분은 어찌된 사람들입니까? 로마 군인들이 도망가는 것을 보고 축하하지도 않고, 로마인에게 대항할 결의를 굳히는 것도 볼 수가 없으니 말입니다. 여러분은 사람입니까, 아니면 양떼들입니까?"

사람들이 웅성거렸다. 바라빠는 계속해서 말했다. "여러분은 메시아를 기다립니까? 이스라엘을 해방시킬 수 있는 하느님의 힘을 가진 그 한 사람을 기다리고 있습니까? 하느님께서는 그런 힘을, 원수 로마에게 대항하는 이스라엘의 모든 아들과 딸들에게 주실 것입니다. 여러분의 마음 속을 들여다 보십시오. 하느님의 힘은 여러분 마음 속에 있습니다. 여러분 각자가 이스라엘의 구세주입니다!" 바라빠는 한 마디씩 말을 이어 갈 때마다 점점 더 흥분했다.

베드로가 말했다. "선생님, 바라빠는 사람들을 기만하여 증오를 불어넣고 있습니다."

나는 고개를 돌려 베드로를 보았다. 그리고, 하루하루 깊어지는 베드로의 지혜를 보았다. 군중들은 바라빠의 말에 흔들리고 있었고, 그들의 목소리는 점점 더 높아 갔다. 사람들은 속임수에 얼마나 쉽게 넘어가는가! 나는 앞으로 나아가 바라빠 앞에 섰다.

그는 나를 내려다보고 말했다.

"당신은 누구요? 여긴 왜 나왔소? 우리와 합세하려는 거요?"

나는 그의 눈을 똑바로 쳐다보며 말했다. "한 마디 하고 싶은 말이 있소." 바라빠가 처음에는 거절할 듯 하더니, 내가

그의 마음을 움직이자, 나에게 자리를 비켜 주며 조용히 탁자에
서 내려갔다. 잠잠해진 군중들 중에서 한 사람이 소리쳤다.

"당신은 누구요?"

"나는 나자렛의 예수입니다."

군중 사이에 귓속말이 오갔다.

"예수님이시다. 선지자이시고 치유자이신 예수님이시다."

나는 양팔을 들어 그들을 진정시킨 후에 말하기 시작했
다. "친애하는 형제들, 내가 오늘 여러분의 집 주위를 둘러보았
는데, 거기는 죽음과 파괴만 있었습니다. 여자들이 남자들을 잃
고 통곡하고 있었습니다. 죽어서 쓰러져 있는 로마 군인도 보았
고, 그 군인들의 어머니들, 아내들, 가족들도 울고 있었습니다.
이것은 하느님께서 바라시는 우리 삶의 모습이 아닙니다. 하느
님께서는 모든 사람들이 함께 사랑하며 평화롭게 살기를 원하시
지, 전쟁과 증오 속에 살기를 원하시지 않습니다.

오늘 몇몇 사람들은 승리를 했다고 생각하겠지만, 사람들
이 죽음을 당하고, 가슴들이 부서지는 아픔을 당하고, 죄를 보
고 기쁨을 느끼는, 그런 것이 무슨 승리가 될 수 있습니까? 그
것은 오직 악마의 승리일 뿐입니다. 여러분은 다시 싸울 것을
결의하고 있습니다. 하느님의 힘으로 싸우자고 결의하고, 정의를
위해 싸우자고 결의하고 있습니다. 그러나 하느님의 힘은 사랑
입니다. 하느님의 정의는 용서입니다. 여러분 자신을 하느님의
아들이라고 부르는 것은, 여러분이 하느님의 뜻에 순명한다는
뜻입니다. 그리고 하느님의 뜻은 자비입니다.

여러분 각자 안에 이스라엘의 구세주가 있다고 하는 말을
방금 들었을 것입니다. 만약 여러분이 하느님께서 바라시는 대

로 살아 가고 있다면, 그 말이 사실일 수도 있습니다. 여러분이 하느님을 사랑하며, 하느님의 뜻대로 살아 간다면 이스라엘이 구원될 것이기 때문입니다. 하느님의 뜻을 거역하고, 하느님의 사랑에 역행하면서 살아 간다면 여러분은 이스라엘을 잃어 버릴 것입니다. 하느님의 뜻은 사랑입니다. 하느님에 대한 사랑, 이웃에 대한 사랑 그리고 원수에 대한 사랑입니다. 여러분이 원수를 사랑하고, 원수가 여러분에게 가한 고통을 용서할 때, 여러분은 하느님께 대한 깊은 사랑을 보여 주는 것입니다."

그때 어느 젊은이가 소리쳤다. "그렇지만 이스라엘은 야훼께서 우리에게 주신 거룩한 땅입니다. 어떤 외국인도 이스라엘 땅을 지배하거나 소유해서는 안 될 일이고, 오직 유다인들이 가져야 할 땅입니다!"

"하느님께서 창조하신 것을 누가 소유할 수 있겠습니까? 오직 하느님께서만 소유하실 수 있습니다. 지금 이 세대가 다 죽고 난 뒤에도 땅은 여전히 남아 있을 것이고, 다음 세대 역시 자기들의 땅이 아닌 하느님의 땅을 가지고 서로 차지하려고 싸울 것입니다. 하느님께서 이 땅을 유다 민족에게 주시며, 하느님의 사랑 속에서 평화로운 가정을 꾸며 가는 이스라엘 나라를 만들라고 하셨지, 군인의 나라를 만들라고 하지는 않으셨습니다. 하느님께서는 이스라엘을 사랑의 나라로 만들고자 하셨는데, 이 땅이 이토록 혼란에 빠진 것은 하느님의 뜻을 받아들이지 않았기 때문입니다. 이스라엘이 하느님께로 돌아가고, 하느님의 계명을 지키게 되면, 그때는 평화가 올 것이고, 모든 사람이 형제처럼 살게 될 것입니다. 모든 사람은 같은 형제로 창조되었습니다." 사람들은 내 말에 귀를 기울이고 있었다.

"여러분이 난폭하게 무기를 휘두르는 것은 하느님을 거역하는 행위입니다. 칼을 쓰는 사람은 칼로 망한다는 것을 기억하십시오. 그리고 사랑으로 사는 사람은 죽어서 영원한 사랑 속으로 갈 것입니다."

그때 바라빠가 소리쳤다. "말은 그럴싸하지만, 오늘 우리는 로마인을 쳐부수었소." 군중 속에서 몇몇이 그 말에 동의하며 함께 고함을 쳤다. 그러나 대부분의 사람들은 침묵을 지키고 있었다.

"여러분이 오늘 로마 군인 몇몇을 죽였을지 몰라도, 내일이면 로마 군대가 여러분을 덮쳐 모두 죽일 것입니다!"

바라빠가 말했다. "그러면 여러분은 우리를 따라오시오. 이 마을을 떠나 우리와 합류합시다."

바라빠를 응원하는 것은 과격파들뿐이었다. 마을 사람들은 과격파들이 로마 군인을 죽인 것에 대한 대가를 자신들이 치러야 하고, 앞으로도 계속해서 고통을 받아야 한다는 것을 깨달았던 것이다.

바라빠가 열광적으로 외쳤다. "누가 우리를 따를 것이오?" 그러나 그의 동료들 외에는 아무도 대답을 하지 않았다.

"그러면 여러분은 자신의 운명을 결정한 것이오." 바라빠는 역겹다는 듯이 내뱉고는 동료들에게 말했다. "떠나자."

동료들과 함께 광장을 빠져 나가던 바라빠가 잠시 멈춰서서 나를 쳐다보고 말했다. "당신이 저 사람들을 어떻게 구하나 어디 두고 봅시다!"

유다가 그 과격파들과 합류하여 갈까 말까를 망설이다가 그냥 우리와 있기로 마음 먹는 것을 보았다.

사람들이 애원했다. "선생님, 도와 주십시오. 저희들은 이
제 어떻게 해야 합니까?"

"이런 어려움을 당하게 되었으니, 하느님께 도움을 청하
고 기도합시다." 내 말을 따라서 사람들은 거의 한 시간 동안
계속해서 기도하며 하느님께 도움을 청했다. 기도가 끝난 후,
나는 마을을 돌아다니며 부상자들을 치유해 주고, 괴로움에 시
달린 마음들을 고쳐 주었다. 내가 치유를 다 끝냈을 때는 슬픔
과, 분노, 증오와 고통이 모두 사라지고, 하느님의 사랑 안에서
만 느낄 수 있는 평화가 가득 넘치고 있었다.

마을 원로들이 와서 내게 인사를 했다. "이제 모든 것이
괜찮아질 것 같습니다. 우리는 하느님께 의탁합니다. 하느님께
서 우리를 보살펴 주실 것을 압니다. 하느님께 그저 우리를 용
서해 달라고 빌고 있을 때, 문득 우리 자신의 교만을 깨닫게 되
었고, 그 교만 때문에 하느님을 거역한 우리의 모든 죄를 깨닫
게 되었습니다."

나는 그들의 마음이 은총 속에 젖어들고 있는 것을 보았
다. "그것이 바로 마음을 움직이게 하시는 하느님의 사랑에서
나오는 힘입니다. 그 힘으로 인해 자신이 정말 어떤 사람인지
깨닫게 될 뿐 아니라, 진심으로 용서를 빌면 하느님께서 용서해
주신다는 것도 알게 됩니다."

원로 중에서 한 사람이 말했다. "선생님께서 하신 말씀이
옳습니다. 그런데 어떻게 하면 좋을까요? 로마 군인들이 곧 돌
아와서 보복을 할 텐데요."

"하느님께 맡겨 드리고 걱정하지 마십시오. 하느님께서는
여러분의 진실된 마음을 아시기 때문에 여러분을 저버리지 않으

실 것입니다. 어떤 일이 일어나든지 그것이 하느님의 뜻이라는 것을 아십시오. 그리고 그 하느님의 뜻을 받아들이고, 마음을 놓으십시오."

"그렇습니다. 하느님께 다 맡기겠습니다. 우리는 하느님의 뜻이 어떠하시든지 간에 받아들이겠습니다. 우리의 운명은 하느님의 손에 달렸으니까요. 우리는 밤새도록 기도를 하면서, 하느님께서 우리에게 무엇을 요구하시든지 받아들이겠습니다." 그 원로가 말했다.

하느님의 이름을 들먹이거나, 나라에 대한 충성을 들먹이고, 종교를 들먹임으로써 착한 사람들이 죄악으로 유인되는 것을 나는 보았다. 그러나 그 사람들이 진리를 알게 되면, 착한 마음이 다시 일어나서 하느님께로 되돌아오게 되는 것도 보았다.

우리는 모두 회당으로 가서 하느님께 도움을 청하며 기도했다. 사람들이 얼마나 약해질 수 있으며, 또한 하느님의 사랑이 그들에게 가득할 때는 얼마나 강해질 수 있는지를 생각하면서, 나는 멀지 않은 곳에 있는 로마군 사유지에 있는 군인들을 보았다. 그들은 우리가 길에서 만났던 바로 그 군인들이었다.

백부장이 그 군인들에게 물었다. "도대체 어디서 공격을 당한 거냐?"

졸병들은 어리둥절한 표정을 하고 있고, 그 장교도 당황스러운 표정을 지으며 말했다. "저어… 어디서 그랬는지 모르겠습니다. 정확한 장소가 생각나지 않습니다."

"아니, 그래. 너희들이 소위 로마 군인들이란 말이냐? 어떻게 그걸 모를 수가 있단 말이냐?" 백부장이 신경질을 냈다.

"모… 모르겠습니다. 정말 기억이 안 납니다." 그 장교와 졸병들은 같은 대답을 했다.

"그럼 너희들의 기억이 되살아날 때까지 도로를 순찰하도록 해라!" 백부장은 명령을 내리고서도 믿을 수 없다는 듯이 화를 냈다. "이 놈의 나라에 오래 있다 보면, 사람이 모두 미쳐버린단 말이야." 그리고는 옆에 있던 동료를 돌아보며 어깨를 으쓱하더니 나가 버렸다.

마을 사람들이 이제 안전해진 것을 알았다. 이 마을의 교만과 분노가 치유되었고, 혼란한 이 나라에서 이 마을이 장차 평화의 피난처가 될 것을 알았다.

예

예수님

님

예수님 †††   1996년 12월 27일

아침이 밝아 오는데 회당 안에는 여전히 기도 소리가 울려 퍼지고 있었다. 사람들은 밤 사이의 열성이 조금도 식지 않은 듯 했다. 나는 거기 앉아서 그들의 기도 소리에 묻혀 있었고, 기도로써 하느님께 드리는 사랑에 완전히 젖어 있었다. 한 라삐가 기도를 선창하다가 갑자기 멈추고는, 흥분하여 두 손을 공중으로 올리며 말했다. "환시가 보인다. 환시가 보인다!"

기도가 끝났을 때 라삐는 상기된 목소리로 사람들에게 말했다. "양 한 마리가 하얀 옷을 입고 있는 것을 보았습니다. 그

양을 제물로 바치기 위해 죽였는데, 그 피가 옷에 묻어 있었습니다. 그때, '양이 너희들의 죄값을 치룰 것이다.' 하는 목소리가 들렸습니다.

그 다음에는 수천 수백만 명의 사람들이, 죽었다가 살아난 그 양을 둘러싸고 있었습니다. 사람들은 모두 엎드려 그 양을 찬미했는데, 그때 다시 '너희들은 이 양의 사랑 안에서 안전하도다.' 라는 목소리가 들렸습니다. 양 앞에서 사람들이 엎드려 절을 하고 있었는데, 그 곳의 가장자리 바깥에는 수많은 악마들이 있었습니다. 그 악마들은 양을 흠숭하고 있는 사람들을 해치려고 안간힘을 썼지만 아무도 해치지 못했습니다.

양의 피가 사람들을 둘러싸고 있었는데, 악마들은 그 피를 아주 무서워했습니다. 그때 목소리가 또 들리더니, '이 양은 나의 아들이다. 나에게 바칠 제물로 너희에게 내 아들을 보내노라. 그리하여 너희는 하느님의 자비하심을 보게 되리라.' 하였습니다. 그런 다음에 환시가 끝났는데, 나는 이제 우리 마을에 아무 일도 일어나지 않을 것을 확신할 수 있습니다. 야훼께서 우리를 보호하신다는 것을 보여 주셨습니다."

한 사람이 소리쳤다. "하느님께 찬미!" 또 다른 사람이 이어서 소리쳤다. "하느님께 찬미!" 이어서 회당에 있는 사람들 모두가 함께 소리 높여 하느님을 찬미했다.

나는 베드로를 돌아보며 말했다. "이제 떠나자. 여기에 더 이상 있을 필요가 없다."

우리는 회당에 있는 사람들에게 작별인사를 하고, 다른 사람들이 알기 전에 조용히 그 마을을 빠져나갔다.

얼마 후에 유다가 다가와서 물었다. "주님, 오늘은 어디

쯤에서 쉬면서 식사를 하게 되나요?"

"오늘 나는 아버지께서 베풀어 주신 사랑에 감사하면서 금식을 하겠다."

나의 말을 듣고 유다는 금방 슬픈 얼굴이 되었는데, 나는 그가 속으로 '어휴, 제기럴. 그렇다면 오늘은 먹지도 못한다는 것 아냐.' 하고 생각하는 것을 읽을 수 있었다. 그래서 내가 유다에게 말했다. "유다야, 먹고 싶으면 너는 먹어도 된다. 나는 하늘에 계신 아버지께 사랑과 감사를 드리기 위해 오늘은 금식을 해야 하겠다."

"네, 주님." 하고 유다는 희망에 찬 목소리로 대답했다.

"저도 금식을 하겠습니다." 유다의 말이 끝나자 곁에서 걷고 있던 안드레아가 말했다. 그리고 나서 안드레아는 더 큰 소리로 제자들에게 외쳤다. "주님께서 오늘 금식을 하시겠다는데 나도 주님과 같이 금식하겠어. 오늘 금식할 사람 또 없어?"

"그래, 그렇게 하자." 모두들 한결같이 대답했다. 유다는 아무 말 없이 서글픈 표정만 짓고 있었다. 다른 사람이 아무도 안 먹으니 혼자서는 먹기가 곤란할 것이라고 생각했기 때문이었다.

안드레아가 나에게 조용히 물었다. "주님, 로마 군인들이 저 마을로 돌아와서 사람들을 다 죽여 버리는 것은 아니겠지요?"

"안드레아, 저 마을 사람들은 안전하게 하느님의 품 안에 안겼다. 나는 그것을 알기 때문에 걱정 하지 않는다. 너도 그래야 한다." 안드레아가 믿을 수 있도록 자상하게 말해 주었다.

"주님, 그 사람들은 하느님께 대한 신앙이 정말 굳센 것 같습니다. 저도 그런 신앙을 가졌으면 좋겠습니다." 하면서 안드레아는 깊은 생각에 잠겼다.

"너도 가지고 있다. 안드레아, 너도 가지고 있고 말고."

나는 하느님께 대한 사랑이 넘치는 안드레아의 굳센 마음을 보며 대답했다.

안드레아가 물었다. "아까 회당에서 라삐가 본 것은 이상한 환시였습니다. 어떻게 양이 사람들을 보호할 수 있겠습니까?"

"양은 하느님의 아들인데, 사람들의 죄를 보속하기 위해 제물로 바쳐질 것이다. 그 사랑의 제물로 인해 악마는 패배를 당하게 될 것이다."

"그래서 악마들이 양을 흠숭하는 사람들을 해치지 못했던 것입니까?"

"그렇다. 사랑을 위하여 사랑으로 바친, 사랑의 제물 때문에 악마가 절대로 승리할 수 없는 것이다."

"그게 무슨 뜻인지는 확실히 모르겠지만, 말씀하시는 것을 이해할 것 같습니다. 악마가 하느님의 사랑을 쳐부수지 못한다는 것과, 그 양이 죽음을 당할 것이라는 것과, 스스로 원해서 사랑의 제물을 바쳤기 때문에 양이 죽음을 당한 것은 사랑의 승리라는 말씀이지요?" 안드레아가 자신있게 말했다.

"그렇다. 악마는 하느님의 사랑을 절대로 쳐부수지 못한다. 그리고 하느님께서 사람에게 당신의 사랑을 제물로 보내 주심으로써, 그들을 얼마나 사랑하시는지를 보여 주시고, 사람들을 구원하기 위해 하느님께서는 어떠한 일도 다 하신다는 것을 보여 주신다." 안드레아에게 대답을 하면서, 나는 모든 사람들에 대한 나의 사랑을 생각했다.

"양이 어떻게 악마를 쳐부술 수 있는 지 모르겠습니다. 사자 정도는 되어야 할 텐데 말입니다." 뒤늦게 온 토마스가 말했다.

"가슴 속에 있는 사랑의 힘으로 양이 사자가 되는 것이다." 내가 토마스에게 말해 주었다.

"그렇지만 원수 로마에게 대항할 힘이 사자에게 있어야 할 것 아닙니까?"

"필요한 것은 오직 사랑의 힘이다. 사랑의 힘이 전부이다."

토마스가 의혹스런 목소리로 다시 물었다. "사랑이 로마 군대를 어떻게 쳐부숩니까?"

"사랑은 하느님의 힘이며, 너희가 그것을 믿는다면 모든 것이 가능하다. 지금까지 얼마나 많은 전쟁이 일어났는지 생각해 보아라. 어느 쪽이 이기든지 상관없이, 언제나 전쟁은 또다시 일어난다. 전쟁에는 미움과 분노와 폭력과 죄악만 있을 뿐이고, 전쟁을 통해 그런 것이 점점 더 자라나기 때문이다. 그리고 전쟁이 끝났더라도 그런 악은 여전히 남아 있다가, 언젠가 다시 그 악이 드러나게 되어 나라들을 파괴할 기회를 기다리는 것이다.

사랑이 있다면 전쟁은 끝날 것이고, 더 이상 싸우지 않게 될 것이다. 사람들이 서로 사랑해 주고 존경해 줄 것이기 때문이다. 사랑이 있다면 오직 사랑만 커 가게 되고 악은 끝장나게 될 것이다. 그래서 하느님의 양이 사랑으로 와서, 사랑으로 잡혀, 사랑에 자신을 바칠 것인데, 그렇게 함으로써 이 세상에 사랑이 커져 가고 악은 패배를 당하게 되는 것이다."

토마스와 안드레아는 묵묵히 생각에 잠겨 있었다. 그때 유다가 한 마디 했다. "난 지금이라도 당장 양 한 마리를 몽땅 먹어치울 수 있을 것 같다." 그런 유다를 나는 슬프게 쳐다보았다. 그 양을 도살할 때 유다가 한 몫을 하게 될 것을 나는 생각했다.

예

예수님

님

예수님 ††† 1996년 12월 28일

우리는 거의 한나절을 걸은 후에야, 길가에 흐르는 작은 냇가에 도착했다. 냇가의 둑에 깔려 있는 잔디는, 그 위에 앉고 싶을 정도로 부드러웠고, 흐르는 물소리는 주위의 평화로운 정경을 한껏 느끼게 해 주었다. 같이 걷고 있던 베드로와 필립보에게 말했다. "여기는 참 평화롭구나. 쉬어가기 좋은 곳이다. 여기서 오늘 밤을 지내도록 하자."

베드로가 대답했다. "네, 여긴 참 아름답습니다. 머무르기에 아주 좋은 장소 같습니다."

"주님, 이제 멈춰야 할 때가 된 것 같습니다." 필립보도 며칠 동안 걸어오느라고 피곤해 보이는 제자들을 둘러보며 말했다.

"필립보, 다들 모이라고 하여라. 기도를 한 다음에 내가 너희들 모두에게 잠깐 할 이야기가 있다." 내가 필립보에게 말했다.

몇 분 후에 우리는 모두 시냇가에서 아버지께 기도를 바쳤다.

기도가 끝나고, 내가 이야기를 시작했다. "먹지 않고 하루 종일 걸어왔기 때문에, 너희들 중에는 피곤한 사람이 있을 것이다. 하느님께서 보여 주신 사랑에 감사하면서 나와 함께 금식한 것을 알고 있다. 너희들 대부분은 금식을 할 수가 있지만, 조금은 먹어야 되는 사람도 있다. 몸이 아직 금식에 익숙하지 않은 사람들은 빵을 조금 먹고 물을 마시되, 꼭 필요한 만큼만 먹어라.

시간이 지나면 너희들 대부분은 물만 마시면서 오랫동안 금식을 할 수 있게 될 것이다. 그러나 몸에 균형을 잃기 때문에 금식을 잘 하지 못하는 사람도 있다. 빵을 조금 먹어야 하는 사람이라면, 몸이 허락하는 만큼만 금식을 하고, 죄책감을 느낄 필요는 없다. 그리고 금식을 오래 할 수 있는 사람은 못하는 사람을 낮춰보지 말아라.

만약 금식을 할 수 없으면, 다른 방식으로 하느님께 희생을 바쳐라. 그리고 금식을 할 수 있는 사람은 하다가 마음이 약해져서 그만 두는 일이 없도록 하여라. 중간에 포기하는 것보다 차라리 처음부터 약속을 하지 않고 시작하지 않는 것이 더 낫기 때문이다.

하느님께서는 너희들이 할 수 있는 것만 바라신다는 것을 기억하여라. 하느님께서는 너희에게 필요한 것이 무엇인지 다 아시고, 너희가 무엇을 드리든지 사랑으로 받으시는데, 그것이 너희가 생각할 때는 아무리 작은 것일지라도, 하느님의 눈에는 아주 큰 것일 수가 있다."

내가 말을 마치자 재커리가 물었다. "주님, 저는 금식을 해 본 적이 없습니다. 어찌나 배가 고픈지 금식을 계속하지 못할 것 같습니다. 이럴 때는 조금 먹어도 되는 겁니까? 아니면 그래도 금식을 계속해야 하는 겁니까?"

"이번이 처음이고, 음식을 먹지 않는 금식이 네 몸에 익숙하지 않아서, 음식을 찾게 되는 것이다. 이번에는 빵을 조금 먹어라. 그리고 네 몸이 금식에 익숙해질 때까지 매번 조금씩 줄여가며 먹도록 하여라."

저스터스가 물었다. "주님, 금식을 해본 사람들이 다른 사람들에게 금식하는 요령을 가르쳐 주는 것이 어떨까요?"

"그래, 그렇게 하면 좋겠구나." 저스티스에게 대답하고 나서, 베드로에게 물었다.

"나와 잠깐 걷지 않겠느냐?"

"네, 주님." 베드로가 대답했다.

그날 밤을 지낼 장소를 준비하는 사람들을 두고 우리는 시냇물을 따라서 걸었다. 물 속에는 많은 물고기들이 이리저리 헤엄치고 있었다.

베드로에게 말했다. "베드로야, 장차 내가 엄청난 짐을 짊어져야 할 시간에 대해 너한테 이야기해 주고 싶다. 나 자신을 사랑의 제물로 아버지께 바치게 될 그때가 오면, 너에게도 많은 어려움이 닥치게 될 것이다. 의혹에 쌓이게 될 것이고, 공포에 떨며 걱정을 많이 하게 될 것이다…. 그때는 네 앞에 놓인 일을 네가 하지 못하도록 마귀가 발악하고 있기 때문이라는 것을 알고 있어야 한다."

베드로가 말을 가로챘다. "마귀가 절대로 저를 막지 못할 것입니다. 절대로!"

"베드로, 알고 있다. 그러나 그 짧은 기간 동안만은 네가 네 할 일을 못하게 될 것이다!" 나의 부드러운 깨우침에 놀란 베드로는 눈을 크게 떴다.

"주님! 주님께서 제물이 되신다면, 저는 반드시 주님 곁에 있을 것입니다." 베드로는 진심으로 말했다.

"베드로, 네가 나와 같이 있지 못할 때가 있을 것이다. 그러나 그것은 그렇게 되도록 이미 짜여 있다는 것을 알아라. 그 후, 네가 네 신앙을 온 세상에 보여 주며 나를 찾는 모든 사람들에게 사랑의 횃불이 되어 줄 때, 나는 네 곁에 있을 것이다." 나는 이 충직한 친구가 나를 위해 목숨을 바치는 그 날, 나처럼 죽기에는 자신이 합당하지 못한 자라고 생각하며, 내가 죽은 모습으로 죽지 못하겠다(거꾸러 십자가에 달려 죽음)고 겸손하게 말하는 그 날을 보았다.

내가 울음을 터뜨리자, 베드로가 한 팔로 내 어깨를 감싸며 말했다. "주… 주님, 왜 그러십니까? 제가 무엇을 도와 드릴까요?"

"베드로, 너는 장차 나의 사랑 안에서 굳건하게 진리를 선언할 것이고, 많은 사람들을 도와 주게 될 것이다." 나의 말을 듣고 베드로는 부드럽게 대답했다. "네, 주님."

"내가 항상 너와 함께 있다는 것과, 내가 너를 나의 반석으로 선택했다는 것을 항상 기억하여라. 어떤 일이 일어나더라도, 네가 아무리 합당하지 못한 자로 생각되고 수치스럽게 느껴지더라도, 내가 너를 사랑한다는 것을 잊지 말고 네 모습 그대로의 너를 선택했다는 것을 기억하여라. 그리고 내가 모든 사람을 선택했고, 모든 사람을 용서한다는 것을 생각하면서, 나의 교회를 세워라." 베드로의 희생이 아직도 내 눈 앞에 보이고 있었기에 눈물을 멈출 수가 없었다.

우리가 그렇게 냇가에 앉아 있는데 근처 숲 속에서 무슨 소리가 났다. 베드로가 귓속말을 했다. "제가 가서 뭔지 보고 오겠습니다, 주님."

"걱정하지 말아라, 베드로. 별것 아니다. 그냥 여기 앉아서 이 아름다운 자연을 즐기고, 우리가 함께 나누고 있는 이 시간을 즐기자." 하고 베드로를 말렸다. 유다가 숲 속에 숨어서 몰래 감춰 가지고 온 빵과 고기를 먹고 있는 것을 알았기 때문이다.

"주님, 우리가 함께 갖는 이 시간이 저한테는 아주 귀한 시간입니다. 제가 주님과 함께 있는 이 기쁨을 다른 모든 사람들과 나눌 수 있었으면 좋겠습니다."

나는 베드로를 사랑스럽게 쳐다보면서 말했다. "그들이 너처럼 마음을 내게 열어만 준다면, 그들도 이 기쁨을 누릴 수 있을 것이다."

베드로는 작은 조약돌을 물에 던지며 "네, 주님." 하고 대답했지만 내 말을 이해하지는 못했다. 내가 모든 사람들 곁에 머물러 있으면서, 그들이 원하기만 한다면 그들과 단둘이서 시간을 보내려고 기다리고 있다는 것을 이해하지 못했다.

우리가 다른 제자들이 있는 곳으로 돌아와 보니, 작은 모닥불 몇 개가 피워져 있었고, 제자들은 삼삼오오 모여 앉아서 이야기를 나누고 있었다. 시몬의 이야기를 듣고 있던 제자들이 우리를 돌아보았다. 가까이 다가가니 시몬은 하던 말을 멈추고 나를 쳐다보았다.

"시몬, 하던 이야기기를 계속 하려무나." 나는 사랑으로 다정하게 권했다.

"주님, 제가 이야기하는 것보다 주님께서 하시는 이야기를 더 듣고 싶어할 텐데요." 시몬이 겸손하게 말했다.

"시몬, 네 이야기를 끝내 주면 좋겠다. 친구가 이야기하는 것을 앉아서 듣고 싶구나." 나는 손을 그의 어깨 위에 올려 놓고 곁에 앉았다. 다른 제자들도 시몬의 이야기를 듣기 위해 모여들자, 시몬은 불안해졌다.

내가 기운을 북돋아 주었다. "걱정하지 말아라, 시몬. 그냥 너와 나만 있다고 생각하고 이야기해 보아라."

나의 격려에 고무된 시몬이 이야기를 시작했다. "저희들이 주님 어머니 집에 갔을 때 이야기를 하고 있었습니다. 어머니께선 잡수실 생각도 하지 않으시고 우리에게 음식을 요리해 주시던 일과, 사랑과 기쁨이 가득한 어머니의 눈길에 대해 이야기했습니다. 그리고 음식이 가득 들어 있는 큰 주머니를 어머니께 선물로 드려 깜짝 놀라게 해 드렸던 일과, 그때 얼마나 신나게 잔치를 했는지 이야기했습니다.

그때 주님 어머니께서 제게 하신 말씀을 방금 이야기할 참이었습니다. '나는 자네들을 모두 내 자식같이 생각하네. 자네들 어머니처럼 난 자네들을 사랑하네. 외로울 때는 내가 자네들을 위해 기도하고 있다는 것과, 언제나 자네들을 생각하고 있다는 것을 기억하게. 나는 자네들을 얼마나 사랑하는지 몰라.' 하셨습니다. 저는 슬퍼지거나 외로워지거나, 괴롭거나 마음이 어수선할 때면, 저를 위해 기도하고 계시는 주님의 어머니를 생각하는데, 어머니께서 저를 사랑하신다는 것을 생각하면 기분이 훨씬 좋아지곤 합니다.

그리고 또 한 가지 이상한 일이 있었는데, 제가 주님을 너무나도 가깝게 느꼈던 일입니다. 어머니께서 제 마음을 주님의 마음에 집어넣으신 것 같은 느낌이었습니다. 주님, 저는 주님의 어머니를 자주 생각합니다. 그리고 그때마다 제 어머니처럼 느껴집니다."

모두가 시몬이 방금 한 말을 되새기며 침묵을 지켰다. 그러다가 제자들 중 한 사람이 말했다. "저는 주님의 어머니를 한 번도 못 뵈었지만 주님 어머니께선 너무 좋으신 분 같습니다."

"참 좋으신 분이야." 몰래 식사를 하고 돌아온 유다가 말하자, 어머니를 만나뵌 제자들은 동의를 하며 고개를 끄덕였다.

나는 시몬을 살짝 껴안아 주고 나서 말했다. "나는 너희들을 내 형제라고 부른다. 그러니 내 어머니는 너희들의 어머니가 되신다. 내 안에서 형제 자매가 된 모든 사람들에게도 어머니가 되시는 것이다."

"주님의 어머니이신 마리아님을 위하여 시편을 하나 노래합시다." 작은 야고보의 열렬한 제안에 따라, 우리는 시편을 노래하기 시작했다. 몇 시간이 지나서야 노래가 끝났고, 모두의 가슴에 기쁨이 넘치고 있었다. 나는 아버지의 사랑을 느끼며 감사했다.

    다음날 아침에 깨어났을 때 나는 작은 야고보가 기도에 깊이 빠져 있는 것을 보았다. 그래서 작은 야고보 곁으로 가서 무릎을 꿇고 그가 바치고 있는 찬미의 기도에 합심했다. 작은 야고보는 마음 속으로 생명을 주신 하느님께 감사드리고, 과거에 일어난 좋고 나쁜 모든 일들을 감사드리고 있었다. 모든 일은 하느님의 뜻이고, 다 이유가 있어서 일어났고, 그래서 그 모든 것을 기꺼이 받아들이며 감사드리는 것이었다.

    작은 야고보는 너무 기도에 몰두하고 있어서 내가 곁에 있는 줄도 몰랐다. 그의 가슴은 하느님께 바치는 찬미의 기도가 넘쳐, 주위에서 무슨 일이 일어나고 있는지도 느끼지 못하는 상태였다. 갑자기 작은 야고보의 기도가 열렬해지더니 얼굴에 기쁨이 넘쳐 났다. 나는 그의 마음 속을 들여다보고, 기쁨을 함께 즐기며 마음 깊숙이 나의 기쁨을 갖다 넣었다. 기도와 사랑으로 일치하여 거기 잠깐 앉아 있었던 것 같았는데 세 시간이나 흘러 갔다.

    내가 눈을 뜨고 바라보니 제자들이 모두 와서 함께 기도하고 있었다. 작은 야고보가 눈을 뜨고 감탄했다. "와, 정말 굉장했습니다. 너무나 행복했고, 너무나 신났고, 그러면서도 너무나 평화로웠습니다."

    베드로는 동생 같은 야고보를 사랑스런 눈길로 바라보며 미소를 짓고 있다가 말했다. "야고보, 네가 기도하는 동안 아주 행복해 보이더라. 정말 감동적이었어."

    "내가 아침에 일어났더니 주님께서 아주 평화롭게 주무시고 계셨어. 너무나 평화로운 모습으로 주무시는 것을 보니까 기

도를 바치고 싶은 생각이 간절해지더라구. 그래서 기도를 시작
했는데, 아주 충만한 기쁨을 느끼기 시작했어. 그런데 내 앞에
금색 빛이 눈부시게 나타나더니, 그 속에서 하얀 비둘기가 날아
나왔어. 그 비둘기가 점점 가까이 오고 있는 동안, 나는 하느님
께 찬미와 감사의 기도를 열절히 바쳤어. '제 생명을 감사드립
니다. 제 생애에 담긴 모든 것을 감사합니다.' 하는 말 외에는
다른 말을 찾지 못했어.

그 비둘기가 내 가슴 속으로 곧장 날아 들어왔는데, 나는
불꽃처럼 타는 것만 같았어. 내가 비둘기를 쳐다보니, 예수님으
로 변했다가 어느 나이 많은 남자로 변했어. 그 후에 그 나이
많은 남자가 사라지자 비둘기도 사라지고, 그 자리에 주님만 남
아 계셨어. 마치 주님께서 내 가슴 속에서 나와 함께 기도하고
계신 것만 같았어. 그것이 끝나지 말았으면 하는 마음이 얼마나
간절했는지 몰라. 기도할 때마다 그랬으면 좋겠어."

"야고보야, 너는 모든 사람들이 간절히 소원하고 있는 그
런 기도를 경험한 거야." 베드로는 작은 야고보가 보고 느낀 것
에 대해 진심으로 기뻐했다. 그러나 동시에, 자기는 그런 경험
을 못했기 때문에 약간의 질투를 느끼고 있었다.

내가 제자들에게 큰 소리로 말했다. "야고보가 기도 중에
경험한 행복은, 기도할 때 사랑하는 마음으로 하느님께 가슴을
열어드린다면, 누구나 경험할 수 있는 행복이다. 그것은, 하느님
을 사랑하는 사람들이 사랑하는 마음으로 하느님께 다가올 때
하느님께서 주시는 선물이다.

너희들이 모두 그것을 경험해 본 것도 아니고, 경험한 사
람도 기도할 때마다 그것을 경험하게 되는 것도 아니다. 그것을

경험할 수 없으면 실망하기도 할 것이고, 자기한테는 일어나지 않고 다른 사람한테만 일어나는 것을 보면 질투도 하게 될 것이다. 그러나 너희 모두가 알아 두어야 할 것은, 그 모든 것이 항상 너희 앞에 놓여 있다는 사실과, 너희가 그것을 얻고 못 얻고는 바로 너희 자신한테 달려 있다는 사실이다. 그것을 얻을 수 있는 유일한 방법은 마음에서 우러나는 기도를 하는 것이고, 그 마음은 너희 생애에서 겪는 모든 일을, 자기 뜻이 아닌 하느님의 뜻으로 받아들이는 그런 마음이다.

너희들이 하느님께 고압적으로 강요하거나, 좋지 못한 일이 일어난 것에 대해 불평을 하고, 하느님을 탓하며 하느님께 화를 내는 교만과 이기심은, 하느님의 사랑이 너희들에게 가득 채워지는 것을 가로막는 장애물이 되는 것이다.

작은 야고보가 방금 경험한 그런 은총을 받은 사람들은 기도할 때마다 그것을 기대하게 되고, 그 은총을 받지 못하면 실망에 빠지곤 한다. 그러다 보면 하느님을 사랑하기 위해서 기도하기 보다는, 그런 경험을 다시 맛보기 위해서 기도하고, 자기 자신의 만족을 구하려고 기도를 하게 된다는 것을 깨달아야 한다.

다른 사람들이 기쁨에 넘쳐서 기도하는 것을 보고 질투하는 사람이 있다. 그것은, 하느님보다 자기 자신을 더 우선으로 두기 때문이다. 하느님을 사랑한다면, 다른 사람이 하느님께 그렇게 기도드릴 수 있는 것을 기뻐하게 될 것이고, 그 사람이 받는 은총에 감사하게 될 것이다. 그렇게 하면 너희는 하느님의 뜻을 받아들이게 되고, 하느님의 사랑에 너희 마음이 열리게 될 것이며, 너희에게도 하느님의 사랑이 가득 넘치게 될 것이다.

기도할 때 너희가 하느님께 고압적으로 요구하지 않고,

시기나 질투나 분노를 품지 않고, 오직 사랑으로 기도하면서 하느님께 마음을 열어 드린다면, 너희는 기도의 기쁨을 누릴 것이다. 오늘 작은 야고보는 마음 속에 하느님의 사랑을 느꼈다. 작은 야고보가 교만이나 이기심으로 자기 마음을 닫아서, 그 은총을 잃어 버리지 않도록 함께 기도드리자!"

작은 야고보뿐 아니라 모두가 하느님께 마음을 활짝 열 수 있게 되고, 마음이 항상 열려 있게 해 주시기를 기도했다. 사람들은 일단 마음을 열었다고 생각하면 그것이 전부인 줄로 생각하고, 이전보다 더 깊이 하느님을 받아들일 수 있도록 끊임없이 노력해야 한다는 것을 잊어 버린다. 많은 사람들이 일단 마음의 문이 열리게 되면 그 은총을 언제까지나 자기 소유로 생각하는데, 마음은 열릴 때보다 더 쉽게 닫힐 수 있다는 것을 생각하지 못한다. 겸손과 사랑으로 열렸던 마음이, 교만과 이기심으로 닫혀 버리게 되기 때문이다.

예
예수님
님

예수님 ††† 1996년 12월 29일

"주님, 오늘은 이 곳에서 머물 예정이십니까?" 요한이 물었다. 요한은 이렇듯 고요한 정경 속에 있는 것을 좋아한다.

"아니다, 요한. 할 일이 많아서 떠나야 한다."

"알겠습니다, 주님." 하고 대답하는 요한은, 우리가 무엇을 해야 하는지를 내가 잘 알고 있다는 것에 대해 조금도 의심하지 않았다. 다른 사람들도 요한의 그런 순명을 지니고 있었으면 싶었다. 그것은 나에 대한 두려움에서 나온 순명이 아니고, 나에 대한 사랑에서 나온 순명이었기 때문이다.

"떠나기 전에 우선 식사부터 하자. 나도 그렇지만 다른 사람들도 금식하느라고 배가 고플 테니 말이다." 잠시 후에 우리는 모두 앉아서 맛있게 아침 식사를 했다.

유다가 자기 주위에 앉아 있는 사람들에게 태연하게 말했다. "금식 후에 먹으니 좋군. 입맛이 더 난단 말이야." 주위 사람들을 속일 뿐 아니라, 자기 스스로를 속이는 유다를 보고 마음이 아팠다.

식사를 마치고 떠나려고 준비를 하고 있는데, 작은 야고보가 나에게 와서 말했다. "주님, 저는 이 장소를 잊지 못할 것입니다. 이 곳에서 했던 제 기도가 제 마음에 사랑을 가득 채워 준 것을 결코 잊지 못할 것입니다."

"야고보, 네가 기도하는 동안 네 마음에 사랑을 가득 채워 주신 분은 하느님이라는 사실을 잊지 말아라. 네가 어떤 장소에서 기도하든지 아무런 상관이 없다는 것도 잊지 말아라. 네가 진심으로 기도한다면 하느님께서는 언제든지 너의 기도를 들어 주시고 네게 필요한 모든 것을 주실 것이다."

몇 시간이 지난 후 우리는 어느 작은 마을로 들어갔다. 그 마을에는 40여 가구가 살고 있었는데, 우리가 그 곳에 도착했을 때 많은 마을 사람들이 나와서 우리를 환영해 주었다.

"어서 오십시오. 반갑습니다." 원로 중 한 사람이 반갑게 인사를 했다.

"고맙습니다. 이 곳에 와서 여러분을 만나니 반갑습니다." 내가 응답했다.

서로 소개가 끝난 후에 베드로가 그 원로에게 물었다.

"이 곳에 회당이 있습니까?"

"아니오. 회당에 가려면 이웃 동네로 가야 합니다. 여기서 두 시간 정도 걸리는 곳입니다." 원로가 친절하게 알려 주었다.

뒤늦게 와서 대화에 끼어든 안드레아가 물었다. "그러면 여러분은 어디서 하느님을 찬미하고 기도합니까?"

"각자 자기 집에서 하거나, 동네 한가운데에서 합니다." 그런 다음 원로가 크게 말했다. "여러분이 기도하고 싶으시면 동네 한가운데로 가십시다. 우리도 함께 기도하겠습니다. 외부인들과 같이 기도하기는 흔치 않은 일입니다."

사람들이 우리를 동네 가운데로 안내했다. 가는 동안에 어린아이들이 내 손에 매달려 그네를 탔다. 우리가 기도를 시작했을 때는 온 동네 사람들이 다 모여 있었다. 나는 낮은 벽 위에 올라서서 말했다. "우리 모두 하느님께 기도합시다. 하느님께 마음을 열어 드리고, 하느님을 사랑한다고 말씀드리십시오. 그러면 하느님의 온화하신 사랑을 느끼게 될 것입니다. 지금 우리는 사랑으로 한 마음이 되어 하느님 앞에 모였으니, 우리의 기도로써 기쁜 축하연을 벌립시다!"

그리고 내려와서 기도하기 시작했다. 동네 사람들이 기쁜 목소리로 하느님께 찬미와 감사를 드리게 되자, 온 사방에 사랑이 넘쳐 흘러서 손에 잡힐 듯 했다.

기도가 끝났을 때 원로가 나에게 와서 말했다. "우리에게 이토록 거룩한 분을 보내 주신 하느님께 감사하는 마음으로 저희들이 음식과 음료수를 가지고 올 터이니 함께 식사를 나누기로 합시다. 외부인들과 같이 기도드릴 수 있는 기회가 그리 흔치 않거든요."

"이제 우리는 더 이상 외부인이 아니고 친구들입니다." 내가 다정하게 말했다.

"주님, 저희들에게 말씀을 해 주시지 않겠습니까?" 제자들 중에서 한 사람이 큰 소리로 청했다.

"오, 당신은 라삐이십니까?" 마을 원로가 놀라서 물었다.

"그렇습니다(나로다, I Am)."

"그런 줄 알았으면 환영식을 좀더 크게 해드렸어야 하는 건데, 죄송합니다." 당황해 하며 그 원로가 말했다.

"이보다 더 극진한 환영이 또 어디 있겠습니까? 여러분은 나에게 마음을 활짝 열어 주었습니다. 내가 원하는 것은 오직 그것뿐입니다."

나는 낮은 벽 위로 다시 올라가서 설교를 시작했다. "이 동네에 사는 여러분은 낯선 우리를 반갑게 맞아 주었습니다. 그것이 바로 하느님께서 바라시는 모습입니다. 하느님께서는 모든 사람이 여러분처럼 남에게 친구가 되어 주고, 가족이 되어 주며, 사랑으로 대해 주기를 바라십니다.

만나는 사람마다 여러분의 마음을 이렇게 열고 사랑으로 반겨 주면, 여러분은 하느님의 사랑을 이 세상에 보여 주는 사랑의 증인이 될 것입니다.

다시 말하면, 이웃과 친구와 가족을 반겨 줄 뿐 아니라,

여러분의 원수도 반겨 주어야 합니다. 친한 사람에게 베푸는 그런 사랑으로 원수도 반겨 주어야 한다는 뜻입니다. 원수를 반겨 주고 그들에게 사랑과 존경을 보여 주면, 원수가 친구로 변하게 되는 것입니다. 때로는 그렇게 하기가 어렵습니다만, 하느님께서 사랑으로 여러분을 창조하신 것처럼, 여러분의 원수들도 똑같은 사랑으로 창조하셨다는 것을 기억하셔야 합니다.

하느님께는 모든 사람들이 동등합니다. 원수를 사랑하기가 어려울 때 이것을 생각하기 바랍니다. 여러분이 원수에게 사랑을 베풀어 줄 때, 하느님께서는 당신의 사랑을 여러분에게 더욱 많이 부어 주시며 보상해 주신다는 것을 기억하시기 바랍니다."

잠시 동안 침묵이 흘렀다. 그때 재커리의 외침이 들렸다.

"그 말씀은 사실입니다. 저는 로마인들을 증오했었는데, 주님의 도움으로 로마인 한 사람을 사귀게 되었습니다. 이제 저는 어떤 로마인도 더 이상 미워하지 않습니다. 저는 그들을 사랑하게 되었고, 마음에 기쁨을 느낄 수 있게 되었습니다. 이렇게 마음에 행복을 느껴본 적이 이전에는 한 번도 없었습니다!"

"가슴에 증오를 품고 있으면, 사는 것이 비참해집니다. 가슴에 사랑을 품고 있으면, 자연히 기쁨을 누리게 되는 것입니다." 나는 재커리의 말에 동의를 표하며 고개를 끄덕였다.

마을 원로가 말했다. "주님께서 하신 말씀은 사실입니다. 우리 마을 사람들은 마을에 오는 사람이 누구든지, 무엇을 하는 사람이든지 상관없이 환영하기로 오래 전에 결정했습니다. 그이후로 이 마을은 언제나 평화로웠습니다. 로마인들까지도 저희들을 귀찮게 하지 않게 되었습니다!"

"음식이 왔습니다." 유다가 흥분하여 소리쳤다. 그는 우리가 하는 말에 귀를 기울이지 않았고, 당장 필요한 것에만 관심이 있었다.

"자, 식사를 합시다. 그 다음에 여러분이 여기서 지내시겠다면, 잠잘 곳을 마련하겠습니다." 원로는 진심으로 우리에게 음식을 권했다.

"기쁘게 묵었다가 가겠습니다." 나는 원로에게 감사를 표하면서 누구든지 나를 초대해 준다면 어디든지 가서 기쁘게 머무를 것을 생각했다. 나를 초대만 해 준다면…!

예
예수님
님

예수님 ††† 1996년 12월 30일

식사가 끝난 뒤, 마을 원로가 베드로와 시몬과 함께 나를 자기 집으로 초대했다. 집 안에는 우리가 겨우 잠잘 수 있을 만한 방이 있었다. 아들과 며느리 그리고 세 손녀와 함께 살고 있었다. 부인은 이년 전에 세상을 떠났고, 지금은 아들의 가족이 들어와서 같이 살고 있었다.

세 손녀들은 나이가 세 살에서 열한 살 사이였다. 세 아이가 자매 간이라는 것을 쉽게 알아볼 수 있었는데, 세 명이 모두 엄마의 미모를 타고났기 때문이었다. 원로의 이름은 일라이어스였는데, 아들의 이름도 일라이어스였다. 며느리의 이름은 루스였고, 손녀들의 이름은 레베카와 쉐럴 그리고 막내는 엄마의 이름을 따서 루스였다.

자러 가기 전에 우리는 함께 둘러앉아 마을의 생활에 대해 이야기했다. 원로의 아들은 마을이 참으로 평화롭고 좋아서, 그 곳을 떠날 수가 없다고 했다. 어머니가 세상을 떠난 후에 두 아우들이 마을을 떠나 버린 것은 이해할 수 없는 일이라고 했다.

원로가 아들에게 말했다. "네 아우들은 어머니를 잃고 마음에 상처를 크게 받았고, 마을 어디를 가나 어머니가 생각나서 떠나고 싶었던 것이다. 네 아우들이 어머니에게 얼마나 잘 하였고, 어머니 말을 얼마나 잘 들었는지 생각해 보아라. 네 아우들이 너무 어머니를 중심으로 살았기 때문에 내가 그러지 말라고 몇 번이나 말했지만 소용이 없었다. 내 말이 옳았던 거지, 안 그러냐? 그러니까 네 아우들은 어머니의 죽음을 너처럼 잘 감당할 수 없었던 거다."

큰 아들이 물었다. "제가 어머니를 아우들만큼 사랑하지 않았던 게 아닐까요?"

"너도 어머니를 아우들 못지 않게 사랑했다. 네가 어머니를 얼마나 사랑했다는 것을 네 어머니도 알고 있었고, 어머니도 너를 쌍둥이 아우들만큼 사랑했다. 그렇지만 네 아우들은 마치 어른이 될 생각도 없는 양, 어머니가 항상 보살펴 주는 어린아이로만 지내고 싶어 하는 것 같았다. 그러다가 갑자기 어머니가 세상을 떠나자, 네 아우들은 그것을 받아들이지 못하고 집을 떠나 버린 거다. 언젠가는 정신을 차리고 집으로 돌아와야 할 텐데 말이다. 그래도 너는 집에 남아서 이 늙은 아버지를 보살펴 주고 있으니 대견한 아들이다." 원로는 사랑스런 눈길로 아들을 쳐다보았다.

어린 두 손녀는 원로의 무릎 위에 앉아 있었다. 그는 두 손녀들을 함께 껴안아 주며 말했다. "그리고 너는 좋은 가족을 거느리고 있어서, 나를 정말 기쁘게 해 준다. 이리 오너라, 레베카야." 원로는 자기 무릎 위에 레베카가 앉을 자리를 만들고 나서 레베카에게도 사랑의 입맞춤을 해 주었다. 세 아이에게 차례로 입맞춤을 하고는 한숨을 쉬며 말했다. "너희 할머니가 여기 있었으면 좋으련만…"

아들 일라이어스가 나를 보면서 말했다. "집집마다 아픔이 있습니다. 안 그렇습니까? 선생님."

"그렇소, 어느 가정을 막론하고 다 아픔이 있소. 아픔이 있는 것은 괜찮지만, 그 아픔이 증오나 원망으로 변하지 않도록 조심해야 하는 것이오. 비록 가족들이 당신 뜻에 어긋나는 일을 하더라도 항상 사랑해 주어야 하오. 그들이 옳지 않으면 타일러 주되, 사랑으로 타이르도록 하시오. 만약 당신이 잘못한 일이 있으면, 그것을 시인하고 용서를 빌도록 하시오. 가정 안에 항상 사랑이 있어야 하고, 그 사랑이 친구에게 기쁨이 되고, 하느님께도 기쁨이 되도록 해야 하오."

부인 루스가 물었다. "그런데, 제 남편의 아우들이 그렇게 행동한 것은 잘못한 것이 아닙니까?"

"그들이 어머니를 사랑한 것은 틀림없는 사실이고, 그것은 잘못이 아니오. 잘못이 있다면, 어머니를 자기 인생의 목적으로 삼은 데에 있소. 아버지는 그들의 사랑을 덜 받는 것만 같아서 마음이 아플 때도 있었고, 형 역시 어머니와 함께 있고 싶었지만, 아우들이 항상 어머니한테 매달리고 감싸여 있으니, 어머니와 같이 있지 못해서 마음 아팠던 것도 알 수 있소. 사람들이 누군가를, 혹은 무엇인가를 자기만 가지고 싶어할 때 일어나는 일이고, 그 이기심 때문에 다른 사람들이 아픔을 당하게 되는 것이오."

"그 아이들은 마음이 약간 혼돈되어 있을 뿐이지 좋은 아이들입니다. 그게 다 제 잘못인 것 같습니다. 제가 좀더 엄격했어야 하는 건데 말입니다." 원로가 말했다.

"그렇습니다. 좋은 아이들이었습니다. 그리고 돌아올 것입니다. 돌아왔을 때, 인생은 한 사람을 중심으로 사는 것이 아니라는 것과, 인생은 짧은 한 순간에 지나지 않는다는 것을 배웠을 것입니다. 그들이 어머니의 죽음으로 인해 지혜를 얻게 된 것을 보고 놀라시게 될 것입니다.

인생은 다른 어느 누구를 중심으로 살아서는 안 되고, 오직 하느님을 중심으로 살아야 한다는 지혜 말입니다. 온실 속에 격리된 생활을 하는 사람들을 깨워 주기 위해서는 충격이 필요할 때가 있는데, 그 쌍둥이 두 아들한테는 그것이 어머니의 죽음이었습니다."

아들 일라이어스가 물었다. "어떤 식으로 우리를 놀라게 할까요?"

"여러분을 아주 기쁘게 해 줄 그런 방법이오. 그리고 많은 사람들을 도와 주는 그런 방법으로요." 나는 사제가 되기 위해 예루살렘 성전에서 공부하고 있는 쌍둥이 아우를 보면서 대답했다.

세 아이들이 졸고 있는 것을 보고, 엄마 루스가 아이들에게 말했다. "얘들아, 이제 침대로 가서 자야지. 손님들께 밤 인사를 드리고 가거라."

아이들은 나를 쳐다보며 졸려운 눈을 하고 함께 말했다.
"안녕히 주무세요."

"그래, 잘 자거라." 내가 웃음을 지어보이자 막내가 팔을
벌리고 와서 입을 맞췄다. 그것을 보고 나머지 두 아이도 똑같
이 했다.

"잠자기 전에 꼭 기도하거라. 그리고 너희 천사들에게 보
호해 달라고 부탁하고."

"그렇게 하겠어요." 아이들은 내게 약속을 하고는 자기들
방으로 자러 갔다.

"한 번도 저런 적이 없어요." 엄마 루스가 말했다.

"무엇을 말이오?" 베드로가 물었다.

"낯선 사람에게 입맞춤을 한 적은 한 번도 없었어요." 루
스가 대답했다.

"우리는 낯선 사람들이 아니고, 친구니까요." 나는 앞에
있는 그 가족을 둘러보았다.

원로가 말했다. "네, 우리는 친구들입니다. 그럼요, 친구
이고 말고요."

우리는 한 동안 앉아서 그 가족의 이야기와, 가정의 주춧
돌을 처음에 어떻게 세웠는지에 대해 이야기했다. 사랑으로 세
운 주춧돌은 온갖 역경 속에서도 꿋꿋이 서 있을 것이고, 사랑
이 없이 세운 주춧돌은 쉽게 무너질 것이다.

거기 있는 사람들에게, 하늘에 계신 아버지께 함께 기도
하자고 했다. 모든 가정이 하느님께 대한 사랑과, 서로에 대한
사랑 속에서 자라나기를 기도하자고 했다.

자리에 누웠을 때 나는 슬픔이 밀려왔다. 가정에 사랑이 없기 때문에 수많은 사람들이 고통을 겪어야 하는 것을 생각하니 가슴이 아팠다. 헤어져 지내는 가족들, 괴로움을 겪는 마음들, 자식이 없는 가족들, 자기 하나만 생각하는 가족들, 거만스런 가족들, 자신의 살과 피인 자식들을 죽이는 가족들, 노인들을 무시하고 저 버리는 가족들, 병들었거나 비정상이라고 해서 자식들이 태어나지 말기를 바라는 가족들, 다른 사람들이 굶어 죽고 있는 것을 알면서도 유흥만 찾으면서 자기들만 잘 살려고 하는 가족들, 그들을 창조하신 하느님을 잊어버린 가족들, 몇 사람에게 유리하도록 모여 살긴 하지만 가족이 아닌 가족들, 가족이라고 전혀 부를 수 없는 가족들….

이렇게 상처받은 가족들만 생각하다가, 하느님께 진실되고 서로에게 진실한 가족들을 생각했다. 그런 가족은 결코 죽지 않을 가족이다. 잠결 속에서 나는, 어머니 마리아와 나의 보호자 양부 요셉을 생각했다. 그들은 가족이란 어떤 것이어야 함을 이 세상에 보여 주신 성가정의 본보기였다. 사랑으로, 오직 사랑으로….

다음날 눈을 뜨니 막내 루스가 내 곁에 와서 자고 있었다. 루스의 머리가 내 어깨 위에 놓여 있었는데, 루스의 심장 뛰는 소리를 들을 수 있었다. 나는 움직이지 않고 가만히 있었다. 그대로 그 순간을 즐기고 싶었다. 나에게 참으로 기쁨을 주는 순간이었다.

얼마 후에 집 안이 소란해지더니, 루스의 두 언니가 와서, 한 명은 내 위에 앉고 또 한 명은 내 손을 잡고 말했다.

"이야기 좀 해 주세요, 네? 이야기 하나 해 주세요."

　　루스는 깨어났으나 일어나지 않았다. 그냥 누워서 나를 쳐다보며 웃고 있었다. 내 배 위에 앉아 있던 쉐럴이 말했다. "그래요. 얘기 하나 해 주세요." 그리고는 엎드려서 두 팔로 내 목을 안고 말했다. "사랑해요."

　　"나도 사랑해요." 루스가 샘이 난 듯이 말했다.

　　"우린 모두 사랑해요!" 레베카가 동의하며 말했다. 순결하고 천진난만한 사랑 속에 묻혀 나는 그대로 누워 있었다. 참으로 아름답고 흐뭇한 순간이었다.

　　베드로가 깨어나서 아버지 같은 어투로 말했다. "너희들, 주님을 못 일어나게 하면 아무 이야기도 안 해 주실 거야!." 시몬이 나를 끌어안고 있는 아이를 안아 올려서 내 무릎 옆에 앉히고, 여전히 나를 쳐다보고 있는 루스도 일으켜 앉혔다.

　　"여기, 너는 나와 함께 앉자." 나는 레베카를 내 무릎 위에 앉게 해 주었다.

　　나는 아이들에게 이야기를 시작했다. "천국에 세 천사가 있었는데, 그들은 하느님께서 자기들에게 영혼을 맡기시면서 잘 지켜봐 주라!"고 하실 때를 기다리고 있었지. 자기들이 맡을 영혼을 하느님께서 결정하실 때까지 기다리고 있었던 거야. 하느님께서 모든 것을 계획하시고, 모든 것을 실행하신다는 것을 잘 알고 있기 때문에 천사들은 성급해 하지 않고 기다렸단다.

　　어느 날 하느님께서 첫 번째 천사를 부르시더니 아름다운 여자 아기를 맡기시면서, 잘 보살펴 주라고 하셨어. 천사는 하느님께서 원하시는 일을 할 수 있게 되어 즐거워하며, 그 사랑스러운 아기 곁에서 너무 기뻐하며 어쩔 줄을 몰랐단다. 그 천사는 여자 아기를 다른 두 천사들에게 데리고 가서 보여 주며, 행복에 겨워했지. 세 천사들은 모두 아기가 참 예쁘다고 했어. 그리고 두 천사들도 하느님께서 부르실 때까지 기다렸단다.

　　어느 날 하느님께서 두 번째 천사를 부르시고, 예쁜 여자 아기를 주시며, 돌보아 주라고 하셨어. 그 아기는 첫 아기의 여동생이었지. 그래서 두 번째 천사가 아기에게 갔더니, 첫 번째 천사가 그 아기의 언니와 함께 와 있었어. 두 천사는 자기가 맡은 아기 둘을 데리고 세 번째 천사에게 갔어. 세 천사들은 두 아기가 참 아름답다고 했어. 그리고 세 번째 천사는 하느님께서 부르실 때를 기다렸단다.

　　어느 날 하느님께서 세 번째 천사를 부르시더니, 아름다운 여자 아기를 주시며 지켜 주고 보살펴 주라고 하셨어. 천사가 그 여자 아기에게 가 보니 처음 두 아기의 동생이었고, 처음 두 천사도 가족과 함께 거기 있었단다. 세 천사들은 아름다운 세 자매들을 보살피며 지켰어. 하느님께서 만드신 사랑스러운 세 창조물을 지켜보는 순간 순간이 세 천사들에게는 큰 기쁨이었지.

　　천사들은 낮에는 아이들 곁에 있고, 밤이 되어 아이들이 잘 때는 아이들 위에서 그들을 보호하며 지켜 주었어. 천사들은 아이들이 살아 가는 한순간 한순간을 기뻐하고, 아이들 곁에서 하느님께서 시키신 일을 하는 것이 즐겁기만 했지. 아이들이 기도를 할 때는 천사들도 같이 하느님을 찬미했고, 아이들이 기도로 청하는 것을 하느님께 전해 드렸어. 아이들이 기도를 해서 하느님의 사랑으로 힘을 얻게 되는 것을 흐뭇하게 지켜보았지.

　　아이들이 기도할 때마다 천사들은 아주 기뻐했고, 아이들이 자기들을 위해서 기도해 주기를 바라거나 청하지도 않았어.

그저 아이들 곁에서 아이들을 지켜보는 것만으로 만족했어. 천사들은 아무것도 더 바라는 것이 없었단다.

그러다가 어느 날 밤, 한 낯선 사람이 아이들에게 천사를 위해서 기도하라고 했고, 아이들은 그 말을 따라서 열심히 기도를 했단다. 그러자 하느님께서 천사들에게 사랑과 기쁨을 듬뿍 주셨고, 천사들은 얼마나 행복했는지 몰라.

천사들은 아이들을 돌봐 준 보상을 받은 것이고, 하느님께서는 아이들이 기도한 것을 아이들이 알지 못하는 그런 방법으로 들어 주셨던 거야. 아이들은 매일 천사들을 위해 기도를 드렸고, 천사들도 매일 매일 기쁨의 보상을 받게 되었단다."

"우리도 어젯밤에, 천사들을 위해 기도했어요." 큰 언니 레베카의 말에, 동생들도 동의하며 고개를 끄덕였다.

"천사들이 너희들을 사랑하고 보살펴 주니까, 날마다 천사를 위해서 기도드려라."

막내 루스가 손가락을 물고 말했다. "나는 내 천사를 봤어요. 내 천사는 아주 크고 참 좋은 천사예요."

"그래, 네 천사가 항상 곁에 있다는 것을 잊지 말아라. 그리고 하느님께서 너희들을 사랑하시기 때문에 그 천사들을 너희에게 보내셨다는 것도 잊지 말도록 해라."

심각한 얼굴로 세 아이들은 고개를 끄덕이며 말했다. "잊지 않겠어요. 이젠 잊지 않겠어요!"

그때 아이들의 엄마가 방으로 들어왔다. "얘들아, 어서 가서 세수해야지. 선생님께 애들이 귀찮게 해드리지나 않았는지 모르겠습니다."

"귀찮게 하다니요. 아이들과 아주 재미있게 이야기하고 있었습니다." 나는 대답을 하면서, 세 천사들이 즐거운 미소를 지으며 세수하러 나가는 아이들을 따라나가고 있는 것을 보았다.

베드로가 말했다. "주님, 천사에 대한 이야기를 별로 들어본 적이 없었는데, 오늘 천사 말씀을 참 잘 해 주셨습니다."

"베드로, 대부분의 사람들은 자기 천사를 잊어 버리고 있다. 하긴 대부분의 사람들은 하느님께서 주신 다른 많은 선물들도 잊어 버리고 있지만 말이다. 천사들의 고마움을 잊어서는 안 된다. 그들은 아무런 보상을 바라지도 않고 사람들을 위해 참으로 많은 일을 해 주고, 오직 사랑으로 보살펴 주고 있다." 나는 잊기 쉬운 교훈을 베드로에게 일깨워 주었다.

우리는 아침식사 전에 세수를 하기 위해 일어났다. 엄마 루스가 말했다. "그래요. 저도 제 천사를 잊어 버리고 있었어요. 이제 매일 천사를 위해서 기도하겠어요!"

"그러면 천사가 기뻐할 거요." 나는 그녀의 천사가 내 앞에서 환하게 웃으며 무릎 꿇고 있는 것을 바라보았다.

예
예수님
님

예수님   †††   1996년 12월 31일

아침식사를 하는 동안 우리는 즐거운 기분에 들떠 있었다. 일라이어스 원로가 물었다. "오늘은 무엇을 하시겠습니까? 좀더 계실 수 없는 지요? 꼭 떠나셔야 합니까?"

"떠나야 할 것 같습니다. 평화로운 이 곳에서 아주 즐거운 시간을 보냈습니다. 그러나 앞으로 할 일이 많고, 다른 곳에 사는 사람들에게도 가 봐야 하기 때문입니다."

"선생님이 보고 싶어질 것 같습니다. 선생님과 함께 있기만 하면 마음이 행복해집니다."

"우리도 선생님이 보고 싶어질 거예요." 나에게 매달리면서 아이들이 말했다.

"그래요. 우리는 모두 선생님이 보고 싶어질 거예요." 아이들 엄마의 말에, 남편도 동의하며 고개를 끄덕였다.

나는 그들을 둘러보며 대답했다. "떠나려고 하니 나도 슬퍼집니다만, 그러나 가야합니다."

"주님, 시몬하고 제가 먼저 가서 다른 사람들에게 떠날 준비를 시키겠습니다. 그 동안 잠시 여기 남아서 말씀을 더 나누십시오." 베드로가 석별의 정을 나누고 있는 나에게 아쉬운 시간을 보태 주었다.

"그래, 그렇게 하면 좋겠구나." 내가 좀더 오래 있게 되었다고 세 아이들은 좋아했다. 그때 레베카가 베드로에게 물었다. "아저씨는 저 선생님을 왜 주님이라고 부르시나요?"

"그야, 예수님께서는 우리의 주님이시고, 우리의 선생님이시기 때문이거든." 베드로는 아이들에게 아주 솔직하게 대답해 주었다.

"또 예수님께서는 우리 마음의 주님이시고, 우리 영혼의 주님이시기 때문이지. 예수님을 주님이라고 부르는 것은 우리한테 영광이란다." 시몬이 베드로의 말을 보충하였다.

원로가 나를 쳐다보며 밝게 웃었다. 나는 그의 마음 속을 들여다보았고, 그도 나를 알아보았다. 갑자기 그가 무릎을 털썩 꿇고는, 기쁨에 찬 목소리로 나를 향해 "주님!" 하고 외쳤다. 아들은 아버지를 쳐다보며 무슨 영문인지 몰라 했다.

루스가 남편에게 말했다. "저 애들 좀 보세요!"

세 아이들도 모두 무릎을 꿇고, 기도하듯이 두 손을 합장하고 말했다. "주님!"

아들 일라이어스와 부인 루스는 아직도 무슨 영문인지 모르고 서 있었다. 나는 두 사람의 어깨에 손을 얹고 말했다.

"아버지와 아이들이 진리를 본 것이다."

두 사람은 내 눈을 보고 있었다.

"너희 부부는 좋은 마음씨를 지녔고 좋은 가정을 가지고 있으니, 행복하게 살아야 한다." 내가 그들에게 축복의 말을 하자 두 사람 역시 기쁨에 넘쳐 "주님!" 하고 외쳤다.

베드로와 시몬은 다른 사람들을 데리러 갔고, 나는 하느님 말씀의 진리를 깨닫게 된 가족 가운데에 남아 있었다. 내가 그들의 마음을 사랑으로 움직이며 말했다. "이제 이 가족은 하느님의 사랑을 알기 때문에 결코 외로워하거나 두려워하는 일이 없을 것이다." 나의 선언이 있자 그들의 기쁨은 더욱 커졌고, 천사들은 이 가족을 둘러싸고 무릎을 꿇은 채 내 이름을 찬양했다.

내가 원로에게 다가가자, 원로가 말했다. "주님, 저는 너무나 행복해서 죽을 것만 같습니다. 마치 제가 천국에 와 있는 것 같습니다!"

"지금은 죽을 때가 아니오. 당신 아들이 돌아온 후에 때가 올 것이고, 하느님께 돌아가는 귀향을 그들과 함께 축하할 수 있을 것이오." 나는 온 가족이 모여 있는 가운데서 그가 죽음을 맞이하는 것과, 그의 가족이 슬픔 아닌 기쁨을 느끼고 있는 것을 보았다.

우리가 떠나려고 하자, 세 아이들이 달려와서 나를 껴안았다. 막내는 두 팔로 내 다리를 감고, 아이답게 말했다. "우린 주님을 사랑해요."

"나도 너희들을 사랑한단다. 이제 너희 천사들을 잊지 말아라. 알았지?"

"잊지 않겠어요. 약속해요." 기뻐하며 아이들이 대답했다.

"이 집과 이 가족에게 평화를 주노라!"

나는 그 가족을 축복해 주고 돌아서서 제자들을 따라갔다. 그 마을을 떠나면서 시작한 기도가, 길을 가면서도 계속 이어졌다. 방금 떠난 그 가족을 생각하며 나의 가슴은 기쁨에 넘쳤다. 나는 그들을 사랑하고, 그들도 나를 사랑한다. 사람들에게 내가 바라는 것은, 오직 그것뿐이다. 별것 아닌 것 같지만, 그것은 참으로 많은 것이다.

유다 타대오와 마태오가 곁에서 걷고 있었는데, 마태오가 먼저 말했다. "주님, 참 즐거워 보이십니다."

"그렇다." 웃으면서 내가 말했다. "모든 사람들이 그 마을 사람들처럼, 하느님께 대한 사랑과 서로에 대한 사랑으로 충만한 삶을 살아야 하는 것이다. 모두가 그렇게만 산다면 여기가 낙원이 될 수 있을 텐데 말이다."

"주님, 거기서는 아무도 치유를 받지 않았지요?" 유다 타대오가 물었다.

"정신적 치유와 영신적 치유가 필요했던 사람들이 있었는데, 그들은 치유를 받았다. 그 마을 사람들 대부분은 좋은 믿음을 가졌고, 순수한 사랑을 가지고 있었기 때문에 힘을 좀더 불어넣어 주기만 하면 되었다."

유다 타대오가 다시 말했다. "주님, 그 마을은 참 평화로웠고, 사람들도 친절했습니다. 그렇게 빨리 떠나게 된 것이 안타깝습니다."

"다른 곳에도 우리가 돌봐 주어야 할 사람들이 많기 때문이다." 말을 마치고 나는 우리의 도움을 기다리고 있는, 다음 마을을 보았다.

마을에 도착했을 때는 황혼이 질 무렵이었다. 유다와 안드레아에게 우리가 머무를 곳을 찾아보라고 일렀다.

"하지만 주님, 이제 우리는 거의 오십 명의 대가족이 됩니다." 유다는 투덜거리하면서 돈이 얼마나 들 것인지 계산하고 있었다.

곁에 있던 베드로가 말했다. "우리가 아는 사람이 있는지 어디 알아 봐. 아는 사람이 있으면, 몇 명은 그 사람의 집에 머무를 수 있을 거야."

기분이 시무룩해진 유다는 안드레아에게 불평을 털어놓으면서 떠났고, 안드레아는 유다가 항상 하는 그런 불평을 또 듣지 않으려고 귀를 막은 채 따라갔다.

우리는 마을 가장자리에 있는 들판에 앉아서, 유다와 안드레아가 좋은 소식을 가지고 오기를 기도했다. 나는 성공적으로 다녀올 줄은 이미 알고 있었지만, 기도가 어떻게 응답받게 되는지를 제자들에게 알려 주고 싶었다.

얼마 있다가 두 제자가 한 사람을 데리고 돌아왔는데, 그 사람은 나의 설교를 들으러 여러 번 왔던 사람이었다.

"주님, 여기 우리를 도와 줄 사람이 왔습니다." 안드레아의 소개가 끝나기도 전에 그 사람은 앞으로 나서며 내 앞에 무릎을 꿇었다. 나는 그를 붙잡아 일으켰다. "친구, 이럴 필요는 없소."

"주님, 저는 주님께서 말씀하시는 것을 많이 들었는데, 그때마다 주님의 말씀은 제 가슴을 기쁨으로 가득 채워 주었습니다. 주님은 하느님께서 보내신 분이라는 것을 저는 압니다. 제가 할 수 있는 것이라면 무엇이든지 해 드리겠습니다. 제 이름은 라파엘입니다."

"라파엘, 친절을 베풀어 주어 고맙소."

"이 사람은 큰 집을 가지고 있는데, 열 명 내지 열두 명은 지낼 수 있을 겁니다." 유다가 자랑을 하며 끼어들었다.

"나머지 다른 사람들은 어떻게 하지요?" 베드로가 걱정스럽게 말했다.

"괜찮으시다면 마구간에서 지낼 수가 있습니다. 말들을 목장에 내다 놓으면 여러분 모두 묵을 수 있을 것입니다."

"그렇게 하면 좋겠군." 라파엘의 제의에 동의를 하며, 나는 내가 잠자던 그 마구간을 생각했다.

우리는 라파엘을 따라 그의 집으로 갔다. 집에 도착했을 때 라파엘은 누구를 집에서 자도록 하고 누구를 마구간으로 보낼 것인지를 결정하지 못하고 있었다.

그때 유다가 나섰다. "주님과, 주님을 가장 오래 따라다닌 우리 고참 제자들은 집에서 지내야 합니다."

"나는 마구간에서 지내겠다. 유다야, 너도 나와 함께 지냈으면 좋겠구나."

유다는 풀이 죽어서 아무 말도 하지 않았고, 다른 사람들은 모두가 일제히 "주님, 제가 주님과 함께 지내겠습니다." 하고 자청했다.

"마구간에 여러분이 모두 다 들어갈 자리는 없습니다."

라파엘의 말에, 베드로가 나서며 말했다. "새로운 제자들은 여행을 다니면서 마구간에서 자는 것이 익숙하지 않을 테니, 열두 명의 새 제자들은 집으로 가서 쉬도록 하지. 그러면 피로가 어느 정도는 회복될 테니까. 우리는 이제 습관이 되어서 편안한 마구간에서 자는 것이 더 좋거든."

유다는 어이가 없다는 듯이 베드로를 쳐다보았다. 자기 자신의 희생을 감수하며, 나를 따라오는 다른 동료들을 걱정하며 그들의 짐을 덜어 주려는 베드로의 마음 속에 자라고 있는 사랑을 나는 보았다.

"저는 식사를 준비하겠습니다. 그런데 다 먹을 수 있을지 모르겠습니다." 라파엘이 나를 쳐다보며 걱정스럽게 말했다.

"할 수 있는 만큼만 준비해 주기 바라오. 그리고 우리가 가지고 있는 것을 당신에게 갖다 주겠소."

라파엘이 준비한 음식과 우리가 가지고 있던 음식을 합하여, 모두들 충분히 배부르게 먹고 즐겼다. 유다까지도 배불리 맛있게 먹은듯 배를 쓰다듬었다. 식사 후에 라파엘이 마구간까지 나를 따라왔다.

"주님! 아실지 모르겠습니다만, 제가 주님의 말씀을 듣고 있는 동안 주님께서 저를 치유해 주셨습니다."

"알고 있소."

　　"치유를 받았습니다. 주님, 진심으로 감사드립니다. 다만 저는 과거의 제 자신을 용서할 수 없고, 하느님을 거역한 제 행동을 용서할 수 없습니다."

　　"이제 당신은 착하게 살고 있고, 하느님께 날마다 감사하면서 용서를 빌고 있소. 다른 사람들을 도와 주면서, 하느님의 계명을 지키고 있소. 당신은 진심으로 통회하고 있는 것이오. 그래서 하느님께서는 당신을 용서해 주셨으니, 너무 자신을 학대하지 마시오."

　　"주님, 하느님께서 어떻게 저 같은 사람을 용서하실 수 있을까요? 육신을 그토록 더럽게 가지고 놀았고, 하느님께서 사람의 몸에 주신 선물에 대해 존경심이 없었던 저 같은 사람이 어떻게 용서받을 수 있겠습니까? 저는 다른 남자들과 잠자리를 같이 함으로써 하느님을 거역했습니다. 다시는 그런 일이 없을 것입니다만, 제가 한 짓들을 잊을 수가 없습니다." 그는 마침내 울기 시작했다.

　　"많은 사람들이 잘못을 저지르고, 하느님을 거역하는 행동을 하며, 자기 자신만 알고 다른 사람에 대한 존경심이 없소. 그러나 하느님께서는 그런 사람들도 사랑하시고, 그들이 하느님께 돌아와서 용서받기를 원하시고 있소." 나는 그를 위로했다.

　　"저같이 행동한 사람도요?" 그는 계속 흐느꼈다.

　　"그렇소. 하느님은 그런 사람들도 용서하신다오. 그러나 악마는 사람들로 하여금 자신이 하고 있는 것을 볼 수 없도록 그들의 눈을 가리는 것이오. 또 악마는 사람들로 하여금 무엇이든지 마음 내키는 대로 할 수 있다고 생각하도록 유인하고, 그것이 그들의 자유라는 생각을 마음 속에 집어넣어 주고 있소.

악마는 방탕과 죄악이 정상적인 것처럼 보이도록 조작하고 있소. 악마는 또한 어리석은 사람들로 하여금 거짓 사랑과 거짓 생활 속으로 얽혀들어 가도록 유혹하고 있소. 이것을 보면 남자든지 여자든지 간에 사람들이 얼마나 어리석고, 얼마나 쉽게 속임수에 넘어가는지를 알 수 있소.

사람들은 성(性)을 통해 속임을 당하기도 하고, 교만을 통해 속임을 당하는가 하면 탐욕을 통해 속임을 당하는 등, 수많은 방법으로 속임을 당하고 있소. 그러나 하느님께서는 사람들의 어리석음을 알고 계시면서도, 여전히 그들을 사랑하시기 때문에 그들에게 구원의 기회를 주시고 있소. 그리고 사람들이 무슨 죄를 저질렀든지 간에 당신의 사랑을 계속 베풀어 주시는 것이오. 사람들이 하느님의 사랑을 받아들이고 용서를 청하기만 하면, 그들도 당신처럼 악을 극복할 힘을 얻게 될 것이오.

하느님께서 당신을 사랑하신다는 것과, 당신이 진심으로 용서를 구하면 용서를 얻게 된다는 것을 잊지 마시오. 그리고 하느님 안에서 착하게 살면서 더 이상 죄를 범하지 않는다면, 죄책감을 버리고 하느님께서 당신을 사랑하시고 용서하셨다는 것을 믿어야 하오."

울먹거리며 내 말을 듣고 있던 그가, 울음을 그치고는 기운이 난 듯 입을 열었다. "감사합니다, 주님. 말씀 참으로 감사합니다. 주님의 말씀은 항상 제게 용기를 줍니다."

그가 떠났을 때 나는 외벽에 기대고 서서 하늘의 별을 바라보며, 지난날의 라파엘처럼 살고 있는 사람들을 생각했다. 그때, 얼마든지 사람들을 속일 수 있다고 비웃고 있는 마귀를 보았다.

예
예수님
님

예수님 ††† 1997년 1월 1일

　　마구간으로 돌아왔을 때는, 대부분의 제자들이 잠들어 있었다. 내 자리 옆에는 작은 야고보가 자고 있었고, 다른 쪽에는 요한이 잠들어 있었다. 둘 다 아주 평화롭고 행복한 모습으로 자고 있었다. 마구간 안을 둘러보니, 아니나 다를까 깊이 잠든 바르톨로메오가 여전히 요란하게 코를 골고 있었고, 유다는 가장 편안한 자리를 차지하였지만 여전히 불만스러운 표정을 한 채 자고 있었다.

　　베드로와 안드레아는 나란히 자고 있었는데, 안드레아 옆에는 마티아가 잠들어 있었고, 베드로 옆에는 큰 야고보가 자고 있었다. 그들은 서로 달라붙은 채 자고 있어서 하나처럼 보였다.

　　필립보, 저스터스, 시몬, 유다 타대오 그리고 토마스는 벽을 따라 한 줄로 누워 있었고, 나머지 제자들은 마구간 안쪽에 여기저기 흩어져서 자고 있었다. 그 모든 제자들 사이에서 나는 평화스러웠고, 그들을 보면서 나에 대한 그들의 사랑을 느끼며 기뻐했다. 그렇다, 유다도 나를 사랑하고 있다. 다만 그는 나에 대한 사랑과 자신에 대한 사랑을 혼동하고 있는 것이다.

　　나는 자리에 누워 아버지께 진심으로 말씀드렸다. "아버지, 나는 이 친구들을 너무나 사랑합니다."

　　그러자 아버지께서는 세상을 향해 양팔을 활짝 펼치시고,

"온 세상 사람들이 하느님의 친구가 되어야만 한다." 하고 말씀하시는 것을 들으며 잠으로 빠져 들었다.

수탉이 우는 소리에 잠에서 깼는데, 그 수탉소리는 이 날 일어날 일을 연상시켜 주었다. 먼저 일어난 베드로가 와서 말했다. "수탉 소리 한 번 굉장히 크군요. 죽었던 사람도 깨우겠습니다."

작은 야고보가 눈을 부시시 뜨고는, "정말 그래. 하지만 바르톨로메오는 못 깨울 걸." 하면서 아직도 자고 있는 바르톨로메오를 쳐다보았다.

막 깨어난 요한도 거들었다. "어쩌면 저렇게 잘 수 있을까? 천둥이 쳐도 바르톨로메오를 깨우지는 못할 거야."

"바르톨로메오는 마음이 평화로운 사람이다." 나의 대답을 들으면서 먼저 일어난 제자들은 아침을 준비하기 위해 일어섰다. 조금 지나자 나머지 제자들도 모두 깨어났고, 마지막으로 일어난 바르톨로메오와 함께 우리는 기도를 시작했다. 라파엘과 하인들도 우리와 함께 기도하기 위해 합석했다.

두 시간 후 우리가 기도를 끝냈을 때 라파엘이 감격해 하며 말했다. "정말, 기쁘게 기도를 바쳤습니다. 주님, 제 가슴에 사랑이 넘쳐 터질 것만 같습니다."

"진심으로 기도를 바치면, 하느님께로 가까이 가게 되는 것이오. 그러기 때문에 당신이 그런 기쁨을 맛보는 것이오." 라파엘의 얼굴에 퍼져 있는 기쁨의 흔적을 보며 나는 미소지었다. 라파엘의 하인들이 아침 식사를 가지고 왔는데, 전날 밤에 남은 음식들이었다. 그나마도 양이 적어서 각자에게 조금씩 밖에 안 돌아갔다.

"이것밖에 대접해 드릴 수 없어서 정말 죄송합니다. 모두 기도하느라고 아무도 시장에 못 갔습니다."

라파엘의 정중한 사과에 베드로가 얼른 말을 받았다. "이 만하면 충분히 배부르게 먹을 수 있소. 어젯밤에 먹었던 것과 같은 음식이라면, 아주 맛이 있을 것이고…." 나는 다시 한 번 남을 염려하는 베드로의 마음씨와, 베드로의 마음 속에 자라고 있는 겸손을 보았다. 장차 베드로가 자신의 교만과 수없이 투쟁해야 하겠지만, 겸손과 사랑의 실천을 통해, 장차 로마에서 있을 마지막 투쟁에서 승리하게 될 것을 나는 알고 있었다.

식사 후에 제자들에게 말했다. "모두 회당으로 가서 아버지께서 베풀어 주신 사랑에 대해 감사 기도를 드리기로 하자."

"저도 같이 가면 안 될까요?" 라파엘이 다급하게 물었다.

"물론 원한다면 같이 갑시다. 나와 함께 가기를 원하는 사람은 누구든지 환영하오. 나는 누구도 거절하지 않소."

회당으로 가는 길에 라파엘은 나와 베드로 옆으로 와서 같이 걸었다. 회당에 도착했을 때, 몇몇 바리사이파 사람들과 사두가이파 사람들이 밖에서 토론을 하고 있었다.

우리가 회당 안으로 들어가려는데 한 바리사이파 사람이 라파엘을 손가락으로 가리키며 야단을 쳤다. "저 사람은 회당 안으로 들어갈 수 없습니다. 저 사람은 죄인입니다. 하느님을 거역했던 사람입니다." 라파엘은 당황한 표정이 되어 얼른 그 자리를 피해서 떠나려고 했다.

"가지 말고 그냥 있으시오, 라파엘." 내가 그의 팔을 잡으며 만류했다.

라파엘이 나를 바라보며 말했다. "저 사람들이 하는 말은 사실입니다, 주님!"

"우리가 했던 이야기를 잊어 버렸소?"

라파엘은 땅을 내려다보며 자신 없는 목소리로 말했다.

"아닙니다, 주님." 그러나 그 자리에서 도망치고 싶어 하는 라파엘의 심정을 알 수 있었다.

나는 그 바리사이파 사람을 향해 돌아서서 말했다. "이 사람은 죄를 지었습니다. 그러나 죄를 짓지 않은 사람이 어디 있습니까? 이 사람은 자신의 죄를 깨닫고, 더 이상 죄를 짓지 않으려고 하느님께 용서를 빌고 있습니다. 그런 사람이 과연 얼마나 있겠습니까?"

"그렇지만 저 사람이 지은 죄는 너무나 역겹습니다."

"죄는 모두 역겨운 것입니다. 그러나 자비하신 하느님께서는 용서를 비는 자에게, 용서를 베풀어 주십니다. 어떤 죄든지 불문하고 언제나 용서해 주십니다."

"하지만, 저 사람은 남자를 좋아한단 말입니다. 하느님께서는 소돔과 고모라에게 내리신 벌과 똑같은 벌을 저 사람에게 내리실 것입니다."

라파엘은 극도로 불안한 얼굴을 하고, 내 제자들 중에 누군가가 나서서 자기를 비난할 것을 예상하고 있었지만, 아무도 나서지 않았다.

내가 다시 답변했다. "소돔과 고모라 때도, 하느님께서는 사람들에게 용서를 베풀어 주시고자 하셨습니다. 하느님께서 사람들에게 죄악의 생활을 버리라고 말씀하셨지만, 사람들은 듣지 않았습니다. 몇 명만이라도 착한 사람이 있거나, 죄악의 생활에서 돌아설 의향이 있는 사람이 있기만 하면, 그 도시들을 멸망

시키지 않겠다고 약속까지 하셨습니다.

　그러나 사람들은 하느님의 요청을 듣지 않았고, 그들의 운명을 자신들이 결정했던 것입니다.

　그러나 이 사람은 회개할 수 있는 기회가 주어졌을 때, 그것을 받아들였습니다. 그래서 하느님께서는 그를 용서해 주셨습니다. 하느님께서는 용서를 간구하는 모든 사람들을 용서해 주시기 때문입니다."

　"도대체 당신이 누구길래 하느님께서 저 사람을 용서하셨다고 장담하는 겁니까?" 다른 한 바리사이파 사람이 앞으로 나서며 벌컥 화를 냈다.

　"통회하는 사람을 용서해 주신다고 하신 하느님의 말씀이 성서에 있습니다." 베드로가 끼어들어 반박을 하자 그 바리사이파 사람이 잠잠해졌다.

　내가 다시 말을 이었다. "자기 죄를 통회하고 용서를 비는 자는 용서를 받을 것입니다. 통회할 죄가 없다고 말하는 자는, 심판 날에 그의 교만이 쇠사슬처럼 그의 목을 졸라맬 것입니다. 당신에게 분명히 말합니다. 남이 안 보는 곳에 숨어서 무슨 나쁜 짓을 했는지 잘 성찰해 보고, 이 사람처럼 하느님의 용서를 비십시오."

　바리사이파 사람은 자신이 남몰래 첩을 거느리고 있는 사실을 내가 알아챘다고 생각하고는 얼굴을 붉혔다.

　"저 사람이 회당 안에 들어가든 말든 내가 알게 뭐야." 하고 혼잣말처럼 쏘아붙이고는 가버렸다. 이제는 우리가 회당 안으로 들어가서 기도하는 것을 더 이상 반대하는 사람이 없었다.

　기도를 마치고 회당을 나오면서 라파엘이 말했다. "회당에서 기도해 본 지가 참 오래 됐습니다. 오늘, 주님 덕분에 다시 올 용기를 얻었습니다. 감사합니다, 주님!"

우리는 침묵 가운데 라파엘의 집으로 돌아왔다. 그리고 모두 둘러앉아 식사를 하면서, 한결 가벼운 마음으로 대화를 나누었다. 유다를 제외하고는 모두 즐거워했다. 유다는 신경질적으로 라파엘을 계속 힐끗 힐끗 쳐다보다가, 곁에 앉아 있는 사람들에게 심술궂게 말했다. "어젯밤에 이 집에서 잠자지 않은 것이 얼마나 다행인지 모르겠어." 남을 용서하지 못하는 사람을 눈 앞에서 본다는 것은 얼마나 슬픈 일인가.

식사를 하고 있는데, 라파엘의 집 바깥으로 사람들이 모여들기 시작했다. 사람들은 서로 묻고 답하고 있었다.

"그게 사실이야? 나자렛의 예수님께서 여기 오셨다고?"

"그래, 라파엘과 식사하고 계셔."

그들을 너무 오래 기다리게 할 수 없어서 베드로를 불러서 말했다. "베드로, 밖에 와 있는 사람들에게 가서, 내가 곧 나가서 설교를 하겠다고 말해 주어라."

심부름을 나갔던 베드로가 돌아오더니, 놀란 눈을 하고 보고를 했다. "주님, 사람들이 굉장히 많이 모여 있는데, 계속 늘어나고 있습니다."

식사를 서둘러 마치고 바깥으로 나가니, 사람들이 몰려오면서 소리쳤다. "예수님이시다. 말씀해 주십시오." "치유해 주십시오." "낫게 해 주십시오!"

제자들이 사람들을 뒤로 밀어내면서 한바탕 소동을 치른 뒤에야 질서가 잡혀 조용해졌다.

나는 사람들 앞에 서서 말하기 시작했다. "여러분, 용서는 하느님께서 모든 사람에게 내려 주시는 은총입니다. 사람들은 자신이 어떤 죄를 지었든지간에 하느님께서 용서해 주시기를 바라고, 또 용서해 주시리라 믿습니다. 대부분의 사람들은 마음속으로 하느님께서 그들을 사랑하신다는 것을 믿고, 천국에서 그분과 함께 살게 되기를 바랍니다.

대부분의 사람들은 혼자서 이렇게 생각합니다. '하느님께서는 내가 그저 평범한 인간이라는 것을 잘 알고 계시니, 쉽게 죄를 짓는 것도 너그럽게 봐 주실 것이다.'

그리고 또 대부분의 사람들은 언젠가는 천국으로 가게 될 것이라고 믿고 있습니다. 자비하신 사랑의 하느님께서는 용서를 구하는 자들에게 용서를 베풀어 주시기 때문입니다.

그렇습니다. 여러분이 어떤 죄를 범했더라도 용서를 빌면 하느님께서는 용서해 주실 것입니다. 그러나 계속해서 죄를 범하다가, 마지막 죽는 순간에 용서를 구하면 될 것이라고 생각해서는 안 됩니다. 여러분이 죄를 짓고 있다는 것을 깨닫는 순간, 그것을 그만 두기 위해 최선을 다해야 한다는 말입니다.

죄를 범하고 있다는 것을 알고 난 이후에도 계속해서 죄를 범한다면 용서를 바랄 수 없습니다. 자기 죄를 알고 난 이후에는, 죄를 더 이상 짓지 않기 위해 노력해야 합니다. 거듭 실패를 하겠지만 그렇더라도 끊임없이 노력을 해야만 합니다. 죄를 극복하려고 노력하는 것은, 하느님의 계명을 지키고 싶은 마음을 하느님께 보여드리는 것입니다. 실패를 하더라도, 하느님께서는 여러분이 노력했다는 것을 다 아십니다. 하느님께서는 여러분이 착하게 살고 싶어 한다는 것도 아시고, 여러분을 이해하시며 자비를 베풀어 주실 것입니다.

그러나 여러분이 자신의 죄를 알고 나서도, '이까짓 사소한 죄를 가지고 뭘 그렇게 걱정할 것까지야 없지.' 하고 생각하거나, '훗날 죄를 더 이상 짓지 않으면 되겠지.' 하고 막연하게 생각하면서 심지어는, '내가 죄를 그만두지 못하는 것을 하느님께서 아시니까 용서해 주실 것이다.' 하고 생각하는 것은 교만이 여러분의 마음을 지배하게 하는 것입니다.

여러분 스스로가 하느님께서 무엇을 하실 것인지 다 잘 안다고 말하는 것은, 스스로를 하느님의 위치에 올려놓는 교만이고, 하느님께서 여러분에게 요구하시는 것을 거절하는 행위입니다. 그럴 경우, 여러분이 진심으로 용서를 청하지 않았기 때문에 하느님의 용서를 얻기가 어렵게 됩니다. 언젠가는 용서를 빌지 않았던 자신에 대해 변명을 해야만 할 것이고, 교만이 마음 속에서 커지도록 놔 두었던 것에 대해 값을 치러야만 할 것입니다.

교만은 사람마다 다른 형태로 나타납니다. 어떤 사람들은 하느님께서 그들의 죄를 용서해 주실 것을 기대하지만, 그들 자신은 다른 사람의 죄를 용서해 주지 못합니다. 남에 대해서는 비난을 곧잘 하면서도 자신이 저지른 잘못은 잊어 버립니다.

그런 사람들은 교만이 가득하여, '하느님께서는 나만 용서해 주시고, 다른 사람들은 용서해 주지 않으실 것이다.' 라고 생각하거나, '나는 용서를 받았기 때문에 성스러운 사람이 되었다. 그러나 다른 사람들은 너무 나쁜 죄를 지었기 때문에 하느님께서 용서해 주지 않으실 것이다.' 하고 멋대로 생각합니다.

그런 사람들은 과거에 자신이 저질렀던 잘못과, 지금 저지르고 있는 잘못은 쉽게 잊어 버리고, 다른 사람들의 잘못은 곧잘 비난합니다. 그것은 교만입니다. 그것은 하느님이 아니라 자신들이 사람을 심판해야 한다고 주장하는 교만이고, 그들이 하느님의 마음을 다 잘 알고 있어서, 하느님께서 다른 사람들을 어떻게 심판하실 지를 알고 있다고 감히 주장하는 교만입니다.

교만은 죄악이며, 그것은 모든 사람들의 마음 속에 있습니다. 하느님께 등을 돌리면 그 죄악은 더욱 커질 것이고, 겸손한 마음으로 하느님께로 돌아가서 하느님의 뜻을 받아들이면 그 죄악을 쉽게 극복할 수 있을 것입니다. 교만을 극복하려면, 자신의 내면을 있는 그대로 관찰하고, 사랑하는 마음으로 남을 대할 수 있는 은총을 달라고 하느님께 기도해야 합니다."

내가 말을 마쳤을 때, 군중들 사이에 무거운 침묵이 흘렀다. 잠시 후에. 침묵을 깨고 옷을 잘 차려 입은 한 남자가 질문을 했다.

"교만이 죄악이긴 하지만, 우리 가운데는 남보다 좀더 나은 사람이 있는 것이 사실 아닙니까? 우리의 지성을 보면 그것을 알 수 있고, 돈을 버는 것을 봐도 알 수 있습니다. 그리고 다른 사람들에게 모범이 되는 것을 보고도 알 수 있습니다. 그런 것은 하느님께서 우리에게 주신 선물로서, 우리를 다른 사람보다 높은 자리에 두기 위해 주신 것이 아니겠습니까?"

"하느님께서는 모든 사람을 동등하게 보십니다. 어떤 사람은 다른 사람보다 더 지성을 갖추었지만, 그것이 무슨 의미가 있습니까? 오히려 그 지성 때문에 하느님으로부터 멀어지는 경우가 흔하지 않습니까? 사랑할 수 있는 마음을 지니는 것이 똑똑한 두뇌를 가진 것보다 훨씬 나은 것입니다." 내가 답변했다.

그 남자가 다시 물었다. "그러면 하느님께서는 무엇 때문에 사람들에게 지성을 갖게 하셨습니까?"

"하느님께서 주시는 선물은 모든 사람들의 유익을 위한 것이지, 선물 받은 사람만을 위한 것이 아닙니다. 만약 어떤 사람이 지성을 지녔다면, 그는 다른 사람들을 돕는 데 그 지성을 써야 하는 것입니다. 어떤 사람이 부유하다면, 그는 다른 사람들의 생활을 향상시키는 데 그 재산을 써야 합니다. 만약 어떤 사람이 넓은 마음을 가졌다면, 그 사람은 자기 사랑으로 다른 사람들에게 힘을 불어넣어 주어야 하는 것입니다. 어떤 사람이 손재주가 있는 기능공이라면, 그는 다른 사람들을 위하여 그의 손재주를 써야 하는 것입니다. 하느님께서 주시는 모든 선물은 다른 모든 사람에게 유익하기 위하여 주신 것이지, 선물을 받은 사람만을 위한 것이 아닙니다. 하느님께서 주신 것은, 하느님께서 언제든지 거두어 가실 수 있다는 것을 기억하십시오."

나는 진실을 이야기했지만, 옷을 잘 차려입은 그 남자는 불만을 가득 품은 채 그 자리를 떠났다. 나는 그가 불쌍했다. 그는 교만의 손을 들어 주었고, 그의 마음 속에 있는 사랑은 패배하였던 것이다.

"저를 고쳐 주십시오."

군중들의 외침 소리에 정신을 차린 나는 군중 사이를 걸어다니며 병자들을 치유했다. 어느 남자 앞에 갔는데, 그는 태어났을 때부터 눈이 안 보이는데가가 귀가 안 들렸고 말도 못했다. 그의 어머니가 곁에 서 있다가 나에게 애원했다. "얘는 아직 세상을 본 적이 없습니다. 아직도 아기 같습니다. 낮게 해 주십시오, 주님. 제발 고쳐 주십시오. 제 아들한테서 이 천벌을 거두어 주시기를 날마다 하느님께 기도 드렸습니다. 오늘 하느님께서 제 기도를 들어 주시겠지요?"

나는 두 손으로 그의 얼굴을 감싸고는 그 어머니에게 말했다. "하느님께서 당신의 기도를 듣고 계셨습니다. 이제 그 기도를 들어 주십니다."

갑자기 그 남자가 소리쳤다. "보여요. 볼 수 있어요. 내가 말도 해요. 말을 할 수 있어요. 내 목소리가 들려요!" 아들과 어머니는 기쁨과 놀라움 속에서 나를 끌어안고 통곡을 하였다.

나는 그 어머니의 등을 다독여 주며 위로했다. "아들이 치유되었습니다. 이젠 날마다 하느님께 감사 기도를 드리십시오. 그리고 당신의 아픈 뼈를 낫게 해 주신 것도 하느님께 감사 드리십시오."

"어머, 그렇군요. 아픈 게 없어졌어요." 그녀는 팔을 흔들며 소리쳤다. "하느님께 찬미! 찬미 받으소서, 하느님!" 곧이어 갖가지 치유에 대해 하느님께 감사드리는 기도소리가 웃고 우는 소리에 섞여 울려 퍼졌다.

그때 상복을 입은 어느 젊은 여자가 땅에 앉아 있는 것이 눈에 들어 왔다. 그녀는 주위에서 일어나고 있는 일에 관심도 없이 그저 허공만 쳐다보고 있었다.

내가 다가가서 그녀에게 말했다. "당신 남편 요한은 지금 행복합니다. 요한은 이제 더 이상 고통을 받지 않고, 당신과 아이를 사랑으로 지켜보고 있소."

"무, 무엇이라고요? 제 남편을 어떻게 아십니까? 그는 삼

개월 전에 세상을 떠났는데요." 그녀가 깜짝 놀라서 물었다.

"알고 있소. 그리고 당신이 얼마나 남편을 사랑했는지도 알고 있소. 그러나 더 이상 애통해 하지 마시오. 요한이 지금 행복을 누리고 있다는 것과, 언젠가 하느님 품 안에서 그를 다시 만나게 될 것이라는 사실을 알아야 하오."

그녀는 아직도 어리둥절하여 확신없는 눈으로 나를 쳐다보고 있었기 때문에, 계속해서 설명을 해 주었다. "당신의 딸은 어느 때보다 엄마를 더 필요로 하고 있소. 당신 딸은 아버지를 그리워하고 있지만, 이제는 자기한테 무관심해진 엄마의 사랑도 그리워하고 있소."

그녀의 얼굴에는 아직도 갈등과 슬픔이 섞여 있었다. 내가 그녀의 얼굴을 가볍게 토닥이며, "당신의 고통을 치유 받으시오." 하자 그녀는 가슴 깊은 곳에서 올라오는 울음을 터뜨렸다.

베드로가 조심스럽게 물었다. "주님, 어떻게 하면 좋겠습니까?"

"그냥 두어라. 곧 나아질 것이다. 때로는 고통을 내버리기가 어려운 것이다."

다음 날 다시 설교를 해 주겠다고 약속을 하면서 집으로 돌아가라고 말하자, 사람들은 그제서야 서서히 떠나가기 시작했다. 그 여자는 여전히 길가에 앉아서 울고 있었다. 그녀에게 가서, "이제 딸한테 가 보도록 하시오."라고 말하자 그녀는 즉시 울음을 멈추고, 눈물을 닦으며 미소를 지었다.

"옳으신 말씀이십니다. 딸한테는 제가 있어야 합니다. 그리고 제 남편이 고통으로부터 이제 해방된 것도 사실입니다."

그녀는 옷을 털고 일어섰다.

"그런데 그 사실들을 어떻게 아셨습니까?" 그녀가 의아해
하며 물었다.

"나는 당신이 태어나서 지금까지 살아 오는 동안 당신을
알고 있었고, 항상 당신과 함께 있었소. 당신이 어렸을 때, 다리
가 부러져서 침대에서 울고 있었을 때에도 당신과 함께 있었소.
고통을 덜어 달라고 하느님께 기도하는 것을 들었는데, 하느님
께서는 그 고통을 덜어 주셨소. 오늘처럼 말이오."

"당신이 그걸 다 아시다니!" 그녀는 몹시 놀란 듯 소리를
질렀다.

"그렇소, 당신 남편이 고통 속에 죽어 가는 것을 지켜보
며 겪어야 했던 괴로움과, 당신 딸이 방황하고 있는 것을 보며
겪어야 했던 괴로움도 알고 있소. 남편이 죽었을 때 더 이상
살고 싶지 않아서 따라 죽고 싶었던 당신의 마음도 알고 있소.
세상에 등을 돌리고 마음을 닫아 버렸던 것과, 이제 다시 그 마
음이 열린 것도 다 알고 있소. 사랑으로 열린 것을 말이오."

"오, 주님!" 하면서 그녀는 내 앞에 무릎을 꿇었다.

나는 유다를 불러서 말했다. "이 사람한테 도움이 되도록
뭘 좀 주어라." 유다는 못마땅한 표정으로 그녀의 손에 돈을 조
금 쥐어 주었다.

내가 돈을 더 주라고 정색하며 명령을 하자, 유다는 마지
못해 하면서 내가 시키는 대로 했다.

"주님, 이것은 받을 수가 없습니다. 저는 이미 너무나 많
은 것을 받았습니다." 그녀는 어쩔 줄 몰라하며 사양을 했다.

"당신 남편이 아무리 어려울 때라도 항상 십일조를 바쳤

던 그 돈을 조금 되돌려 받는다고 생각하시오."

"주님, 주님께서는 정말 모든 것을 다 아시는군요."

"당신 딸이 지금 당신을 기다리고 있는 것도 알고 있소. 딸한테 어서 가시오. 당신이 곁에 있어 주어야겠소." 하면서 나는 그녀의 뺨에 입을 맞추었다.

"네, 가겠습니다. 주님, 그런데 혹시 제가 주님을 위해 할 수 있는 일이 있었으면 좋겠습니다."

"날마다 기도하면서, 당신 딸이 하느님을 사랑하도록 키우시오. 내가 바라는 것은 그것이 전부입니다."

"네, 주님. 그렇게 키우겠습니다. 약속하겠어요." 그녀는 결연한 표정으로 대답하고는 마음 깊이 기쁨과 평화를 느끼면서 집을 향해 달려갔다. 그때 나는 그녀를 다시 만나는 날을 보았다. 인류의 구원을 위하여 내가 목숨을 바치는 십자가 아래에서 그녀가 울고 있었다.

예
예수님
님

예수님 ††† 1997년 1월 2일

그 날 저녁 식사 후에 유다는 혼자서 산책을 나갔다. 옷에 감춰 둔 돈을 세기 위해 혼자서 자주 산책을 나가곤 했다. 얼마 후 내가 제자들과 이야기를 하며 앉아 있자니, 유다가 타박상을 입은 채 돌아왔다. 베드로와 야고보가 부축하기 위해 달려가자, 유다는 비틀거리면서 탁자로 걸어가서 울부짖었다. "도둑을 맞았어. 도둑을 맞았단 말이야."

가벼운 상처였지만, 유다는 아주 대단한 것처럼 소란을 피웠다. 베드로가 상처를 닦아 주는데도, 유다는 계속 울부짖었다. "그 놈들이 돈을 몽땅 뺏어 갔어."

"유다야, 괜찮다. 네가 많이 다치지 않았으니 다행이다." 내가 유다를 위로해 주었다.

"하지만 주님, 우리는 이제 어떻게 먹고 지냅니까? 돈이 있어야 살지요." 울먹거리면서 유다가 물었다.

"그런 것은 걱정하지 말아라. 우리에게 필요한 것은 모두 다 얻게 된다는 것을 아직도 배우지 못했느냐?"

"하지만 그 놈들이 돈을 다 가져가 버렸습니다." 절망적인 얼굴로 유다가 한탄했다.

"별로 많지도 않았는데 뭘 그래." 베드로가 유다를 진정시켰다.

"별로 많지 않았다니 무슨 말이야! 은전이 서른 개나 되고, 금화도 몇 개나 있었고, 잔돈도 몇 개 있었는데!" 하고 유다가 반박했다.

"도대체 그렇게 많은 돈을 어디서 얻었나? 가진 돈이 몇 푼밖에 없다고 자네가 그랬잖아." 베드로가 참지 못하고 쏘아부쳤다.

내가 나서야 진정이 될 상황이었다.

"그것은 단지 돈일 뿐이다. 돈 때문에 기분 상하는 일이 없도록 하여라."

베드로는 내 말을 듣고 화가 가라앉았다. "죄송합니다,

주님." 하고 내게 사과하고 나서, 유다에게 말했다. "미안하네, 용서하게."

"괜찮아." 유다는 비밀을 들켜 민망한 표정으로 베드로에게 대답하고는 잠자리로 가서 밤새 아무 말도 하지 않고 침묵을 지켰다.

은전 서른 개가 장차 무슨 의미를 가지게 될 것인지를 생각하며, 나는 다시 깊은 슬픔에 잠겨 한동안 유다를 지켜보았다. 유다가 이 일을 통해 돈은 중요한 것이 아니며, 돈이란 모으는 데에 드는 시간보다 훨씬 빨리 사라진다는 것을 깨닫지 못하는 것이 가슴 아팠다. 돈을 잃어 버렸다고 애통해 하는 유다는, 자기 행실로 인해 잃어 버리게 될 영혼에 대해서는 조금도 애통한 마음이 없었다. 고귀한 자기 영혼보다 돈을 더 소중하게 여기는 수많은 사람들을 나는 생각했다.

베드로를 보면서 돈이 중요하지 않다는 것과, 우정과 사랑의 중요성을 즉시 받아들이는 그의 착한 마음을 보았다. 나의 벗인 베드로는 이 세상 사람들에게 얼마나 훌륭한 모범이 될 것이며, 천국의 열쇠를 쥐고 있을 사람으로서, 그의 발자국을 따라갈 모든 사람들에게 얼마나 좋은 모범이 될 것인가!

곁에 누워 있던 야고보가 물었다. "선생님, 불편하지 않으십니까? 제 담요를 드릴까요?"

"고맙지만, 나는 괜찮다." 하면서 나는 눈을 감았다. 남을 위해서라면 자기가 가진 것을 다 줄 줄 아는 야고보를 생각하며, 잠에 빠져들었다.

다음날 아침식사 후에 우리는 다시 회당으로 기도하러 갔다. 그 날은 라파엘을 못 들어가게 막는 사람이 아무도 없었다. 나는 조용히 앉아서 라삐가 하는 성서 낭독을 듣고 있었는데, 그 성서 구절은 선지자 이사야가 나의 왕림을 예언하면서, 이스라엘을 해방시키고 갇힌 자들을 풀어 줄 메시아에 대해 설명한 구절이었다. 바로 그때 아버지의 사랑이 차오르는 것을 느끼며, 나는 기운을 차렸다.

우리가 회당을 떠나려 하자, 성서 구절을 낭독했던 그 라삐가 다가와서 말했다. "어제 바리사이파 사람들이 당신에게 무례하게 굴어서 죄송합니다. 그들을 용서해 주십시오. 많은 사람들이 그렇듯이, 그 사람들은 하느님의 말씀을 듣기는 해도, 말씀대로 살지는 않습니다. 그것이 바로 이스라엘의 슬픔입니다."

나는 그 라삐가 하느님을 사랑하는 착한 사람임을 알았고, 사십 세라는 나이에 비해 깊은 지혜를 가지고 있는 것을 알았다.

"용서를 청하면 나는 항상 용서해 줍니다. 걱정해 주서서 고맙군요. 당신은 하느님께 대한 큰 사랑을 지니고 있습니다." 정중하게 그 라삐의 사과를 받아들였다.

"하느님께 대한 저의 사랑은 참으로 미미합니다. 하느님께 대한 이스라엘의 사랑이 더 컸으면 하고 바라듯이, 제 사랑도 좀더 컸으면 싶습니다." 라삐는 열정적으로 대답한 다음, 라파엘을 보며 말했다. "참회하는 죄인은 하느님께서 주시는 큰 선물이오. 친구, 이제부터 언제든지 여기 오시오. 그리고 이것은 당신에게 주는 내 우정의 표시이니 받으시오. 율법 서기관이 오래 전에 나한테 주려고 쓴 것인데, 하느님 자비의 위대하심에 대한 나의 생각을 몇 개 적은 것이오." 라삐는 라파엘에게 두루

마리 하나를 주었다.

라파엘은 라삐가 자기를 친구라고 불러서 아주 기분이 좋은 표정이었다. "정말 감사합니다. 보물처럼 간직하겠습니다." 그는 마치 생일 선물을 받은 어린아이처럼 그 두루마리를 이리저리 쳐다보았다.

라삐가 나를 보고 말했다. "어제 말씀하시는 것을 들었는데, 그 말씀은 진리였습니다. 그런데 사람들에게 진리를 들려주면 화를 내지요. 어제 말씀하신 것처럼, 그것은 교만에서 오는 것입니다. 저는 교만을 인간의 타락이라고 생각합니다!" 내가 사람들에게 바라는 것을 그 라삐는 모두 가지고 있었다. 겸손, 이해심, 사랑 그리고 다른 사람들에 대한 염려를….

나는 그에게 미소를 지으며 말했다. "교만은 진실에 등을 돌리게 하고, 마음을 닫아 버리게 합니다. 그래서 교만한 마음이 진실을 대면하게 되면 아픔을 느끼게 되는데, 마음으로 들어오는 진실을 교만이 쫓아내려고 발버둥치기 때문입니다."

"저의 집에서 식사를 같이 하지 않으시겠습니까?" 라파엘이 라삐를 정중하게 초대했다.

"그랬으면 아주 좋겠소." 라삐는 얼굴에 미소를 가득 담고 우리 모두를 둘러보았다. "내 이름은 세파스라고 합니다."

좋은 사람들과 함께 나누는 식사는 아주 즐거웠다. 나는 하느님의 참된 친구인 세파스가 하는 이야기를 들었다. 세파스는 그 자리에 있는 사람들과 금방 친구가 되었고, 사람을 가리지 않고 새 친구로 사귀었다. 하인들한테도 똑같은 태도로 말했는데, 그들에게 말을 거는 것이 마치 자신의 영광이라는 듯한 자세로 상대방의 마음을 편안하게 해 주며 대화를 했다. 내가 모든 사제들에게 바라는 마음자세를 세파스한테서 보았다. 하느님께 대한 완전한 사랑으로, 하느님을 경배하기 위해 다른 사람들을 사랑하는 그런 마음자세를, 세파스는 가지고 있었다.

식사가 끝났을 때 집 밖에 군중이 다시 모이기 시작했다. 나는 군중에게 가서 말했다. "여러분은 내 말을 들으러 여기에 왔고, 치유를 받으러 여기에 왔으며, 희망에 부풀어 여기에 와 있습니다. 내 말을 듣고, 하느님의 힘으로 주는 사랑의 치유를 받고, 내 안에서 모든 희망을 찾기 바랍니다. 하느님께 활짝 마음을 열어드리고, 하느님의 말씀에 귀를 기울이십시오. 그리고 그 말씀을 잊지 말고, 이기심으로 그 말씀을 묻어 버리지 마십시오.

말씀을 항상 간직하고, 깊이 묵상하면서 생활화하여, 여러분의 몸과 마음 전체가 치유를 받도록 하십시오. 여러분의 몸은 질병을 치유 받고, 여러분의 마음은 교만을 치유 받고, 여러분의 영혼은 죄를 치유 받으십시오. 내가 떠난 후에도 내 말을 잊지 말고, 하느님을 잊지 마십시오. 기도하고, 성서를 읽고, 가슴 속에 속삭이시는 하느님의 사랑에 귀를 기울이십시오. 그러면 여러분의 삶이 완성될 것이고 죄의 사슬과, 고통의 사슬과, 슬픔의 사슬이 끊어지게 될 것이며 하느님께서 주시는 참된 자유를 누리게 될 것입니다.

오직 사랑으로 살아야 한다는 것을 기억하십시오. 하느님께 대한 사랑과 서로에 대한 사랑으로 살아야 한다는 것을 잊지 마십시오. 항상 사랑으로 살아 가십시오. 그것이 천국으로 ⋯⋯ 길입니다." 많은 사람들이 내 말을 가슴 깊이 새겨들었고,

내가 말한 대로 살기 위해 노력할 것을 알았기 때문에, 나는 얼굴 가득 미소를 지었다. 그리고 사람들 사이를 걸어가며 다시 병자들을 치유해 주었다.

밤이 늦어서야 치유를 끝냈는데 무척 고단함을 느꼈다. 식사는 그만두고 혼자 쉬고 싶다고 베드로에게 전했다. 베드로가 라파엘과 의논한 후, 다시 내게 와서 말했다. "주님, 라파엘이 자기 방을 주님께 드리고, 자기는 마구간 주님 자리에서 자겠다고 합니다."

"고맙구나, 베드로."

"주님, 오늘 기부금이 아주 많이 들어왔습니다." 유다가 내게 오더니 활짝 웃는 얼굴로 돈이 가득한 주머니를 보여 주었다.

"그보다 더 중요한 것은, 수많은 사람들의 마음에 변화를 일으킨 것이다." 유다에게 진실을 말해 주고 나서 나는 잠을 자러 갔다.

다음날 아침, 마을을 떠날 때가 되었다고 생각하면서 베드로가 있는 마구간으로 갔다. 제자들에게 떠날 준비를 하라고 알린 후 말들이 놀고 있는 들판으로 나갔다. 그 전날보다 말이 몇 마리 적어진 것을 알 수 있었다. 나는 아버지께 조용히 기도를 했다. 베드로가 제자들을 모두 모아 떠날 준비를 하고 있었다.

내가 제자들에게 돌아왔을 때, 라파엘이 하인들과 세파스 라삐와 함께 나와 있었다. 라파엘이 우리한테 선물로 준다고 사 가지고 온 음식 가방을 하인들이 들고 있었다. 나에게 와서 라파엘이 인사했다. "감사합니다. 주님을 잊지 못할 것입니다."

"나도 당신을 잊지 못할 것이오."

"주님, 약소한 것이지만 받아 주십시오." 하며 라파엘이 음식 가방을 손으로 가리켰다.

"그리고 이것도 받으십시오." 라파엘이 내 손에 돈주머니를 쥐어 주었는데, 그 돈은 말을 팔아서 장만한 돈이었다.

"당신의 사랑을 잊지 않겠소, 라파엘." 나는 그 돈을 유다에게 넘겨 주었다. 유다는 도둑맞은 일은 이제 까맣게 잊어버리고, 손에 들려 있는 돈이 좋아서 어쩔 줄을 몰라했다.

라삐 세파스가 나에게 와서 말했다. "예수님, 저한테 생각할 것을 많이 남겨 주셨습니다. 제가 그것을 이해할 수 있는 지혜와 실천할 수 있는 마음을 가질 수 있도록 기도해 주십시오."

"세파스 선생은 이미 두 가지 다 가지고 있소. 하느님의 뜻이 이루어지기를 바라는 라삐의 기도를 하느님께서 들어 주실 것이오."

라삐 세파스가 나를 똑바로 쳐다보며 물었다. "그것을 어떻게 아십니까?"

"나는 알고 있소." 나의 대답을 듣고 세파스는 약간 미심쩍어하며 미소를 지었다.

그에게 확신을 주기 위해 다시 내가 말했다. "그 대답은 이사야에 적혀 있소. 다시 읽어 보시오. 그러면 이해할 수 있을 것이오."

우리는 많은 사람들이 잘 가라고 손을 흔드는 가운데 작별 인사를 하면서 그 마을을 떠났다. 멀리서 라삐 세파스가 외

치는 소리를 들을 수 있었다. "이사야라고?… 모를 일이야, 모
를 일."

예

예수님

님

예수님 ✝✝✝ 1997년 1월 3일

　　길을 가는 동안 넘치는 아버지의 사랑을 느끼며 나는 아
주 즐거워졌고, 시편을 노래하기 시작했다. 모두들 따라서 하느
님을 찬미하며 시편을 노래했다. 길을 떠난 지 몇 시간이 지난
뒤에, 나는 베드로를 불렀다. "내가 택한 열두 명의 사도들하고
만 이야기를 하고 싶구나."

　　"그렇게 하시지요, 주님. 그런데 오래 걸릴 것 같습니까?"

　　"하루나 이틀 밤쯤…." 하면서 나는 근처에 있는 언덕을
가리켰다. "저기, 저 곳이면 꼭 알맞겠구나."

　　베드로가 제자들에게 설명을 했다. "열두 사도는 주님과
함께 저기 있는 저 언덕으로 가고, 다른 제자들은 다음 마을에
있는 작은 호숫가에서 쉬면서 우리를 기다리고 있게나."

　　몇몇 제자들은 나와 함께 있고 싶어서 약간 실망한 표정
을 하였기 때문에, 그들을 위로해 주었다.

　　"다음 마을에 먼저 가서, 내가 도착할 때까지 준비하면서
기다리고 있어라. 사람들에게 내가 올 것이라고 말해 주고, 내
가 하느님의 치유와 평화를 가져다 줄 것이라고 하여라.

나에 관해서 말하기를 두려워하지 말고, 가슴에서 우러나는 대로 진실하게 말해 주어라. 내가 항상 너희들과 함께 있다는 것을 명심하고, 병자를 만나면 내 이름으로 치유해 주어라. 외로운 사람을 만나거든 내 이름으로 친구가 되어 주고, 가난한 사람을 만나거든 내 이름으로 먹여 주어라. 나를 믿고, 나에게 의탁하면서, 나의 사랑이 너희들을 통하여 활동하는 것을 보도록 하여라."

제자들이 흥분해서 웅성거렸다. 그때 말라카이가 물었다.

"저희들이 병자를 치유할 수 있다는 말씀입니까?"

"믿기만 한다면, 내 이름으로 못 할 것이 없다." 나의 말을 듣고서 그들은 이제 다음 마을로 가고 싶은 열의에 들떠, 실망하던 눈빛은 사라졌으며 오직 기대와 희망으로 가득 차 있었다.

베드로가 유다에게 말했다. "제자들한테 돈을 좀 주게나. 그들도 돈이 필요할 테니 말일세."

"난 별로 가진 게 없으니. 조금밖에 줄 수가 없어." 유다가 퉁명스럽게 대답했다.

베드로가 사도들에게 물었다. "자네들 중에는 돈을 좀 가진 사람이 없나?"

사도들에게서 돈을 다 거두어 모아 봤으나 얼마 되지 않았다.

베드로가 유다에게 물었다. "자네, 돈을 얼마나 가지고 있나?"

유다가 풀이 죽어서 돈주머니를 꺼내 보였다. "이게 전부일세."

"자네가 가지고 있던 주머니 두 개는 어디 갔나? 라파엘이 준 돈주머니하고, 자네가 이 돈에서 갈라놓았던 그 돈주머니 말일세."

"그… 그건 내가 비상용으로 챙겨 두었네."

나는, 유다가 더듬거리며 베드로에게 대답하는 것을 듣고, 마티아를 불러낸 다음 유다에게 명령을 했다.

"유다! 라파엘에게서 받은 돈주머니를 마티아에게 주고, 그 돈을 잘 간수하라고 하여라. 마티아는 그 돈에서 필요한 만큼 쓰도록 하고."

유다는 돈주머니와 헤어질 때마다 짓는 괴로운 표정을 하고 돈주머니를 꺼내 마티아에게 주며 말했다. "나중에 돈이 모자라게 되면, 그때는 내가 미리 경고하지 않았단 말을 하지 말라고."

나는 유다를 가볍게 다독여 주며 말했다. "자, 가자. 너무 걱정하지 말아라, 유다야."

우리가 언덕에 도착했을 때는 이미 날이 저물고 있었다. 쉴 자리를 정하고 불을 피운 다음, 제자들에게 말했다. "오늘 밤에는 빵과 포도주와 물만 먹도록 하겠다." 유다는 신음소리를 냈지만 더 이상 아무 말도 하지 않았다.

식사를 시작하기 전에 제자들에게 짧은 교훈을 들려 주었다. "하느님께서는 광야생활을 하던 배고픈 당신의 자식들을 위해 천국의 만나를 보내 주셨다. 내가 말하거니와, 사람들은 장차 새 만나를 얻게 될 것이고, 그 만나는 배고픈 영혼들을 먹일 것이다. 하느님께서는 광야생활을 하던 목마른 당신 백성들을 위해 물을 주셨다. 내가 다시 말하거니와, 장차 하느님께서는 죽어 가는 영혼들을 위해 생명의 물을 주실 것이다. 내가 바로 그 새 만나이고, 생명의 물이다. 내 안에서 다시는 배고프지 않고, 목마르지 않을 것이다."

유다는 자기 빵을 쳐다보며 어리둥절해 했다. 그리고 나를 쳐다보고는 어깨를 으쓱했다. 나는 들고 있던 물에다 포도주를 조금 따르고 나서 말했다. "그리고 하느님께서 모든 사람들에게 주실 새 포도주가 있는데, 그것은 용서의 포도주이다. 내가 바로 그 포도주인 것이다(I Am that wine)." 그리고 나서 나는 아버지께 감사 기도를 바치기 시작했고, 제자들도 따라서 기도를 시작했다.

식사를 하면서 필립보가 말했다. "주님, 아까 하신 말씀을 저는 잘 이해하지 못하지만, 그 말씀을 믿습니다!"

"언젠가는 너희들이 지금 내가 말한 것을 이해할 수 있는 날이 올 것이다. 그러면 그때 다른 사람들에게도 그 진리를 알게 하여 그들 역시 천국의 빵을 나누어 가질 수 있게 하여라."

옆에서 심각하게 듣고 있던 요한이 한숨을 내쉬며 말했다. "주님, 어떤 때는 주님의 말씀을 잘 이해할 수 없어서 혼란스러울 때가 있습니다."

토마도 거들었다. "그렇습니다. 제가 이해할 수 있게 될 날이 오지 않을 것만 같습니다."

"언젠가 빛이 너희들의 마음 속을 비출 것이고, 그러면 내 말의 뜻을 알 수 있게 될 것이다. 그때까지는 내가 하는 말에 귀를 기울여야 한다. 그래야 너희들이 나서야 할 때에 다른 사람들에게 말해 줄 수 있을 것이고, 너희들 대부분은 내가 한 바로 이 말을 위해 너희의 전부를 바치게 될 것이다.”

작은 야고보가 젊은 열정을 토해내며 말했다. “그럼 식사 후에, 기도하고 시편을 노래하면서, 우리에게 이해할 수 있는 힘을 달라고 하느님께 청합시다.” 작은 야고보는 나이가 어렸지만 깊은 지혜를 가지고 있었다. 모든 사람들이 하느님께 가까이 갈 수 있는 길이 작은 야고보의 말 속에 들어 있었던 것이다.

다음날, 아침 일찍 일어난 나는 제자들을 떠나서, 혼자 언덕을 산책하고 있었다. 산책을 하면서, 내 앞에 놓인 일에 대해 아버지와 이야기했다. 아버지의 뜻을 따르는 데에 필요한 힘과, 그때에 이르러 어머니께서 필요로 하실 힘에 대해 이야기했다.

어머니께서 군중 속에 끼여, 십자가를 지고가는 나를 따라걸어가시는 모습이 눈 앞에 펼쳐졌다. 그토록 참혹한 일을 당하는 아들의 모습을 보면서 어머니가 겪어야 할 극심한 아픔을 보았다. 그들이 나를 십자가에 못박을 때 어머니의 넘치는 슬픔을 보았고, 죽어 가는 나를 지켜보시는 사랑의 힘을 보았다.

바로 그때 다급한 목소리가 들렸다. “도와 주세요…. 도와 주세요!” 그 목소리는 숲 뒤에서 들려왔다. 무슨 일이 일어났는지 이미 알고서 나는 그 곳으로 갔다. 숲 안 쪽으로 들어서니 거기에는 어린 소녀가 갓난아기를 안고 선 채 공포에 질려 있었다.

“저를 좀 도와 주세요. 피가 멎지 않아요. 제발 도와 주세요.” 나는 소녀 곁에 무릎을 꿇고 피를 많이 쏟아서 너무나 가냘프고 창백해진 얼굴을 쓰다듬어 주었다.

"선생님, 만약 제가 죽으면 제 아기를 돌봐 주세요." 소녀가 흐느끼며 말했다.

"애야, 내가 너희 둘 다 잘 보살펴 줄 테니까 걱정하지 말아라. 약속하마." 그리고는 소녀의 얼굴에 흐르는 땀을 닦아 주었다. 소녀가 얼마 못 살 것을 알고 내가 물었다.

"너의 식구들은 어디에 사니?"

"여기서 그리 멀지 않은 동네에 살아요." 하면서, 그 전날 제자들이 간 방향을 힘없이 가르쳤다.

"너는 왜 여기에 이렇게 혼자 있느냐?" 애처로운 소녀의 머리카락을 쓸어 주며 물었다.

"식구들이 절더러 아기를 죽이라고 했지만, 저는 그럴 수 없었어요." 소녀가 흐느껴 울다가 물었다. "제 아기가 예쁘지요? 이 예쁜 제 아기를 죽이라고 했어요"

"그렇구나. 그런데 식구들이 왜 널더러 아기를 죽이라고 했느냐?"

"그… 그것은 제 아버지가 이 아기의 아버지이기 때문이예요." 소녀는 심하게 흐느꼈다. "식구들은 태어나기 전에 아기를 죽이는 게 낫다고 했어요. 그래서 집을 도망쳐 나온 거예요. 얘는 제 아기예요. 아무도 아기를 죽일 수 없어요." 수많은 사람들이 거부하는 생명에 대한 사랑을 나는 그 소녀한테서 보았다.

"제 대신 제 아기를 돌보아 주세요, 네?" 소녀가 힘없는 목소리로 애원했다.

"그래, 약속하마." 나는 소녀와 아기를 품에 안고 말했다.

"너희 둘 다 이젠 안전하다." 그때 소녀가 마지막 숨을 쉬는 것을 느꼈다. 나는 소녀와 아기를 안고 오랫동안 거기에 앉아 있었다. 소녀는 아기가 죽어서 나온 줄도 몰랐다. 가슴 깊은 곳에서 울음이 치밀어 올랐다. 생명을 가치없는 것으로 여기는 사람들이 있는가 하면, 이 소녀처럼 생명을 보호하기 위해 자기 목숨을 바치는 사람도 있는 것이다. 나는 어린 엄마와 아기의 얼굴을 바라보며 그들을 축복해 주었다.

"너희는 생명으로 일치하였고, 이제는 사랑 안에서 영원히 살기 위해 죽음으로써 일치했다."

나는 그들의 사랑을 보물처럼 귀하게 여기며 오랫동안 그들을 안고 있었다.

"야고보, 요한 이리 와 주지 않겠느냐?" 나를 따라왔다가 근처에 숨어 있던 큰 야고보와 요한을 불렀다. 그들은 나무 뒤에서 나왔는데, 눈 앞에 놓인 정경을 보고는 울기 시작했다.

내가 "이들 모자를 묻는 것을 도와야겠다"라고 하자 큰 야고보는 무릎까지 꿇고 통곡을 했다.

"저렇게 예쁜 아이들인데…." 하며 큰 야고보가 말을 잇지 못했다. 요한이 큰 야고보의 어깨를 잡고 진정시키다가 같이 울었다.

얼마 후, 소녀와 아이의 시신과 함께 짐을 모아서, 우리가 파놓은 무덤 안에 넣었다. 그리고 아버지께 그들을 보살펴 달라고 기도하면서 흙을 덮었다. 침묵을 지키며 사도들이 있는 곳으로 돌아오는 길에 요한이 입을 열었다.

"같은 식구끼리 어떻게 저럴 수가 있을까요?"

"그 가족은 사랑이 무엇인지를 잊어 버렸기 때문이다." 내 대답을 끝으로 우리는 야영지로 돌아갈 때까지 다시 침묵을 지키며 이 일에 대해 묵상하였다.

예
예수님
님

예수님 ††† 1997년 1월 4일

　　나는 말없이 앉아서 음식을 입에 대는 둥 마는 둥 하였다. 요한과 큰 야고보는 음식을 아예 입에 대지도 않고 그냥 앉아 있었다. 다른 제자들은 우리가 말을 하고 싶지 않은 것을 눈치 채고는, 흘끔흘끔 쳐다보기만 할 뿐 가만히 있었다. 얼마가 지나서야 유다가 참지 못하고 입을 열었다.

　　"왜들 이렇게 조용한 거야? 누가 죽기라도 했어요?"

　　유다의 말에 큰 야고보가 울음을 터뜨렸다. 유다가 황당한 표정을 하고 물었다.

　　"내가 뭐 말을 잘못하기라도 했나?"

　　"모두 조용히 앉아서 생명의 존엄성에 대해 생각해 보는 것이 좋겠다." 하고 내가 말했다.

　　장차 죽임을 당할 태아들의 고통을 느끼고, 그 태아들의 울음소리를 들으면서 나는 오랫동안 거기 앉아 있었다. 사람들이 허용한 죄에 눈이 어두워져, 죄를 알아보지 못하는 사람들을 보았다. 사람들이 자기 자신의 장래를 파괴하는 것을 보고 악마가 웃어대고 있는 것을 보았다. 그때 큰 야고보가 슬픈 곡조의 노래를 부르며, 죽은 소녀와 아기를 보살펴 달라고 기도하기 시작했다. 나는 그 소녀와 아기뿐 아니라, 그 가정의 사랑을 죽여 버린 소녀의 부모와 형제 자매들도 생각했다.

큰 야고보가 노래를 끝냈을 때, 내가 무거운 마음으로 제자들에게 입을 열었다.

"사람들이 자신의 혈육인 자식들을 잔인하게 다루는 것은 부끄러운 일이다. 어떤 사람들은 자식을 없애버려도 되는 귀찮은 짐으로 밖에 보지 않는다. 사람들은 너무나 뻔뻔스럽게 죄를 짓고도 대수롭지 않게 생각한다. 그들은 누구는 살고 누구는 죽어야 한다고 제멋대로 결정하고 있는데, 이것은 정말 부끄러운 일이다. 자기를 방어할 수 없는 태아라고 해서 하찮게 여기는 것은 너무나 부끄러운 일이다. 사람들은 얼마나 쉽게 죄를 받아들이는지…. 너무나 뻔뻔스럽고, 명백하게 죄를 짓고서도, 옛날이나, 지금이나, 그리고 앞으로도 그것을 아무렇지 않게 여길 것이다."

나는 거기 앉아서, 내가 태어났을 때 헤로데 왕이 죽인 아이들을 생각했다. 아이들을 전부 죽였다는 보고를 헤로데 왕이 들었을 때, 자신이 얼마나 무서운 죄를 지었다는 것을 생각하지 않고, 오히려 기뻐하지 않았던가? 그러나 헤로데 왕을 악한 자로 생각하면서도, 자기 태아를 죽인 것에 대해 잘못했다고 생각하지 않고, 오히려 짐을 덜게 되었다고 기뻐하는 수많은 사람들을 보았다.

죄의 악습이 대를 이어 전해지는 것을 보았다. 그리고 하느님을 신뢰하면서, 하느님께서 주시는 생명의 선물을 귀중히 여기는 착한 사람들이 지닌 사랑을 보았는데, 그 사랑도 대를 이어 전해지는 것을 보았다. 언젠가, 나의 사랑을 받아들여 모든 사람이 생명의 선물을 귀중하게 여기는 그 날이 올 것을 나는 보고 있었다.

깊은 상념에서 깨어나 보니 벌써 저녁이었다. 베드로는 요한한테 그동안 무슨 일이 있었는지를 전해듣고 상황을 파악하고 있었다.

"주님, 세상의 모든 가정이 하느님의 사랑으로 힘을 얻도록 오늘 밤에 금식하며 기도를 드리는 것이 어떨까요?"

"그래, 베드로 좋은 생각이다." 베드로에게 대답을 하면서, 아버지께 기도드릴 생각으로 기분이 조금 나아졌다.

"뭐라고? 또 안 먹는다고!" 유다는 화가 난 듯 소리를 버럭 질렀다.

"여보게, 이번에 하는 금식 기도 역시 좋은 희생이 될 걸세." 하고 베드로가 유다를 위로했다.

안드레아도 거들었다. "유다, 하느님께 희생을 많이 바칠수록, 더 큰 보상을 받게 된다는 것을 생각해 보게나!" 유다는 안드레아가 한 말에는 관심도 없었고, 오직 끼니를 굶어야 한다는 것과, 어쩔 수 없이 금식을 해야 한다는 사실에만 주의를 빼앗기고 있었다.

"그야, 그렇겠지." 슬픈 목소리로 유다가 대답했다.

우리는 모닥불가에 둘러앉아 가끔씩 시편도 노래하면서 밤을 새워 기도드렸다. 기도 한마디 한마디가 내 마음에 기쁨을 차오르게 했다. 마침내 해가 떠오르자 햇살이 어두움을 부수고 내리 비쳤다. 그때 아버지께서 말씀하셨다.

"내 아들아, 너는 새벽의 태양처럼 떠올라서 사람들을 에워싸고 있는 어두움을 부술 것이다."

기도가 끝났을 때 마태오가 말했다. "주님, 보셨는지요! 너무나 영광스럽고 아름다운 해돋이였습니다."

"그렇구나, 마태오. 저 해돋이는 가장 영광스럽게 떠오를 아들을 생각나게 한다."

"네, 주님." 내 말을 이해하지 못한 채 마태오가 어정쩡하게 대답했다.

갑자기 요란하게 코고는 소리가 들려 모두들 웃음을 터뜨렸는데, 바르톨로메오가 다시 잠이 든 것이었다.

"얼마간 쉬어야 할 것 같다." 나는 바르톨로메오를 쳐다보고 미소를 지었다. 모두들 고단해 하고 있었다.

"제가 식사를 준비할까요?" 유다가 물었다. 보통 때는 그렇게 솔선하는 일이 없었던 유다였기에, 어지간히 배가 고팠던 것 같았다.

"고마운 일이구나. 그러면 우리는 좀 쉬고 있으마." 나는 유다에게 우정어린 미소를 지어 주면서 말했다. 유다의 얼굴에 안도의 표정이 스쳐갔다. 유다는 오늘도 못 먹게 될까 봐 걱정하고 있었던 것이다. 육신부터 먼저 챙기는 이러한 생각 때문에 많은 사람들이 타락하게 되는 것을 생각하며, 나는 사랑하는 마음으로 유다를 쳐다보았다.

아침에 일어나 보니 나와 바르톨로메오만 모닥불가에 남아 있었다. 바르톨로메오가 뒤따라 일어나면서 기지개를 켰다.

"아, 잠 한 번 잘잤네. 그런데 주님, 다른 사람들은 다 어딜 갔습니까?"

"우리가 찾아 봐야 겠다." 그들이 어디 있는지 알면서 내가 말했다.

언덕 위로 올라가면서 바르톨로메오가 말했다.

"주님, 제가 꿈을 꿨는데 천사들이 주님을 둘러싸고 있었고, 천사들의 팔에는 아기들이 안겨져 있었습니다. 천사들과 아기들은 천국에서 지상의 여러 가정을 내려다보며 울고 있었습니다. 눈물이 각 가정 위에 떨어지자 그 가족들이 울기 시작했습니다. 마치 그들 인생에서 무슨 큰 잘못을 저질렀던 것을 깨닫고 우는 것 같았습니다. 그 가정들 중 일부를 악마들이 둘러싸고 있었는데, 천사들과 아기들이 흘리는 눈물이 그 가정에 떨어지지 못하도록 덮고 있었습니다. 어떤 사람들은 그 눈물에 젖지 않으려고 악마의 품 안으로 피신하는 것을 보았습니다.

그런데, 주님의 어머니께서 아기이신 주님을 품에 안고 계시는 것을 보았습니다. 주님께서는 금색 빛으로 둘러싸였는데, 그 빛이 세상을 내리 비치고 있었습니다. 그 빛이 악마들에게 비춰지자 악마들은 놀라서 황급히 도망을 갔습니다. 악마들이 도망을 가면서 사람들을 잡아 갔는데, 잡혀가는 사람들의 손에서 피가 뚝뚝 떨어지면서 어두움 속으로 사라졌습니다.

나머지 사람들은 주님 앞에 엎드려 용서를 빌었는데, 주님께서 '내가 너희들을 사랑하기 때문에 용서를 베풀어 주노라.' 하시는 말씀을 들었습니다. 그리고 나서 주님 어머니께서 각 가정의 품에 주님을 안겨 주시며 '너희 아이들한테서 내 아들 예수를 보아라.' 하고 말씀하셨습니다. 이렇게 꿈이 끝났는데, 이 꿈이 무엇을 의미하는지 모르겠습니다."

"네가 꾼 꿈은, 생명 자체에 대한 꿈이었다. 그 꿈은 많은 사람들이 생명의 고귀함을 깨닫지 못하고, 생명을 하잘것없는 것으로 생각하도록 유인하는 악마에 의해 눈이 멀어 있다는 것을 보여 준 것이다. 언젠가 모든 사람들이 생명의 존엄성을 알 날이 올 것인데, 많은 사람들이 생명에 대해 범한 죄를 후회하게 될 것이라는 뜻이다. 그리고, 어떤 사람들은 생명에 관한 진리를 받아들이지 않고 거부할 것이며, 진리를 피하기 위해 죄악 속으로 더 깊이 빠져 들어갈 것이라는 뜻이다. 너의 꿈은 죄가 죄인들을 어디로 끌고 가는지를 잘 보여 주고 있는 것이다.

그리고 네 꿈이 알려 주고 있는 또 하나의 사실은, 모든 사람이 창조되는 그 순간부터 내가 그 사람의 가슴 속에 있다는 것과, 너희는 사람을 대할 때마다 내가 그 사람을 사랑하여 항상 그와 같이 있다는 것을 알아야 한다는 것이다. 그래서 너희가 각 사람을 대하는 것이 바로 나를 대하는 것과 같다는 것을 알려 주고 있다.

그리고 잘못을 알고 용서를 비는 사람들을 내가 용서해 준다는 것도 알려 주고 있다. 어머니께서 모든 사람들에게 나를 받아들이고, 나의 가정 안에서 하나가 되라고 말씀하고 계신다는 것도 알려 주고 있다." 나는 바르톨로메오에게 꿈에 대해 자세하게 설명해 주었다.

"꿈 안에 참으로 많은 뜻이 들어 있군요. 때로는 이해하기 어려울 때가 있습니다." 바르톨로메오가 솔직하게 고백했다.

"그 꿈을 이해하게 해 달라고 하느님께 기도하면, 이해할 수 있게 해 주실 것이다."

"기도하겠습니다, 주님. 기도하겠습니다." 내가 설명한 꿈의 뜻을 미처 다 이해하지 못하고, 바르톨로메오가 대답했다.

우리는 그 어린 엄마와 아기가 묻혀 있는 곳에 도착했다. 베드로가 무덤에서 기도를 선창하며 제자들과 함께 기도하고 있었다. 유다를 포함해 모두가 슬픈 표정이었다. 나를 보자 제자들이 기도를 멈추었는데, 유다가 나서며 물었다.

"도대체 왜 이런 일이 일어나야 하는 겁니까?"

"사람들이 이렇게 무서운 일이 일어나게 하는 죄를 받아들이기 때문이다."

"주님, 그 소녀는 아직 어린데, 가족들이 어떻게 그럴 수가 있습니까? 자기 딸이고, 자기 동생인데 말입니다." 큰 야고보는 전날 보고 들은 것을 생각하며 슬프게 울었다.

"눈이 멀어서 보지를 못하기 때문이다." 내가 대답했다.

유다는 무덤 주위에 작은 돌들을 갖다 놓고, 야생 꽃들을 꺾어와서 돌 위에 놓으며 말했다.

"저 애가 이 곳에서 너무 외로울 것 같습니다."

"그 소녀는 더 이상 혼자가 아니다. 아기랑 함께 있고, 언젠가는 나와 함께 있게 될 것이다. 이 두 아이들이 아버지의 집으로 돌아간 것을 축하하자." 하면서 나는 하늘에 계시는 아버지의 영광에 대한 시편을 노래하기 시작했다.

얼마 후 우리는 야영지로 돌아가기 위해 그 곳을 떠났는데, 유다는 그대로 남아 있었다.

"유다야, 너는 안 돌아갈 테냐?" 유다가 어떤 대답을 할지 알면서도 내가 물었다.

"예, 주님. 저는 여기 조금 더 있으면서 그 아이들을 위

해 기도하고 싶습니다." 유다의 눈에 눈물이 고여 있었다. "이
렇게 어린 아이들한테 그런 일이 일어나서는 정말 안 되는 일
이었습니다."

"알고 있다. 유다, 너는 여기서 더 있고 싶은 만큼 오래
있다가 오거라." 나는 평소에는 숨겨져 있어서 볼 수 없었던 사
랑을 유다의 가슴에서 보았다. 우리는 침묵 가운데 언덕을 내려
오면서 심하게 흐느끼는 유다의 울음 소리를 들을 수 있었다.

"유다가 왜 저렇게 괴로워합니까? 그 사람답지 않은데
요." 시몬이 궁금해 하며 물었다.

"다른 사람들과 마찬가지로, 유다도 사랑을 하고 싶어한
다. 오늘 유다는 사랑을 하고 있는 것이다." 나는 유다가 내 어
머니를 얼마나 사랑했으며, 자기 어머니를 얼마나 사랑했는지를
생각했다. 유다의 가슴 속에는 모든 어머니들을 위한 자리가 있
었지만 안타깝게도 그 가슴 속에 교만도 함께 자리잡고 있었다.

저녁 늦게 유다가 돌아왔을 때는 대부분의 제자들이 잠
들어 있었다.

"괜찮니, 유다야?" 다정하게 내가 물었다.

"네, 주님. 이젠 다 나았습니다. 제가 주님을 곤란하게 했
다면 죄송합니다."

"나를 곤란하게 하다니. 네가 보여 준 사랑은 나에게 큰
기쁨을 주었다."

"아, 그랬나요?" 하면서 유다는 먹을 것을 가지러 갔다.
유다가 쪼그리고 앉아서 혼자 먹고 있는 모습이 무척이나 쓸쓸
하고 의기소침해 보여서 내 마음이 아팠다. 그때까지 자지 않고
있던 베드로가 유다 곁으로 가서 말을 붙였다.

"나하고 이야기나 좀 하세."

유다는 슬픔이 가득한 눈으로 베드로를 쳐다보며 지친 듯 입을 열었다. "아무것도 할 이야기가 없네."

베드로는 침묵을 지키며 유다 곁에 오랫동안 앉아 있었다. 그런 베드로의 모습은 '내가 여기 있으니 언제든지 이야기하고 싶으면 하게나.' 하고 무언으로 말해 주고 있었다.

주변 가득 사랑을 느끼며 나는 평화롭게 잠을 잘 수 있었다. 다음날 아침에 깨어나 보니, 베드로와 유다는 전날 밤에 둘이 앉아 있던 그 자리에서 자고 있었다. 유다는 아기처럼 자기 담요와 베드로의 담요를 혼자서 돌돌 말아 감은 채 자고 있었고, 베드로는 아무것도 덮지 않은 채 자고 있었다.

베드로에게서 남을 사랑하는 마음이 자라고 있는 것을 보았고, 외롭고 고독한 사람에게 친구가 되어 주고 싶어 하는 사랑의 반석, 신앙의 반석 그리고 나의 신임을 받을 그 반석을 보았다. 성질이 급한 어부가 온 세상에 신앙을 보여 주고, 하느님께 의탁하는 것을 보여 주는 사랑의 반석인 베드로가 되어 가고 있었던 것이다.

우리는 열두 사도를 제외한 제자들이 먼저 가서 기다리고 있는 동네로 갔다. 그들은 호수 가까운 곳에서 야영을 하고 있었는데, 우리가 도착했을 때 몇몇은 물 속에서 더위를 식히고 있었다. 제자들은 우리에게 달려와서, 이틀 동안 우리가 어떻게 지냈는지 물었다. 그리고 얼마나 많은 사람들이 그들을 찾아왔으며, 그들 가운데 어떤 병자들은 치유했고, 어떤 병자들은 치유를 할 수 없었는지에 대해 이야기했다. 제자들은 왜 모든 병자들을 치유할 수 없었는지 이상하게 생각하고 있었다.

"너희들이 조금이라도 의심을 한 적이 있느냐?" 하고 내가 물었다.

많은 제자들이 고개를 떨구고 작은 소리로 대답했다. "네, 어떤 때는…."

"그것이 바로 치유를 못한 원인 가운데 하나이다. 너희가 품는 의심은 너희와 나 사이에 장막이 된다. 그러나 어떤 때는, 하느님께서 치유를 원치 않으실 때도 있다. 하느님께서 보실 때, 마음이 순결하고 병 때문에 큰 지장을 받지 않는 사람을 치유함으로써, 그 순결한 마음이 변하게 될 것을 아시는 경우이다.

그리고 어떤 사람들은 그들의 병으로 인해 하느님과 더 가까워지게 되는 경우도 있다. 또 하느님께서 환자의 병을 그대로 남겨 둠으로써, 그 병이 다른 사람들에게 사랑과 자비를 베풀 수 있는 기회가 되게 하시고, 그것을 통해 하느님께 가까이 올 수 있게 하신다. 병은 하느님께서 사람들에게 주시는 은혜가 될 수 있으며, 사랑으로 나아갈 수도 있게 해 준다."

많은 제자들이 알겠다는 표정이었지만, 몇몇은 여전히 이해를 못하는 표정이라서, 설명을 더 해 주었다.

"너희들은 내 이름으로 치유를 할 때, 성공을 할 것인지 혹은 실패를 할 것인지에 대해서 염려를 하지 말아라. 모든 것을 나에게 맡기기만 하면, 너희들이 내 이름을 부를 때마다, 내가 그 사람들을 생각한다는 것을 알아라. 그것이 너희가 다른 사람들을 위해 할 수 있는 가장 중요한 일이다."

옆에서 진지하게 듣고 있던 토마스가 말했다. "우리 마음에서 의심을 들어내 주시도록 기도하자."

　토마스의 말은 나를 기쁘게 했다. 기도를 하면서 우리는 일치를 이루었고, 제자들의 사랑 속에서 나는 기쁨을 느꼈다. 우리가 기도를 끝냈을 즈음에 군중이 몰려와서 웅성거렸다. "여기 계신다. 예수님이시다!" 군중은 점점 더 불어나, 호숫가 기슭은 발을 디딜 자리가 없게 되었다.

　내가 작은 배를 가리키며 베드로에게 말했다. "내가 저 배에 올라갈 수 있는지 물어 보아라."

　줄에 매어진 작은 배가 호수에 떠 있었는데, 어부 한 사람이 배 안에 앉아서 생선을 씻고 있었다.

　잠시 후에 베드로가 돌아와서 말했다. "생선 냄새를 마다하지 않으신다면 괜찮다고 했습니다. 저는 생선 냄새가 오히려 좋거든요." 베드로는 고기잡이하던 시절의 추억을 되새기고 있는 것 같았다.

　나는 배로 가서 어부에게 인사를 했다. "고맙소. 오래 있진 않겠소."

　"얼마든지 계셔도 괜찮습니다. 저는 일을 다 끝냈으니, 맘대로 배를 쓰십시오." 그는 대부분의 어부들이 그런 것처럼 친근하고 진실하게 말했다.

　배에서 내리려고 하는 어부를 만류하며 내가 말했다. "원한다면 여기 같이 있어도 됩니다."

　"저도 여기 있겠습니다. 그렇지만 호숫가로 가서 다른 사람들과 같이 있겠습니다." 그는 자신이 특별한 대우를 받는 것을 사양하였다.

　나는 그에게 고맙다고 인사를 한 다음, 배에 올라서서 사람들에게 말하기 시작했다. "여기 모인 분들 중에 내 말을 듣기 위해 오신 분들은 몇 분이나 되십니까? 그리고 치유를 받기 위해 오신 분들은 몇 분이나 되십니까?"

사람들이 일제히 합창하듯 "저요." "저요!" 하고 대답했다.

"과연 여러분 중에 몇 분이나, 하느님을 더 가깝게 알기 위해 이 곳에 오셨습니까? 그러나 무엇을 위해 여기 왔든지 상관 없습니다. 여러분은 내 안에서 하느님의 말씀을 찾을 것이고, 그 말씀이 여러분을 치유해 주고, 하느님의 사랑을 더 잘 이해할 수 있게 해 줄 것입니다. 내가 여기 온 이유는, 하느님을 찾는 사람들에게 하느님의 평화와, 기쁨과, 사랑을 되찾게 해 주기 위해서입니다.

하느님께 대한 열망이 없는 사람들에게, 그 열망을 되찾아 주기 위해서 여기 왔습니다. 용서를 구하는 사람들에게 하느님의 자비로우신 용서를 가져다 주기 위해 온 것입니다. 여러분이 어떤 이유로 여기에 왔든지 상관이 없습니다. 다만, 무엇이든지 사랑으로 구하기만 한다면, 나에게서 그것을 얻게 될 것입니다."

침묵 속에서도, 군중의 기대와 흥분이 고조되었고, 나의 말도 계속되었다. "치유받고 싶으면 하느님께 치유를 청하십시오. 용서받고 싶으면 하느님께 용서를 청하십시오. 사랑받고 싶으면 하느님께 사랑을 청하십시오. 모든 좋은 것과 희망을 주시는 하느님을 찾으십시오."

내가 배에서 내려 호숫가로 걸어가자 군중들은 여느 때와 같이 외쳤다. "선생님, 치유해 주십시오. 선생님, 제게 손을 대

주십시오!"

베드로와 제자들이 사람들을 잘 다스려서 소동을 일으키지 않고 질서 정연하게 내 앞으로 오게 했다. 나는 베드로에게 지시를 했다. "사람들이 많으니, 열두 사도들이 나를 도와 주었으면 좋겠다."

잠시 후 사도들이 내 곁에 모였다. 나는 양손을 들어 내 치유의 힘, 하느님께서 주시는 치유의 힘이 그들에게 내리도록 강복했다. 치유를 시작한 지 거의 네 시간이 지나서야 끝이 났는데, 많은 사람들의 병이 나았다. 나는 심한 피로를 느꼈다. 베드로를 불러서 쉬어야겠다고 말하고 있는데, 유다가 불쑥 끼어들었다. "주님, 오늘 모인 사람들이 너그럽게 헌금을 했기 때문에, 방을 빌려도 되겠습니다."

나는 유다가 아무한테도 기도를 해 주지 않고, 돈을 모으는 데만 바빴던 것을 알았다. 다른 사람들을 도와 주는 것보다 돈이 더 우선이니 얼마나 슬픈 일인가.

"나는 배에 가서 좀 자야겠다." 내 말을 듣고 유다가 몹시 실망했지만, 옆에 있던 베드로는 나에게 동조를 했다.

"괜찮으시다면 주님, 저도 가겠습니다."

"괜찮고 말고, 베드로. 같이 가자."

우리가 배에 도착했을 때 그 어부는 배 안에 앉아 있었다.

"우리가 배에서 잠을 좀 자도 되겠습니까?" 베드로가 물었다.

"그럼요. 얼마든지 주무십시오. 그런데 저는 아침 일찍 고기잡이하러 떠나야 합니다." 그 어부는 흔쾌히 허락했다.

고기잡이를 하고 싶어 하는 간절한 열망을 베드로의 눈에서 보았기 때문에 어부에게 청을 했다. "내일 나의 제자와 같이 고기잡이를 가면 어떻겠소?"

"저 분이 원한다면 얼마든지 같이 가겠습니다. 나를 도와주면 더욱 좋고요."

어부가 승낙하자 베드로가 흥분해서 말했다. "그럼요. 기꺼이 도와드리고 말구요."

어부가 배를 떠나기 전에 말했다. "오늘은 내가 고기를 많이 낚았고, 내일은 당신이 많이 낚을 것이오." 그 어부는 내 말이 무슨 뜻인지도 모르면서 고개를 끄덕였다.

다음날 아침에 베드로와 어부가 고기잡이하러 배를 타고 떠난 뒤, 나는 기도를 하면서 호숫가를 거닐었다. 호수를 바라보고 있는데, 내 앞에 나타나신 아버지의 모습이 물 위에 반사되어 비쳤다. 물결이 호숫가로 밀려올 때마다 아버지께서 주시는 사랑의 물결이 나에게 밀려오는 듯 했다.

멀리서 베드로와 어부가 그물을 당겨 올리는 것이 보였고, 가득 잡힌 고기로 그물이 터질 듯 했다. 장차 베드로가 내 사랑의 그물로 얼마나 많은 영혼들을 낚을 것인지를 생각하며 나는 미소를 지었다.

그때 마태오가 큰 걸음으로 성큼성큼 다가와서 물었다.

"주님, 잠깐 동안 주님과 걸어도 되겠습니까?"

"그럼, 좋고 말고." 반갑게 내가 대답했다.

"주님, 어젯밤을 아주 뒤숭숭하게 지냈습니다. 거의 잠을 잘 수 없었습니다." 마태오가 무거운 표정을 하고서 말했다.

"무엇 때문에 잠을 못 잤느냐?" 마태오가 무슨 말을 할

지 알면서도 나는 걱정스러운 듯 물었다.

"주님, 유다가 돈을 따로 갈라놓더니 여기서 멀지 않는 곳에 묻는 것을 보았습니다. 유다가 왜 그런 행동을 하는지 알 수가 없습니다."

"그런 일로 걱정하지 말아라. 그렇게 걱정을 하다 보면, 그것이 네 기도를 산만하게 하고, 하느님께 대한 사랑을 약하게 하고 다른 사람들에 대한 신뢰를 없어지게 한다. 바로 이런 식으로 한 사람의 죄가 다른 사람을 파괴하면서 퍼져나가는 것이다. 죄를 짓는 사람이 악의 사슬에 얽매여 있다는 것을 알고, 그들을 사랑으로 대해 주어야 한다.

죄인을 위해 기도해 주고, 그들에게 도움을 주어라. 그리고 그들을 결코 비난하지 말아라. 그렇게 하면 죄가 너를 얽매지 못할 것이고, 하느님 안에서의 네 생활을 방해하지 못한다는 것을 알게 될 것이다."

"맞습니다, 주님. 그 일이 제 마음을 얼마나 산만하게 하고, 분노와 비난하는 마음을 일으켰는지 모릅니다. 그렇지만 남의 나쁜 행동을 보면서도 분노와 비난하는 마음을 안 가지는 것은 어려운 일입니다."

"남이 나쁘게 행동한다고 해서, 너도 똑같이 행동해도 되는 것은 아니다. 그것은 악마의 함정이다. 사랑하고, 용서해 주고, 이해해 주어라. 그리고 그 사람이 자기 죄를 알고, 그 죄를 극복할 수 있도록 도와 주어야 한다. 온갖 방법을 다해서라도 도와 주어야 한다."

"그러나 그 사람이 계속해서 죄를 짓고, 통회할 기미도 보이지 않으면 어떻게 합니까?" 온갖 방법을 다 해서 유다를 도와 주었지만 소용이 없었던 것을 생각하며 마태오가 물었다.

"그래도 그에게 등을 돌리지 말고, 그가 짓는 죄에만 등을 돌려라. 그들도 너와 똑같이 하느님의 자녀임을 기억하고, 계속해서 도와 주도록 하여라."

"하지만 어떤 사람은 끝내 듣지를 않습니다."

"그것은 그들이 자유로 선택하는 것이다. 네가 그들을 도와 주거나 도와 주지 않거나 하는 것이 너의 자유인 것처럼 말이다. 그들이 옳지 않은 것을 선택한다고 해서, 너도 옳지 않은 것을 선택해야 하겠느냐? 네가 계속해서 옳게 행동한다면, 언젠가 그 사람이 네 행동을 의식하고 변할 수도 있을 것이다. 그러나, 하느님께서 그 사람을 변화시켜 주시기를 기도하면서, 그에게 계속해서 사랑과 용서를 베푸느냐 마느냐 하는 것은 너에게 달려 있는 것이다."

"주님, 그것은 아주 힘든 일입니다." 마태오가 한숨을 내쉬며 말했다.

"나의 길은 쉬운 길이 아니다. 그러나 오직 그 길만이 천국으로 가는 길임을 명심하여라."

우리는 한동안 아무 말 없이 걸었는데, 마태오가 다시 물었다. "그 사람이 변하지 않으면, 어떻게 되는 것입니까?"

"그렇다면 그는 스스로 죄의 대가인 죽음을 선택한 것이다. 죄의 대가는 영원한 고통이고, 사랑의 대가는 영원한 생명이다." 그때 나는 죄 속에 살면서 통회하지 않고, 사랑과 용서를 받아들이지 않는 사람들이 받아야 할 고통을 보았다. 그리고 죄를 지었으나 통회하고 용서를 구하여, 천국에서 영원한 생명을 즐기는 사람들도 보았다.

내가 마태오에게 말했다. "항상 사랑하고 용서하여라. 그리고 항상 다른 사람들을 도와 주어라. 그렇게 하면 영혼들을 영원한 고통에서 구해 줄 수 있을 것이다."

얼마 후에, 베드로가 어부와 함께 돌아왔다. 배가 호숫가에 닿기도 전에 배에서 뛰어내린 어부가 나에게 달려왔다. 어부는 몹시 흥분해 있었다.

"이렇게 고기를 많이 잡아본 적은 한 번도 없었습니다. 오늘 제가 고기를 많이 낚을 것이라고 하신 말씀이 맞았습니다. 어떻게 그걸 아셨습니까?"

"그냥 알았소." 그를 향해 웃으면서 말했다.

"주님, 고기잡이가 정말 재미있었습니다." 뒤따라온 베드로도 무척 즐거워보였다.

어부는 자기 배로 가서 고기를 한 들통 가득히 들고 와서 나에게 권했다. "여기 이것 받으십시오. 맛있는 식사가 될 것입니다." 그리고는 베드로와 함께 배로 가서 고기를 들통에 담기 시작했다. 베드로가 즐거워하는 것을 보니 기뻤다. 그리고 어부가 베드로와 함께 즐겁게 일하는 것을 보니 더욱 기뻤다.

큰 야고보와 요한이 와서 들통을 받으며 말했다. "무겁습니다. 저희가 들겠습니다, 주님."

나는 요리를 하는 곳까지 야고보와 요한을 따라가서 말했다. "뜨끈한 생선요리를 먹으면 좋겠구나."

옆에 있던 안드레아가 말했다. "제가 요리를 하겠습니다, 주님께서는 여기 앉으셔서 좀 쉬십시오."

잠시 후 나는, 입 안에서 슬슬 녹듯이 맛있는 싱싱한 생선 요리를 먹을 수 있었다. 배불리 먹은 후에 잠시 누웠다가

잠이 들었는데, 나를 보러 몰려온 군중들이 설교를 해 달라고
소리치는 바람에 잠이 깼다. 나는 들통을 엎고 그 위에 올라선
다음, 두 손을 올려 웅성거리는 군중을 가라앉히며 조용히 하라
고 손짓을 했다. 웅성거림이 차츰 가라앉고 조용해진 다음, 사
람들에게 말하기 시작했다.

"어제 많은 사람들이 치유를 받았고, 오늘도 많은 사람들
이 치유를 바라고 있습니다. 여러분은 하느님의 치유의 힘에는
한도가 없다는 것을 아셔야 합니다. 그리고 아무리 많은 사람들
이 청하더라도, 치유의 힘은 부족함 없이 언제나 넘치고 있다는
것을 알기 바랍니다. 하느님의 힘은 영원하고, 하느님의 힘은
끝이 없으며, 하느님의 힘은 사랑입니다. 가슴을 열고 진실되고
겸손한 사랑으로 청하십시오. 그러면 하느님께서 여러분의 청을
들어 주실 것입니다."

"나았습니다. 눈이 보입니다!" 갑자기 한 눈 먼 사람이
소리쳤다. 모두의 시선을 받으면서 그 사람은 계속해서 외쳤다.
"선생님께서 하라시는 대로 하느님께 청했더니 이제 볼 수 있
습니다. 찬미 받으소서, 하느님! 감사합니다, 선생님!"

그때 다리를 절던 한 여인도 소리를 질렀다. "내 다리,
내 다리를 보십시오. 똑바로 펴졌습니다. 똑바로 걸을 수 있어
요. 날 좀 보십시오! 찬미 하느님. 찬미 하느님!" 그녀는 기쁨에
겨워 빙글빙글 돌면서 하느님을 찬미했다.

곧이어 여기저기서 치유를 받은 많은 사람들이 하느님께
찬미를 드리며, 나에게 감사했다. 날이 어두워져서 사람들이 서
서히 떠나기 시작했을 때 필립보가 와서 말했다. "주님, 주님께
서 손도 안 대셨는데, 사람들이 다 나았습니다!"

"그들이 하느님께 마음을 열고, 하느님께서 자신들을 치유해 주실 것을 믿었기 때문이다."

"그들의 믿음이 강했던가 봅니다, 주님."

"그들의 믿음은 보통 사람들과 다를 것이 없다. 어떤 때는 약하다가, 어떤 때는 강하다가 하는 믿음이다. 다른 때와 오늘이 달랐던 것은 그들이 마음을 열고, 하느님께서 그들을 당신 사랑으로 채우시도록 진심으로 기도했다는 데에 있다.

오늘 치유된 사람들 중에 하느님께 어떤 것을 요구한 사람은 아무도 없다. 그들은 마음을 열고, 하느님의 뜻이 이루어지도록 기도한 것뿐이다. 모든 사람들이 그렇게만 한다면 이 세상은 고통과 죄에서 자유로울 수 있을 것이다." 내 말을 듣고 필립보는 고개를 끄덕이며 혼자 생각에 빠져들었다.

"피곤하지 않으십니까, 주님?" 베드로와 큰 야고보가 곁으로 와서 물었다.

"피곤하지 않다. 회당에 잠깐 들렸으면 좋겠구나." 나는 제자 셋과 함께 기도하러 회당으로 갔고, 나머지 제자들은 저녁 식사를 준비했다.

예
예수님
님

예수님 ††† 1997년 1월 7일

조용한 회당 안에는, 혼자서 기도하거나 성서를 읽고 있

는 사람이 몇 있었다. 나는 자리에 앉아 하늘에 계신 아버지께
나의 마음을 열었다. 내가 마음을 열자, 회당 안에서 바치고 있
는 모든 기도를 느끼고 들을 수 있었다. 사랑과 희망과 절망을
보았고, 하느님께 용서를 빌고 있는 것을 보았다.

몇 개의 등잔과 촛불만 켜져 있는 회당 안은 어두웠는데,
회당 한켠에 한 남자가 몸을 앞뒤로 흔들면서 앉아 있었다. 그
는 주위를 전혀 의식하지 않고 기도에 푹 빠진 채, 용서와 도움
을 청하면서 하느님께 빌고 있었다. 나는 그 사람 곁으로 가서
자리에 앉으며 조용하게 속삭였다. "하느님께서 당신을 용서해
주시고, 도와 주시겠다고 하시오."

그는 깜짝 놀라서 흔드는 것을 멈추고는 나를 쳐다보았다.

"무슨 말씀이시오? 내가 하느님께 청하는 것을 당신이 어
떻게 아시오?"

"때로는 삶이 막바지에 몰린 것 같은 상태에서, 이렇게라
도 살아야 하는지 회의가 들 때가 있소. 그런 경우, 사람들은
과거에 저지른 잘못을 돌이켜보며, 자신이 과연 어떻게 그런 짓
을 할 수 있었을까, 어떻게 그런 죄를 범했을까 하고 생각하게
됩니다. 그럴 때 사람들은 하느님께서 자신을 무가치하고 저속
하다고 여기실 거라고 생각하며, 살아갈 자격도 없는 존재로 자
신을 보게 되는 것이오." 나는 그에게 가능한한 친절하게 말해
주려고 애썼다.

"나에 대해서 어떻게 그렇게 잘 아시오?" 그의 얼굴에
놀라는 기색이 역력했다.

"밖으로 나가서 이야기합시다." 내가 일어서서 밖으로 나
가자 그 사람이 따라 나왔다.

베드로 앞을 지나치는데, 베드로가 '별일 없는 거지요?'
하고 확인이라도 하듯이 나를 쳐다보았다. 내가 고개를 끄덕하
며 미소를 지어 주자, 베드로는 자리에 도로 앉았다.

바깥에 나오자 그 사람이 공손하게 다시 물었다. "제 생
각을 어떻게 그렇게 잘 아십니까?"

"나는 당신의 마음을 들여다 보고 있소. 당신이 어떻게
죄를 지었으며, 죄지은 것을 어떻게 생각하고 있으며, 다시는
죄를 짓지 않겠다고 맹세한 것도 알고 있소. 나는 술에 잔뜩
취해 있는 한 사람을 알고 있소. 술을 너무도 좋아하는 그는,
술에 취해서 저지르는 죄에 대해서 잘 알기 때문에, 술을 끊고
싶지만, 술의 유혹에서 빠져 나오기가 어렵다는 것을 알고 있
소. 그는, 자신이 술에 취하면 화를 내면서 난폭해지고 심한 욕
설을 하게 된다는 것도 알고 있소. 그는 여자들을 물건처럼 다
루면서 심지어는 자기 딸까지도 그렇게 다루었다는 것과, 자기
맘대로 하기 위해 부인한테 폭력까지 휘둘렀다는 것도 알고 있
소.

그는 자기 딸을 임신시키게 되자, 그 죄를 감추기 위해
딸의 뱃속에 있는 태아를 죽이고 싶어 했소. 딸이 말을 듣지
않자, 뱃속의 아이를 죽이려고 자기 딸을 모질게 구타했고, 그
딸은 태아를 살리기 위해 집에서 도망쳤소. 그리고 이제서야 그
는 자신이 지은 죄를 깨닫고 하느님께 용서를 빌면서 딸이 돌
아오기만을 기다리고 있는 것이오."

나는 잠시 말을 멈추고 그 사람을 쳐다보았다. 그는 수치
심으로 울그락 불그락해진 얼굴을 들지 못한 채, "저-- 저는….."
하고 더듬거리며 말을 잇지 못하고 있었다.

"나는 지금 당신의 마음을 들여다보고 있소. 그렇소, 당신은 지금까지 큰 죄인이었소. 죄의 사슬에 얽매여 있었고, 술에 유혹되어 자신을 가장 비참한 상태로까지 몰고갔소. 하느님과 사람을 모독하였고, 자신의 욕망을 채우기 위해 많은 사람들을 학대하였소. 당신은 그런 사람이었소." 내 말을 들으면서, 그는 통곡하기 시작했다.

마침내 그는 무릎을 꿇고 내게 호소하였다. "하느님께서 저 같은 인간을 어떻게 용서하실 수 있겠습니까? 그런 짓을 하고, 어떻게 살아갈 수 있겠습니까? 오, 맙소사. 내 딸아! 불쌍한 내 딸아. 하느님, 이 죄인을 용서해 주십시오."

"하느님께서는 당신을 용서하실 수 있소. 하느님의 자비하심은 끝이 없기 때문이오. 진심을 갖고, 사랑으로 용서를 구한다면 어떤 죄라도 용서해 주실 것이오. 이제 당신은 통회하고, 용서받고, 변할 수 있는 기회를 얻게 된 것이오. 이제부터 삶이 어떻게 되느냐는 당신한테 달려 있소. 당신은 하느님께 용서를 구하고 있고, 자신이 어떤 사람인지 잘 알고 있소. 당신이 지은 죄를 진심으로 통회하면서, 다른 사람들에게 얼마나 상처를 주었는지도 알고 있으며, 그것을 후회하고 있소.

이것이 바로 시작인 것이오. 이제 당신의 삶을 바꾸시오. 하루하루를 보속으로서 하느님께 바치시오. 더 이상 술을 마시지 말고, 더 이상 죄를 짓지 말고, 하느님의 계명을 따라 살아가시오. 상처를 입힌 사람들을 찾아가서 용서를 비시오. 정말 잘못했다고 사과하고 다시는 고통을 주지 않겠다고 하시오. 날마다 자신을 성찰하면서, 하느님의 사랑으로 자신의 약점과 죄를 극복할 수 있는 힘을 달라고 하느님께 기도하시오."

　　그 사람은 한층 더 슬피 울었는데, 일그러진 얼굴은 눈물
과 콧물로 범벅이 되어 있었다. "제 딸에게는 잘못했다는 말을
어떻게 합니까? 집을 나가서 어디 있는지도 모르는데요."

　　"당신의 딸과, 당신의 아기이기도 한 딸의 태아는 이제
평화롭게 쉬고 있소. 하느님 나라의 영원한 기쁨으로 가는 마지
막 발걸음을 걸었소." 슬픔에 잠긴 목소리로 내가 말했다.

　　"죽었습니까? 그 아이들이 죽었단 말씀입니까?"

　　그가 소리를 질렀다.

　　"죽었소."

　　"안 돼, 제발 안 돼. 오, 하느님! 용서해 주십시오!" 그는
땅바닥을 구르며 통곡을 했다. "내가 무슨 짓을 한 거지? 도대
체 무슨 짓을 한 거지?"

　　나는 그의 어깨에 손을 얹고 말했다. "하느님께서 당신을
용서해 주었소. 이제 착하게 살면서 나머지 가족들을 사랑으로
보살펴 주시오."

　　"우리 딸이…." 그는 절망적으로 계속 울었다.

　　"딸은 이제 평화 가운데 있고, 아버지를 용서해 주었소.
하느님의 용서를 받아들이고, 딸의 용서를 받아들이시오. 그리고
남은 여생 동안, 지은 죄에 대해 보속을 하며 살아 가시오."

　　"어떻게… 제가 어떻게… 그런 죄를 지은 제가 어떻게?
나의 착한 딸아… 하느님, 용서해 주십시오!" 그는 계속해서 용
서를 빌었다.

　　"하느님께서 용서를 베풀어 주셨으니, 이제부터 하느님을
사랑하며 착하게 살 수 있게 해 달라고 기도하시오."

　　그가 울음을 그치지 못하고 있는데 그의 아내가 다른 딸

과 함께 남편을 찾아 다니다가 그를 발견하고는 달려왔다.

"도대체 무슨 일이에요?" 그녀는 남편을 붙들어 일으키며 물었다.

"우리 딸이 죽었소. 뱃속의 아기도 함께 말이오." 그가 울부짖었다. 그의 아내는 기절한 듯 땅에 쓰러지더니, 잠시 후에 정신을 차리고 일어나서는 딸과 함께 통곡하기 시작했다.

내가 그들에게 말했다. "살아 있을 때는 딸을 그토록 잔인하게 학대하다가, 죽은 뒤에야 딸을 그리워하고 사랑하는군요. 본인들뿐 아니라, 죽은 딸을 위해서도 이제부터 착하게 살아야 할 것이오. 그리고 잘못을 깨달아 통회하고, 하느님께서 베푸시는 용서를 받아들이시오."

"그럴 수 없습니다. 제가 딸을 죽였습니다."라고 소리치면서, 주머니에서 칼을 꺼내 자기 가슴을 찌르려 하였다. "제가 지은 죄를 제가 갚아야만 합니다."

"안 돼요. 여보, 제발. 오, 불쌍한 사람!"

"아버지, 그러지 마세요. 아버지!"

그는 결심이 선 표정을 하고는 비장하게 말했다.

"내 죄를 꼭 갚아야만 한다!"

칼로 가슴을 막 찌르려 할 찰라에, 내가 그의 눈 속을 들여다보며 말했다. "그렇게 하는 짓은 지은 죄를 갚는 것도 아니고, 오히려 당신 뒤에 남겨진 사람들에게 고통만 더 안겨 줄 뿐이오."

그는 칼을 힘없이 내렸다. 울며 애원하는 아내와 딸을 처다보던 그는 고개를 떨구고 칼을 땅에 떨어뜨렸다. "선생님 말씀이 옳습니다. 이 사람들에게 고통만 더 줄 뿐입니다. 제가 이

제 무엇을 해야할지를 알겠습니다. 남은 여생을 길 잃고 헤매는 아이들을 돌보며 지내겠습니다. 길 잃은 아이를 볼 때마다 제 딸과 그 아기를 생각하겠습니다. 오늘부터 더 이상 술을 마시지 않고, 하느님의 계명을 지키며 따르겠습니다. 제가 하는 모든 일을 보속으로 하느님께 바치겠습니다."

그리고는 아내와 딸을 돌아보며 말했다. "그동안 내가 너무나 많은 잘못을 저질렀소. 나를 용서해 줄 수 있겠소?" 두 모녀는 달려가서 그를 끌어안고 땅바닥에 앉아 함께 울었다.

"약속을 지키고, 영혼도 잘 지키시오." 내가 말하자, 그는 나를 올려다보며 맹세했다.

"지키고 말구요. 약속합니다, 꼭 지키겠습니다!" 나는 그의 마음 속을 들여다보고, 그가 약속을 지킬 것을 알았다.

그때 회당에서 나온 제자들은 눈 앞에 보이는 정경을 바라보고 서 있었다. 나는 그들에게 큰 소리로 말했다. "이 곳의 치유가 끝났으니, 내일은 이 마을을 떠나야겠다." 우리는 슬픔에 젖은 그 남자와, 그의 가족이 새 생활을 시작하기를 기원하면서, 호숫가로 돌아갔다.

예
예수님
님

예수님 ††† 1997년 1월 8일

아침이 되어 떠날 준비를 하고 있는데, 전날 베드로와 함께 고기를 잡던 어부가 나를 찾아왔다.

"선생님께서 호수 건너편 쪽으로 가실 계획이라면 제가 모셔다 드릴 수 있습니다."

"그렇게 해 주면 고맙겠소."

"어제 선생님의 제자가 고기잡이하는 일을 그렇게 많이 도와 주었는데 이 정도쯤이야 해 드려야지요."

"우리 일행이 수가 많은데 어떻게 하면 좋겠소?"

"제 배는 한 번에 15명 정도를 태울 수 있으니까, 두 번 왕복한 다음, 나머지 사람들은 다른 배를 한 척 얻어서 태우고 가면 될 것입니다." 그 어부는 우리를 돕는 일에 열성을 보이며 대답했다.

나는 호수 건너편을 잠깐 바라보고 나서 미소를 지으며 말했다. "그렇게 해 주면 고맙겠소."

잠시 후 나는 열두 사도와 함께 마티아와, 저스터스를 데리고 배를 탔다. 베드로와 안드레아는 어부를 도와서 배를 몰고 가며 아주 즐거워했다.

호수 건너편 마을까지 가는 데에 거의 한 시간이나 걸렸다. 나는, 나머지 제자들을 데려오기 위해 떠나려는 어부에게 말을 걸었다. "당신의 밝고 성실한 마음씨를 보면서 나는 많은 기쁨을 얻었소."

"아닙니다. 기쁨은 제가 얻었습니다. 선생님의 말씀을 듣고 깊은 감명을 받았습니다. 주님의 말씀이 정말 제 가슴에 와 닿았습니다. 그리고 선생님의 맏제자와 고기잡이를 하면서 서로 친구가 되었고, 생전 처음으로 그렇게 많은 고기를 잡아 보았습니다. 선생님께서 저희 동네에 오신 것이 저한테는 축복이었습니다."

어부의 말이 진심인 것을 나는 알았다. 하느님의 사랑이 그의 가슴을 밝게 비추고 있기에, 그는 누구에게나 친절했고, 어린아이처럼 순수해서 상쾌한 바람같은 천진함을 지니고 있었다.

나는 유다를 불렀다.

"유다야, 우리가 호수를 건너올 수 있게 해 준 이 고마운 분에게, 돈을 좀 드려야겠다. 그리고, 도와 준 그의 친구들에게도 드렸으면 좋겠다.

"얼마면 되겠소?" 유다가 어부에게 물었다.

"돈은 안 주셔도 됩니다. 제가 좋아서 한 걸요." 어부의 말에 유다는 금방 인상이 풀어졌는데, 내가 어부에게 다시 권했다.

"우리한테 베풀어 준 은혜에 보답하고 싶어서 주는 나의 선물이니 받아 주시오."

"저는 벌써 많이 받았습니다. 더 이상 받을 수 없습니다." 어부가 사양하였다.

"아무리 많은 것을 주었다 해도, 나에게는 나누어 줄 것이 항상 더 많이 있소." 내 말을 듣고 어부는 어리둥절한 표정이었고, 유다는 어처구니없다는 표정을 짓고 있었다.

"이 돈을 받아서 부인하고 딸들한테 내가 주는 작은 선물을 사 주시오." 나의 권유가 거듭되자, 유다가 마지못해 그 어부의 손에 돈을 쥐어 주었다.

"그런데 제게 아내와 딸들이 있다는 것을 어떻게 아셨습니까?" 돈을 받고 몸둘 바를 몰라하던 어부가 물었다.

"알고 있소. 당신이 오늘 집에 돌아가면, 막내딸의 병이 나아 있을 것도 알고 있소."

"그걸 어떻게 아십니까? 어젯밤에 막내가 아팠습니다. 벌레한테 물렸는데, 오늘 아침에는 열이 심했습니다." 놀란 얼굴을 하고 어부가 말했다.

"알고 있소. 식구들 모두 사랑이 넘치는 사람들이라서 하느님의 기쁨이 되고 있다는 것도 알고 있소."

"감사합니다, 주님!" 어부는 행복이 가득한 목소리로 인사를 하고는 배를 저어 떠나갔다. 베드로가 호숫가에 서서 손을 흔들고 있었다.

멀리 보이는 배를 바라보며 베드로가 말했다. "참 좋은 사람이었습니다."

"그래, 성실한 사람이다. 평범한 생활 속에서 진실되게 살아가는 사람이다."

"그런데, 그 사람은 하느님에 대해서는 별 말이 없었습니다. 하느님에 대해 아무 말도 하지 않는 사람이 어떻게 좋은 사람일 수 있습니까?" 항의하듯 유다가 얼굴을 찡그리며 끼어들었다.

나는 유다를 돌아보며 말했다. "그 사람은 집에 있을 때 가족과 함께 하느님께 열심히 기도한다. 그는 안식일을 지키고, 하느님의 계명을 지키면서 살려고 노력한다. 너는 그 사람이 기도하는 것을 보지 못하고, 하느님에 대해 이야기하는 것을 듣지 못했다고 해서 그 사람이 기도를 안 하거나, 하느님에 대해 이야기를 안 한다고 생각해서는 안 된다. 남들이 보는 데서 자기 신앙을 과시하지 않으면서도 착하고 거룩하게 살아 가는 사람들이 많이 있다.

어떻게 살아 가고 어떻게 사랑하는지를 보면, 그 사람이 얼마나 하느님과 가까운 사람인지 알 수 있는 것이다. 자기가 거룩하다는 것을 과시하는 사람 중에는 전혀 그렇지 못한 사람도 있다. 그런 사람은 교만이 가득하여 남을 잘 비난하고, 용서할 줄을 모른다. 거룩하다는 것은 사람이 봐서 판단하는 것이 아니고, 오직 하느님께서만 판단하실 수 있는 것이다."

베드로가 고개를 끄덕이며 말했다. "주님의 말씀이 옳습니다. 저는 그 사람이 좋은 사람이라는 것을 알 수 있었습니다. 그 사람과 같이 있는 시간이 참으로 귀하게 느껴졌거든요."

유다가 베드로를 쳐다보며 어깨를 으쓱하고는, 돈주머니를 코트 속에 집어넣고 가버렸다.

"베드로야, 하느님을 사랑하는 사람에게 가까이 가게 되면, 그것을 느낄 수 있다. 그리고 하느님을 사랑하지 않는 사람에게 가까이 가게 되면, 그것도 느낄 수 있는 것이다. 이것을 기억하여, 앞으로는 너의 그 느낌을 따르도록 하여라." 장차 베드로가 할 일을 생각하며, 하나의 지침으로 삼으라고 말해 주었다.

베드로와 나는 기도할 회당을 찾으러 마을 안으로 들어갔다. 거리에는 사람들이 많이 있었는데, 그 마을에 시장이 있기 때문에 이웃 동네 사람들이 모여들고 있었다. 마을에는 로마군 수비대도 주둔하고 있었는데, 여기저기에서 로마군이 무리를 지어 있는 것이 눈에 띄었다. 거리 한 편에서 유다인 여자들이 로마군들과 어울리고 있었는데, 군인들에게 온갖 추파를 던지며 유혹하고 있었다.

"저 여자들이 어쩌면 저럴 수가 있습니까?" 베드로는 유다인 여자들의 저속한 행동이 역겹다는 듯이 말했다.

"저 여자들의 행동이, 로마의 권력에 굽실거리며 아부하는 대사제들의 처신과 다른 점이 무엇이겠느냐?"

"하긴 다를 게 없지요." 하고 베드로는 말했지만, 유다인 여자들이 그렇게 행동하고 있는 것을 여전히 못마땅해 했다.

"때로는 권력이 사람들을 유인한다. 저 여자들도 그렇게 유인을 당한 것이다. 저 여자들이 로마 군인들한테 끌리는 이유는, 로마인들이 마을을 지배하고 있기 때문이다. 저 여자들은 저렇게 함으로써 특별대우를 받고 보상을 받을 것으로 생각한다. 대사제들과 바리사이파 사람들이 하는 행동도 다를 것이 없다. 다만 종교라는 이름으로 그렇게 행동하기 때문에 달라 보이는 것이다. 저 여자들처럼, 대사제들은 로마의 권력 앞에 창녀 노릇을 하고 있는 것이다. 네가 저 여자들을 거부한다면, 사제들 역시 거부해야 하는 것이다."

베드로는 내가 한 말에 대해 곰곰히 생각하다가 물었다.

"주님, 그러면 어떻게 해야하는 것입니까?"

"모든 사람들을 위해 어떻게 하라고 내가 말하더냐? 그와 같이 해야 한다. 그들이 하느님께 마음을 열고, 범한 죄를 통회하고, 용서를 빌 수 있도록 기도해 주어라. 그리고 네가 그들을 용서해 줄 수 있도록 기도하여라. 남을 용서하지 못하면, 네 마음 안에 하느님의 사랑을 막는 장벽을 세우게 된다."

"그렇게 하도록 노력하겠습니다, 주님." 베드로가 진심으로 말했다.

"바로 그것이 내가 바라는 모든 것이다. 노력하는 것, 그것뿐이다."

나는 베드로와 용서와 사랑에 대해 이야기를 주고 받으며 회당을 찾아다녔다.

회당 안에는 많은 사람들이 한 라삐의 설교를 듣고 있었다. "모세가 사람들을 이끌고 사막을 건너갈 때, 그들이 필요한 모든 것을 하느님께서 보내 주셨습니다. 배가 고플 때는 음식을, 목이 마를 때는 물을, 고단할 때는 쉴 곳을 주셨습니다. 하느님께서 이스라엘 백성들을 사랑하신다는 것과, 그들과 함께 계신다는 것을 보여 주셨습니다. 그들이 하느님께 등을 돌리고 거짓 신들과 우상을 숭배했을 때도, 그들을 용서해 주시며 사랑해 주셨습니다.

오늘날 하느님께서는 이스라엘 백성들이 당신께 등을 돌린 채 살고 있다는 것을 아십니다. 하느님의 뜻을 받아들이기보다는 사람의 뜻을 받아들이고 있고, 하느님을 생각하기보다는 자기 자신만을 생각하고 있고, 하느님 안에 기쁨을 찾기보다는 세상의 쾌락만 찾고 있는 것을 아십니다. 그러나 하느님께서는 사막에서 그랬던 것처럼 당신의 사랑과 용서를 지금도 베풀어 주십니다.

오늘날 우리는 영적인 사막에서 살고 있는데, 이 사막에서 우리가 찾고자 하는 오아시스는 오직 권력과, 자만과, 자아뿐인 것 같습니다. 지금도 하느님께서는 광야에서처럼 영혼을 적셔 줄 물을 주시고, 우리 영혼에게 힘을 줄 음식을 주십니다. 우리를 사랑하시는 하느님께서 옛날이나 지금이나 우리에게 바라시는 것은 오직 우리의 사랑뿐입니다." 라삐는 설교를 끝낸 후 질문을 기다렸다.

"우리가 영적 사막에 있다고 했지만, 자 보십시오. 여기 회당에 지금 우리가 얼마나 많이 와 있는지 보십시오." 한 바리사이파 사람이 말했다.

"회당에 있다고 해서 여러분이 영적 사막에 있지 않은 것은 아닙니다. 남의 눈에 띄기 위해서나, 아주 멋진 몇 마디를 던져 다른 사람들의 존경을 받기 위해서, 아니면 신분을 좀더 높이기 위해서 여기 온 사람들이 많습니다. 여러분 중에 몇 명이나 정말 하느님을 사랑하여 여기 왔을까 생각해 봅니다." 라삐가 정중하게 대답했다.

"당신이 뭔데 우리를 비난하고 있는 겁니까?" 어떤 사람이 불만 가득한 목소리로 반박했다.

"나는 여러분을 비난하는 것이 아닙니다. 나는 비난할 수가 없습니다. 오직 하느님께서만 비난하실 수 있기 때문입니다. 내가 여러분에게 부탁하는 것은, 자신이 정말 어떤 사람인지 잘 관찰해 보고, 만약 하느님과 가깝게 살고 있지 않다면, 가까이 살도록 노력하라는 것입니다."

"당신은 그런 것을 어디서 배웠소?" 율법학자처럼 보이는 남자가 물었다.

"어느 날 어떤 사람이 강론하는 것을 들었습니다. 그분의 말씀은 내 마음에 불을 붙혀 놓았는데, 하느님께서 직접 말씀하시는 것만 같았습니다. 그분이 말씀하시는 것을 귀담아 듣고 있자니, 내 마음이 열리고 성서의 말씀을 더 분명하게 이해할 수 있었습니다." 라삐가 솔직하게 고백했다.

"그 사람이 누구요?" 율법학자가 다시 물었다.

"그분의 이름은 나자렛의 예수라고 했습니다."

라삐의 입에서 나온 내 이름은 산불처럼 삽시간에 회당 안에 있는 사람들 사이로 퍼져갔다. "예수," "예수." "예수!"

라삐가 계속해서 말했다. "그분을 볼 수 있었으면 좋았겠지만, 그분의 목소리를 듣는 것만으로도 만족했습니다."

"주님, 저 라삐는 앞을 못 보는 것 같습니다." 베드로가 내게 귓속말을 했다.

그때 내가 큰 소리로 말했다. "라삐, 하느님께서 당신의 기도를 들어 주실 것입니다."

"누구십니까? 어쩌면 그렇게 예수 선생님의 목소리와 똑같습니까?" 라삐가 묻는 것과 동시에 모든 사람들이 나를 돌아보았다. 그때, 라삐가 소리쳤다.

"보인다, 보여. 오, 이럴 수가!"

나는 라삐를 똑바로 쳐다보고 말했다. "당신은 내적으로 장님이었던 적이 없습니다. 그리고 이젠 외적으로도 장님이 아닙니다."

"선생님, 제가 선생님을 볼 수 있다니요! 감사합니다, 감사합니다." 그는 나에게로 달려 와서 내 손을 잡았다. 곧이어 안에 있던 사람들이 질문을 던지기 시작했는데, 내 대답이 채 끝나기도 전에 다음 질문이 이어졌다.

한 바리사이파 사람이 물었다. "당신은 하느님의 힘으로 치유를 하십니까?"

"하늘에 계신 내 아버지의 힘으로 치유를 합니다." 내가 분명하게 대답했다.

"당신의 아버지가 누구십니까?" 하고 다른 바리사이파 사람이 물었다.

"나의 아버지는 이스라엘의 하느님이십니다!"

"이건 하느님에 대한 모독이오." 하고 다른 바리사이파 사람이 외쳤다. "저 사람은 자기 아버지가 하느님이라고 하지 않소!"

라삐가 끼어들었다. "하느님께서는 우리 모든 사람의 아버지가 아니십니까?"

잠시 동안 침묵이 흐른 뒤에 다른 한 사람이 물었다. "당신은 누굽니까? 선지자입니까? 메시아입니까? 당신은 도대체 누굽니까?"

"나와 아버지는 하나입니다." 내가 분명히 대답했다.

"모독이오! 신성 모독이오!" 바리사이파 사람들이 소리를 질렀는데, 어떤 바리사이파 사람은 입고 있던 옷을 찢었다.

그때 베드로가 다급하게 말했다. "떠나야 하겠습니다, 주님." 회당 안의 사람들이 나를 둘러싸고 고함을 지르며 밀어댔다.

라삐가 큰 소리로 야단을 쳤다. "회당 안에서 이런 법이 어디 있습니까? 저 분이 나를 치유해 주셨다는 것을 잊었습니까?"

사람들이 조용해지자, 라삐가 나에게 말했다. "빨리 떠나십시오."

베드로와 내가 밖으로 나와 호숫가로 돌아가고 있을 때, 회당 안에서 논쟁이 다시 시작되는 소리가 들려왔다. 베드로가 말했다. "주님께서 보여 준 기적을 저 사람들은 금방 잊어 버렸군요."

　　"그렇다. 슬프게도 앞으로 더 많은 사람들이 저러할 것이다." 나는 십자가의 기적을 알아보지 못할 수많은 사람들을 생각했다.

예
예수님
님

예수님 ††† 1997년 1월 9일

　　호수로 돌아가는 도중에 우리는 로마군 주둔지를 지나갔다. 그때 주둔지 안에서 살을 파고드는 채찍질 소리와 함께 잇달아 비명소리가 들려왔다. 둘러서 있는 사람들 사이를 비집고 들어가 보니, 한 젊은 남자를 기둥에 묶어 놓고 로마 군인들이 채찍질을 하고 있었다. 그 젊은이는 거의 혼수상태였지만, 채찍을 맞을 때마다 비명을 질렀고, 그 비명소리는 점점 약해져 갔다. 로마 군인들은 젊은이가 괴로워하는 것을 조롱하며, 그의 고통을 즐기고 있었다. 군인 한 사람이 채찍질을 하며 욕설을 했다. "유다인 돼지새끼야!"

　　"주님, 저 군인들이 지금 그만 두지 않으면 저 사람은 죽을 것입니다." 베드로가 걱정스럽게 말했다.

　　"이제 그만 둘 것이다." 나는 그 젊은이가 당하는 고통을 보면서, 장차 내가 당할 고통을 생각하며 슬프게 말했다. 바로 그때 채찍질이 계속되고 있는 그 광장으로 한 백부장이 왔다. 그 백부장은 언젠가 어느 마을에서 죽은 아이를 놓고 울었던 바로 그 백부장이었다.

　"멈춰라!" 백부장이 호령했다. "그만하면 됐으니, 그 사람을 풀어 주어라. 누가 이렇게 하라고 명령을 내렸느냐?"

　험상궂게 생긴 군인이 앞으로 나서며 말했다. "저 놈이 로마를 욕했습니다. 우리는 저 놈에게 교훈을 가르쳐 줄 의무가 있습니다."

　"누가 이렇게 하라고 명령했느냐고 물었다. 왜 이런 일이 생겼느냐고 물은 것이 아니고!" 백부장이 험상궂게 생긴 군인에게 날카롭게 쏘아 붙였다.

　"로마군 선임자로서 제가 명령했습니다." 그 군인이 차렷 자세를 취하며 대답했다.

　"너는 이렇게 할 권리가 없어. 왜 지휘관한테 물어보지 않았느냐?" 백부장은 엄하게 따졌다.

　"로마의 명예를 보호하는 것이 우리의 임무라고 생각했습니다." 그 군인은 이제 고분고분하게 대답했다.

　백부장은 땅에 쓰러져 있는 젊은이한테 가서, 그의 머리를 조심스럽게 들어올리더니 군인들에게 고함을 쳤다. "너희들이 이 사람을 죽일 뻔하지 않았느냐? 도대체 이 사람이 무슨 죄를 지었느냐?"

　"로마군들이 로마로 돌아가면 자기 나라에 평화가 오기를 바란다고 말했습니다." 그 군인이 '평화'라는 말을 강조하며 말했다.

　"몇 명이나 그 말을 들었느냐?"

　백부장의 물음에 군인들은 모두 그 말을 들었다고 증언했다.

　　그때 군중 속에서 한 사람이 말했다. "맞습니다. 그 말을 했습니다. 그러나 그 말을 하기 전에, 먼저 저 군인들이 젊은이의 물건을 돈도 내지 않고 빼앗고는, 탁자를 뒤엎어 버려서 물건들이 모두 땅에 쏟아졌습니다."

　　"그게 사실이냐?" 백부장은 그 군인 앞에 서서, 자기 얼굴을 그의 얼굴에다 바싹 들이밀고 고함을 버럭 질렀다. 아무 대답이 없자 백부장이 또 고함을 질렀다. "그게 사실이냐고 물었다. 어서 대답하지 못하겠나?"

　　"네, 백부장님!" 그 군인이 곤란한 표정을 지으며 대답했다.

　　"그래, 저 사람의 물건을 도둑질하고 나머지 물건들을 땅에다 내동댕이 쳐놓고, 저 사람이 화를 낸다고 죽도록 때리는 것이 로마 군인이 해야 할 행동이란 말이냐?"

　　"그렇지만 저 사람들은 유다인입니다. 위대하신 우리 총독께서 말씀하시기를, 우리는 마땅히 엄하게 행동해서 유다인들을 잘 다루어야 한다고 했습니다."

　　"이렇게 하는 것이 유다인을 잘 다루는 거라고 생각한단 말이냐? 이렇게 하면 유다인들의 원한과 미움만 사게 되는 거야, 이 바보같은 놈들아. 여기서는 내가 대장이라는 것을 잊지 마라! 어서 이 사람의 상처를 치료해 주어라. 그리고 너희들의 일주일치 봉급을 떼어 보상금으로 저 사람에게 줄 테니 그리 알아라. 다시는 이런 일이 없도록 해라. 모두들 알겠나?" 백부장이 거기 있던 군인들에게 고함을 치자, 군인들은 일제히, "알겠습니다, 장교님!" 하고 차렷 자세로 대답했다.

　　"그리고, 너." 백부장이 군인들 중에서 선임자를 가리켰

Look

at these great opportunities with Pharmstaff!

- Full-time temporary pharmacist at a closed door pharmacy in the north suburbs of Chicago.

- Full-time or part-time permanent position in home care.

- Full-time permanent hospital pharmacists in downtown Chicago.

- Full-time contract industry positions.

Contact Aimee Mundo or Therese Kirklys, R.Ph today!
773-935-1234 or jobs@pharmstaff.com

Matching Pharmacy

You Hyun Shin
1574 Holly Ct
Long Grove, IL 60047

PHARMSTAFF
20 YEARS
1982 - 2002

4242 N. Cicero Ave.
Chicago, IL 60641
773.935.1234

Great Pay.
Flexibility
Freedom.
Quality,
Caring.
Dedication.

Are these things important to you?
Then you can be an important
member of the Pharmstaff team.
Join us today!

773-935-1234

ph

다. "이런 문제를 다시 일으키면, 그때는 네가 채찍질을 당할 줄 알아라. 내 말을 알아듣겠나?"

"네, 백부장님." 그는 재빨리 차렷 자세를 취하며 대답했다. 백부장이 떠나자, 군인들은 성난 표정으로 젊은이를 잡아 일으켜 세우고, 소금물 한 들통을 등에 부었다. 그런 다음, 그를 부축해서 걷게 하여 구경하고 있던 사람들에게 데려다 주었다.

베드로가 말했다. "주님, 저 백부장을 어디서 본 적이 있습니다."

"그래, 기억하고 있다. 그때나 지금이나, 그 사람은 남을 사랑하는 일을 실천하고 있다. 그의 딱딱한 겉모습의 뒷면에는 진리와, 정의와, 영예를 찾는 따뜻한 가슴이 숨겨져 있다. 언젠가는 그 가슴을 활짝 열고, 진정한 자신의 모습을 보여 줄 때가 있을 것이다." 나는 장차 그 사람이 로마로 다시 돌아가서, 그리스도교라 불리게 될 새로운 종교에 입교하게 될 것에 대해 생각했다.

"그 사람은 언제나 공평하고 정의로운 것 같습니다. 그리고 유다인들을 미워하지도 않는군요." 베드로가 진지하게 말했다.

"그 사람은 아무도 미워하지 않는다." 나는 모든 사람들이 그 사람을 닮기를 기원했다. 사람들이 매맞은 그 사람을 떠메고 가는데, 내가 그에게 가서 등을 만지며 말했다. "고통은 곧 없어질 것이지만 상처의 흔적은 남아 있을 것이오."

마을 사람들 가운데 한 사람이 내 말을 듣고 분개한 듯이 말했다. "고통이 곧 없어질 거라니요, 그게 무슨 소리요? 채찍을 스물 다섯 대나 맞았어요. 군인들이 거의 죽일 뻔했다고요."

바로 그때 채찍질을 당한 사람이 눈을 뜨고 힘없는 목소리로 말했다. "고통은 없어지고 있는데, 너무 피곤해요."

"어서 젊은이를 데리고 가서 쉬게 하시오. 자고 나면 더이상 고통이 없을 것이오." 나는 젊은이를 떠메고가는 사람들에게 말했다.

"정말 믿기 어려운 일인 걸. 이 사람의 고통이 벌써 없어지고 있잖아. 당신 말이 맞는 것 같소." 내 말을 의심했던 사람이 고개를 갸웃거리며 인사를 하고는, 돌아서서 마을 사람들에게 말했다. "자, 어서 집으로 데리고 갑시다."

그들이 떠나고 나서 베드로와 나도 제자들이 기다리고 있는 호숫가를 향해 발걸음을 옮겼다. 호숫가에 도착했을 때 나는 제자들을 모두 불러 놓고 말했다. "이제 너희들은 방방곡곡 모든 마을로 흩어져서 하느님의 사랑과 용서를 전해야 한다. 내 치유의 사랑을 사람들에게 나눠 주고, 그들을 사랑해 주도록 하여라. 열두 사도는 남아 있고, 나머지 너희들은 모두 가서 내가 시키는 대로 하여라. 그리하여 하느님의 사랑이 이 땅에 퍼지고, 영혼들이 구원받는 것을 보도록 하여라."

"주님도 없이 저희들이 어떻게 할 수 있겠습니까?" 한 제자가 확신없는 목소리로 물었다.

"너희가 어디로 가든지 내가 너희와 함께 있을 것이다. 너희가 내 이름을 부를 때, 나의 사랑이 너희를 통하여 흘러나올 것이다. 두려워하지 말아라. 나를 믿고, 내 안에서 안심하고 행하여라."

"주님, 주님을 어디서 다시 만나게 됩니까?" 마티아가 물었다.

"예루살렘 성 밖에서 다시 만나도록 하자. 그때 축일을 함께 즐기면서, 너희들이 내 이름으로 행한 온갖 좋은 일들을 들려 주기 바란다."

얼마 후 준비를 끝낸 제자들이 각자 다른 방향으로 뿔뿔이 헤어졌다. 베드로가 걱정스럽게 물었다. "주님, 제자들 혼자서 괜찮을까요?"

"물론이다, 베드로. 내가 항상 그들과 함께 있을 테니 염려마라." 베드로를 안심시킨 다음 남아 있던 열두 제자와 함께 잠잘 곳을 찾으러 마을로 들어갔다.

예
예수님
님

예수님 ††† 1997년 1월 10일

여관에 도착해 보니, 많은 사람들이 식사를 하고 있었고 한쪽에서는 술판을 벌리고 있는 사람들도 있었다. 유다가 여관 주인에게 사정을 해서, 우리가 겨우 들어가 잘 수 있는 방을 얻게 되었다. 꼭 끼여서 자야 할 형편이었지만, 주인의 말에 의하면, 시장이 열리는 날이라 마을이 붐비기 때문에 다른 데서는 그 만한 방도 못 얻을 것이라고 했다.

방에다 짐을 풀고 나서, 식사를 하는 방으로 갔다. 여덟 명 정도 앉을 수 있는 큰 탁자와 다섯 명 정도가 앉을 수 있는 작은 탁자에 각각 나눠 앉았다. 주인이 빵과 포도주와 함께 그 지역에서 잡은 생선요리를 차려 주어 아주 맛있게들 먹었다. 식사가 끝난 후 우리는 이런 저런 이야기를 나누며 잠시 동안 앉아 있었다.

유다 타대오가 나에게 물었다. "주님, 어떤 때는 이렇게 평범한 음식이 최고급 음식보다 더 맛이 있는 것은 왜 일까요?"

"배가 고프면 다 맛있는 법이야." 유다가 가로채듯 말했다. 유다는 배가 잔뜩 불러서 의자에 등을 기댄 채 흐뭇한 미소를 짓고 앉아 있었다.

"음식을 맛있게 먹느냐 아니냐의 차이점은 그 음식을 고맙게 생각하느냐 아니냐에 달린 것이다. 최고급 음식을 두고도 맛있게 먹을 수 없는 것은, 그 음식을 고맙게 여기는 마음이 없기 때문이다. 오늘 저녁 식사가 비록 잔칫상처럼 호화찬란한 음식은 아니었지만, 이 음식을 반갑고 고맙게 생각했기 때문에, 맛있게 먹을 수 있었던 것이다.

하느님께 대한 사랑도 이와 마찬가지이다. 하느님을 사랑한다고 생각하는 사람들이 때로는, 하느님께서 주시는 것에 대해 감사할 줄 모르는데, 그것은 하느님의 사랑을 받는 것이 습관화가 되어서 특별히 감사할 필요성을 안 느끼기 때문이고, 어차피 항상 주시는 것이니까 특별하게 여기지 않아도 된다고 생각하기 때문이다. 그런 사람들이 지키는 종교 의식은 하나의 습관에 불과하기 때문에, 사실상 별 의미가 없는 것이다.

그리고 어떤 사람들은 최선을 다하여 하느님을 사랑한다. 그런 사람들은 종교 의식에 자주 참여하지 못하고, 남들이 볼 때는 그렇게 기도를 많이 하는 것 같지도 않지만, 기도를 할 때는 진심으로 하느님을 찾으면서, 기도하는 자체를 즐거워 한다. 그들은 베풀어 주신 하느님의 사랑에 감사하는 마음으로 안식일을 거룩하게 지킨다. 진심으로 하느님을 사랑하고, 비록 짧은 시간이지만 하느님과 보내는 시간을 즐거워한다. 하느님의 사랑에 감사하기 때문에, 그들은 하느님의 사랑을 큰 잔치처럼 즐기는 것이다."

안드레아가 물었다. "주님, 그 말씀은 회당에서 오랜 시간을 보내는 사람들은 자신들이 회당에 있는 이유를 잊어 버렸거나, 잘못 오해하고 있을 수도 있다는 뜻입니까?"

"그렇다, 안드레아. 그렇게 될 수 있다. 때로 사람들은 하나의 의무로 회당에 가게 되고, 하나의 일과로 회당에 가게 된다. 하느님께 대한 진정한 사랑도 없이 하루의 과제로 여기고 가는 것이다."

"그러면 회당에 너무 자주 가서는 안 된다는 말씀입니까?" 의혹이 가득한 목소리로 토마스가 물었다.

"아니다, 내 말은 그런 뜻이 아니다. 회당에 가서 기도하되, 하느님께 대한 사랑이 메말라 버린 일상의 습관이 되지 않게 하라는 말이다. 회당에 자주 가되, 의무로 가지 말고, 사랑으로 가라는 말이다."

옆에서 잠자코 듣고만 있던 베드로가 물었다. "하느님께 바치는 시간 동안 얼마나 많은 사랑을 드리느냐가 중요한 것이지, 얼마나 오랜 시간을 바치느냐가 중요한 것이 아니라는 말씀입니까?"

"베드로, 네 말이 한편으로는 맞다. 하느님께 바쳐야 하는 시간은 하루 종일이라야 하고, 그 하루 종일을 통틀어 사랑

을 바쳐야 하는 것이다. 내 말은 하느님께 시간을 바치되, 의무
감에서 바치지 말고, 사랑으로 바쳐야 한다는 말이다. 하느님께
대한 진정한 사랑으로 한 시간을 바치는 것이, 사랑 없이 하루
종일을 바치는 것보다 낫다는 말이다. 밤이 늦은 것 같구나. 내
가 좀 피곤하니 먼저, 방으로 가서 기도를 드리고 자야겠다. 너
희들은 같이 모여 있는 것이 즐거워 보이니 여기 남아서 좀더
있다가 오도록 하여라."

예
예수님
님

예수님 ††† 1997년 1월 12일

　부드러운 평화를 느끼며 잠에서 깨어났다. 자고 있는 제
자들을 둘러보니 일어날 기색이 전혀 없었다. 나는 조용히 일어
나서 여관을 나와, 기도하기 위해 호숫가를 향해 걸었다. 호숫
가 기슭에 도착했을 때, 멀리서 바쁘게 일하고 있는 어부들 외
에는 아무도 눈에 띄지 않았다. 한적한 장소를 찾아 무릎을 꿇
고 아버지께 기도하면서, 아버지의 사랑과 성령에 나의 마음을
열어 드렸다.
　내 앞에 금빛으로 눈부시게 빛나는 길이 보이고, 아버지
께서 말씀하셨다. "네가 한 걸음씩 걸을 때마다, 이 길을 세상
사람들에게 조금씩 보여 주는 것이다."
　그러자 그 길이 천국으로 연결되면서, 장차 많은 사람들

이 그 길을 가고 있는 것을 보았다. 어떤 사람들은 그 길에서 미끄러져 내 등에 떨어졌는데, 그들은 내 등에 십자가가 되었다. 점점 더 많은 사람들이 내 등 위로 떨어지면서 십자가가 무거워졌는데, 아무리 무거워도 내가 그 십자가를 짊어질 것을 알고 있었다.

어떤 사람들은 내 등에서 뛰어 내리더니 어두움 속으로 사라졌다. 그들이 뛰어내릴 때 내가 손을 내밀어, "여기 내 손을 잡아라. 너를 구해 주겠다." 하고 외쳤지만, 내 손을 거절하고 어두움 속으로 가버렸다.

아버지께서 내게 말씀하셨다. "아무리 십자가가 무거워도 너는 그것을 짊어질 힘이 있을 것이다. 그 십자가의 무게는 사랑의 무게이기 때문이다." 그때 성령께서 내 안에 오시고, 아버지와 일치하여 사랑의 천주 성삼은 하나가 되었다.

잠시 동안이었던 것 같은데, 기도를 마쳤을 때는 이미 늦은 오후가 되어 있었다. 근처에 있는 수풀 뒤에서 움직이는 소리가 들렸다. 큰 야고보와 요한이 나를 발견하고 몇 시간 동안 지켜보고 있었던 것이다. 그때 귀에 익은 코고는 소리가 들려왔다. 이번에는 바르톨로메오도 함께 왔다가 깨어 있지 못하고 잠이 든 것이다.

바르톨로메오의 코고는 소리는, 내가 올리브 산에서 아버지께 기도드릴 때를 생각나게 했다. 십자가의 희생을 앞둔 마지막 시간에 제자들은 밀려오는 잠 때문에 깨어 있지 못했던 것이다. 나는 호수를 바라보았다. 파도가 호숫가로 밀려오는 것을 보며, 시시때때로 밀려왔다가 밀려나가는 인간의 믿음을 생각했다. 심지어 나의 가장 충실한 제자들의 믿음도 마찬가지이니….

여관으로 돌아오면서 큰 야고보와 요한과 바르톨로메오를 지나쳤지만 일부러 그들을 쳐다보지 않았다.

"조용히 하게, 주님께서 들으실라." 나는 야고보가 바르톨로메오에게 큰 소리로 야단치는 것을 못 들은 척 하며, 그 젊은 이다운 순진함에 속으로 웃고 있었다. 여관에 거의 다 왔을 때 베드로와 안드레아, 그리고 작은 야고보가 나를 향해 걸어오고 있었다.

"주님, 어디 가셨는지 찾고 있었습니다." 충직한 베드로의 말을 받아서 안드레아가 그 동안의 일을 설명했다.

"이 동네를 둘러보았는데, 아주 붐비는 곳입니다. 이렇게 붐비는 동네는 참 오랜만에 보는 것 같습니다."

큰 야고보가 말을 이었다. "저희들이 회당에 갔는데 주님께서 치유해 주신 그 라삐가 아주 반갑게 맞아 주었습니다. 라삐는 우리보고 각별히 조심하라고 했습니다. 주님을 해치려고 하는 사람들이 있다고 하면서 말입니다."

"자, 여관으로 돌아가서 식사를 하자. 그리고 내일은 이 곳을 떠나야겠다." 나는 마음이 답답해지는 것을 느끼며 제자들과 함께 여관으로 향했다.

우리가 여관에 들어간 후 얼마 안 있어 큰 야고보와 요한이 바르톨로메오와 함께 돌아왔는데, 베드로에게 몰래 눈짓을 하면서 괜찮았다고 전하는 것을 보았다. 바르톨로메오는 호숫가에 누워서 잘 때 묻은 모래를 아직도 등에 묻히고 있었다. 내가 모래를 털어 주며 넌지시 말했다. "호숫가가 참 평화롭지 않았니? 잠자리에도 아주 좋은 곳이었고 말이야."

"어- 네, 주님." 바르톨로메오는 말을 더듬거리다가 얼른 자리를 피했고, 큰 야고보와 요한은 나하고 눈을 마주칠까봐 안절부절 하였다.

나는 그들에게 미소를 지어 주며 말했다. "친구끼리 서로를 보살펴 주고, 서로 보호해 주는 것은 참된 사랑의 표시인 것이다."

그들은 아무 대답도 못 한 채, 베드로가 말하는 것만 쳐다보고 있었다. "주님, 저희들은 주님과 친구가 될 수 있어서 참 좋습니다. 주님께서 저희들을 항상 보살펴 주시고, 보호해 주실 테니까요." 나는 베드로의 말을 들으면서, 모든 사람들에게도 언젠가 이 말을 이해할 날이 오기를 바랐다.

저녁 식사를 하면서 우리는 사람들이 어떻게 해서 화를 내게 되는지에 대해 토론을 하였다. 특히 회당에 있던 바리사이파 사람들이 진리를 보면서도 화를 내는 것에 대해 여러 이야기를 나누었다.

필립보가 말했다. "주님, 그 사람들은 주님을 보면서 죽일 듯이 화를 냈습니다. 주님께서는 진리를 말씀하시고, 성서를 설명해 주시며, 모든 사람들에게 사랑과 친절을 베푸셨는데, 그들이 왜 그렇게 행동했는지 이해할 수 없습니다. 주님을 거부한다는 것은 그들 자신이 지금까지 회당에서 가르쳐 온 것을 거부한다는 것밖에 안 되지 않습니까?"

"아담이 죄를 범한 이후로 그것은 인간의 한 면이 되었다. 인간 안에는 교만이 뿌리깊게 박혀 있고, 대부분의 사람들은 그것을 극복하기가 매우 어렵다. 그들이 믿고 있는 것이나 알고 있는 것을 반대하는 사람을 옳지 않다고 판단하는 것이 바로 교만이다. 인생의 의미에 대해 그들이 생각하는 것과, 다르게 생각하는 사람을 옳지 않다고 판단하는 것이 교만이다. 그들이 원하는 대로 따르지 않는 사람을 옳지 않다고 판단하는 것이 교만이다. 하느님 안에서 어떻게 살아야 하는지를 사실대로 말해 주고, 그들이 그렇게 살고 있지 않다는 것을 일깨워 주는 사람을 옳지 않다고 판단하는 것이 교만이다.

이 교만은 인간 성품 안에 아주 깊이 뿌리 박혀 있기 때문에 그것을 깨우치지 못할 때가 많다. 악마는 이 교만을 부추겨서, 속임수와 사기로 사람들의 이기심을 키운다. 많은 사람들이 이 교만을 이겨내지 못할 것이다. 그들이 자신의 교만을 쳐부술 수 있을 때, 그들의 참된 사랑의 모습이 밝혀지게 되는 것이다. 교만은 사람들의 목에 매여 있는 쇠사슬로서, 수많은 사람들을 괴롭히고, 수많은 영혼들을 잃게 할 것이다."

모두들 내가 한 말을 묵상하며 조용히 앉아 있었다. 그러다가 작은 야고보가 말했다. "주님, 저는 교만이 가득합니다. 제가 어떤 좋은 일을 했다 싶으면, 그런 일을 한 제가 훌륭하다고 생각하기 시작합니다. 그러나 사실, 선행을 하게 한 것은 제가 아니라, 하느님께서 당신의 사랑으로 그렇게 하셨다는 것을 문득 기억하게 되면, 자신을 훌륭하게 생각한 제 자신이 아주 싫어집니다. 어떤 때는 갈등까지 생깁니다."

"야고보, 네가 너의 교만을 깨달았다는 것은 좋은 일이다. 그것이 교만을 쳐부수는 첫 걸음이기 때문이다. 자신의 교만을 깨닫지 못하면, 그 교만은 점점 더 커지게 된다."

베드로가 한숨을 내쉬며 말했다. "과연 제가 교만을 쳐부술 날이 있을지 모르겠습니다."

"쳐부술 수가 있다. 하느님께서 말씀하시는 대로만 산다면 말이다."

"주님, 하느님께서 말씀하신 대로 살기란 너무 어렵습니다. 저는 하느님의 계명을 지키는 것만으로도 어떤 때는 안간힘을 써야만 하거든요." 유다 타대오가 하소연하듯 말했다.

토마스도 빠지지 않았다. "하느님께서 저 같은 사람을 어떻게 사랑하실 수 있을까 하고 의심할 때가 많습니다. 저 역시 하느님께서 바라시는 대로 살아 가기 위해 발버둥치며 투쟁해야만 하거든요."

"저도 역시 힘겹게 투쟁을 합니다. 그러나 마지막에는 항상 제가 승리를 하게 되고, 하느님께서 바라시는 대로 살게 됩니다. 사람은 내적인 힘이 있어야 한다고요." 유다는 마치, '나는 그 내적인 힘을 가지고 있어.'라고 말하는 듯이 자기 가슴을 두드렸다. 자신의 교만을 보지 못할 뿐 아니라, 다른 사람들의 겸손함도 보지 못하는 유다의 눈멀음이 나를 슬프게 했다.

제자들이 피곤해 보였기 때문에 내가 말했다. "내일 아침 일찍 떠날 것이다. 그러니 기도를 잠깐 바치고 모두들 일찍 자야겠다. 여행길을 위해서 푹 쉬어야 한다."

예

예수님

님

예수님   †††   1997년 1월 15일

마을을 떠나면서 그 마을에서 있었던 일을 돌이켜 생각해 보았다. 회당에서 나를 해치고 싶어 하던 사람들, 채찍질을 당하던 젊은이, 내가 기도하는 동안 잠을 자던 제자들, 맛있게 먹었던 식사, 교만이 가득한 유다, 잠들었다가 아버지의 사랑 속에 깨어난 일 등, 그 모든 것은 내가 앞으로 겪을 일들을 상기시켜 주었다.

내가 기도하고 있는 동안에 자고 있을 제자들, 내가 재판관 앞으로 끌려갔을 때 나를 미워하고 죽이려 하는 사람들의 모습이 떠올랐다. 나를 채찍질하고 십자가에 못박을 로마 군인들과 아버지의 사랑 속에서 부활하는 나를 보았다. 그리고 내가 십자가 위에서 베푸는 사랑의 양식을, 사람들이 세세대대로 나눠 먹는 것을 보았다.

슬픔을 안고 침묵을 지키며 걷고 있는데, 베드로가 다가와서 물었다. "주님, 무슨 일이 있습니까? 말씀이 없으시군요."

"앞으로 가야 할 길에 대해 생각하고 있었다."

"주님, 다음 마을까지 그리 멀지 않습니다. 그리고 길도 그렇게 험하지 않구요."

"베드로야, 내가 생각하고 있는 길은 이런 길이 아니다. 그 길은 많은 수난과 고통으로 가는 길이지만 그것이 지나고 나면, 모든 사람을 해방시켜 주는 승리의 길에 이르게 된다."

베드로는 얼마간 말없이 걷다가 자기의 결심을 밝혔다.

"주님, 주님께서 그 길을 가셔야 한다면, 저도 주님을 따라가겠습니다."

"네가 나를 따라올 것을 알고 있다." 나는 베드로에게 미소를 지어 주며, 그가 이 세상을 떠날 때 얼마나 용감할 것인지를 생각했다.

"주님, 로마인들이 우리 나라를 떠나게 될까요?" 베드로가 가라앉은 목소리로 물었다.

"그들은 잠깐 동안만 여기에 머무르는 것이다. 그러나 그 잠깐 동안 새 로마제국의 씨앗이 뿌려질 것이다. 사랑의 제국이 말이다. 그리고 네가 그 제국의 첫 아버지가 될 것이다." 베드로에게 설명하면서, 어떻게 로마가 내가 세운 새 교회의 중심이 될 것인지에 대해 생각했다.

"제가 로마인이 된다고요?" 베드로가 소리쳤다. "말도 안 됩니다. 저는 이 나라를 절대로 떠나지 않을 것입니다. 여기가 제 집입니다."

"네 집은 하느님께서 계시는 곳이다. 그리고 너는 하느님을 위해 영광스럽게 목숨을 내놓을 것이다."

베드로는 내가 무슨 말을 하는지 이해하지 못했지만, 충직하게 말했다. "주님, 그것이 주님의 뜻이라면, 저는 어디든지 시키시는 대로 갈 것이고, 무엇이든지 시키시는 대로 하겠습니다."

"그것이 바로 참된 사랑의 표시이다." 나는 베드로가 진심으로 말하는 것을 알고 미소 짓지 않을 수 없었다.

한참을 걸어서야 우리는 호수로 흘러드는 강 줄기에 도착했다. 필립보가 물었다. "여기서 쉬는 게 어떨까요? 참 평화로운 곳입니다."

"네 말이 맞다, 필립보. 여기서 잠깐 쉬면 좋겠구나." 그리고는 강둑 위에 올라서서 제자들에게 말했다. "오늘 하루에 대해 감사하면서 하느님께 기도 드리자."

모두 마음을 합하여 기도를 드리고 시편을 노래하자, 우리의 가슴은 기쁨으로 가득찼다. 기도를 마쳤을 때는 이미 어둠이 내려 있었다.

"주님, 우리가 함께 기도를 바치면, 시간이 금방 지나가 버려서 한 시간이 일 분 같습니다. 왜 이렇게 시간이 빨리 가는 걸까요?" 큰 야고보가 물었다.

"너희들이 기도하며 하느님께 마음을 열면, 하느님의 사랑이 너희 안에 가득 차게 되고, 너희는 이 세상을 잊어 버리게 된다. 하느님의 사랑 안에서 시간은 중요한 것이 아니다." 내가 대답했다.

베드로도 한마디 했다. "저는 가끔씩 그저 조용히 하느님을 생각하면서 앉아 있으면, 잠결 같은 몽롱함에 빠지게 됩니다. 그럴 때는 참 평화롭고 마음이 차분해집니다. 그것이 끝나면, 마치 오랫동안 자고 일어난 것처럼 몸이 개운하고 힘이 솟아납니다. 몇 시간이 지나간 것 같은데, 시간을 보면 겨우 몇 분밖에 지나지 않았습니다."

"그것 참 이상하지 않습니까?" 요한이 말했다. "어떤 때는 몇 분이 몇 시간 같고, 또 어떤 때는 몇 시간이 몇 분 같으니 말입니다."

"기도할 때 시간은 중요한 것이 아니고, 얼마나 많은 사랑으로 기도하느냐가 중요한 것이다. 사랑 안에서는 순간이 영원이 될 수 있고, 영원이 순간이 될 수도 있다. 시간은 하느님의 은총이고, 하느님의 은총 안에서 시간은 영원한 것이다."

모두 어리둥절한 표정을 하고 있어서 내가 다시 말했다. "시간 자체는 중요한 것이 아니고, 그 시간을 어떻게 사느냐가 중요한 것이다. 너희가 하느님의 사랑 안에서 시간을 보낸다면,

그 시간은 영원한 기쁨이 될 것이고, 그렇지 않으면 그 시간은 영원한 괴로움이 될 것이다."

강둑 위를 걸으면서, 시간을 중요하게 여기면서도 그 시간을 낭비하고 있는 수많은 사람들을 생각했다.

강을 따라서 걷는 중에, 흐르는 물소리가 내 마음을 부드럽게 채워 주었다. 흐르는 강물은, 모든 사람들에게 베푸시는 하느님의 사랑과 같았다. 물고기가 물살을 따라 헤엄을 치면 편하고 즐겁게 살 수 있지만, 그 물살을 거슬러 가면 살기가 힘겨웁게 된다.

사람들도 마찬가지이다. 하느님의 사랑을 받아들이고 거부하지 않는다면 인생은 즐거움이 되지만, 하느님의 사랑에 저항하고 맞서 싸우면, 인생은 괴로운 투쟁이 되는 것이다. 하느님께서 주시는 사랑의 강물은 모든 사람들의 인생을 평화로 채우며 부드럽게 흐르고 있는 것이다.

쉴 만한 자리를 찾아서 앉았다. 뒤를 돌아보니 제자들이 지펴 놓은 모닥불이 멀리 어둠 속에서 횃불처럼 타고 있었다. 자리에 누워 신선한 잔디 냄새를 맡으며, 눈을 감고 있다가 깜박 잠이 들고 말았다. 얼마를 잤는지 눈을 떠보니 요한이 옆에 와 있었는데 담요를 가져와서 나를 덮어 주고 있었다.

"주님, 감기 걸리시겠습니다." 요한이 걱정스런 목소리로 말했다.

"고맙다, 요한. 그렇잖아도 모닥불가로 돌아갈 참이었다. 가기 전에 잠깐 너와 이야기할 것이 있다." 요한은 곁에 앉아서 내 말을 기다렸다.

"요한, 앞으로도 그렇겠지만 지금까지 너는 나의 좋은 친구가 되어 주었다. 너는 나를 보살펴 주고, 나를 사랑해 주고, 나를 보호하고 싶어 하고, 나를 돕고 싶어 하고, 나를 닮고 싶어 한다. 너는 어떻게 하면 하느님께 가까이 가고, 어떻게 하면 착하게 살 수 있는지를 보여 주는 참으로 좋은 본보기이다.

앞으로 많은 사람들이 너의 이러한 모습과 또 네가 쓴 글을 읽고, 하느님의 살아 있는 사랑을 알게 될 것이다. 네가 글을 쓸 때, 하느님의 도우심을 구하면 그분께서 인도해 주실 것이다. 나와 함께 있으면서 듣고 보았던 말과 추억으로 너를 채워달라고 성령께 기도하면, 모든 것이 분명하게 떠오를 것이다. 그리고 네가 쓰는 글 속에 사랑의 진리를 담아 주시기를 기도하여라. 그러면 그 진리가 네 글 속에 담길 것이다.

네가 쓰는 한 구절 한 구절이, 천국으로 가는 길을 찾는 사람들에게 등댓불이 되어 줄 것이다. 네가 쓰는 한 구절 한 구절은 사랑의 글이 되어, 하느님께 대한 너의 겸손한 사랑을 보여 줄 것이다. 글을 쓸 때마다 기도를 하면, 너의 기도는 항상 응답받게 된다는 것을 잊지 말아라."

요한이 맑은 눈을 빛내면서 나에게 말했다. "방금 주님께서 말씀하시는 대로 제가 글을 쓰게 될지 알 수는 없지만, 주님께서 그럴 것이라고 말씀하시니, 그런 줄로 알겠습니다."

나는 나의 이 젊은 친구가 너무나 사랑스러웠다. "너의 겸손은 나를 사랑하는 너의 모습 속에서 빛나고 있다. 그 사랑을 통하여, 너의 겸손이 곧 너의 힘이 될 것이다."

요한은 만면에 웃음을 가득 띄운 채 어두운 강물에 눈길을 두고 있다가 갑자기 생각난 듯이 말했다. "주님, 시장하시면 모닥 불 옆에 따뜻한 음식이 있는데요."

"그래, 제자들한테 돌아가도록 하자." 요한은 담요를 챙겨 들고 나의 뒤를 따라서 모닥불을 향해 걸었다.

"주님, 제가 글을 많이 쓰게 될 건가요?" 요한이 물었다.

"네가 쓴 글 속에 모든 것이 들어 있을 것이다." 요한이 쓴 글 속에 말씀이 있고, 사람들이 사랑으로 그것을 읽는다면, 천국으로 가는 길을 찾을 수 있을 것이다. 나의 사랑하는 친구 요한이 쓴 그 글 속에서···.

우리가 모닥불가로 돌아와 보니 제자들 대부분이 잠들어 있었다. 내 몫으로 남겨 둔 음식을 요한과 조용히 먹고는 자리에 누웠다. 누워 있자니 나무 타는 냄새가 집에서 지낸 시절의 추억을 떠오르게 했다.

양부(養父) 요셉이 갖다 준 나무로 어머니께서 불을 피우시던 모습이 떠올랐다. 집에서 지내던 시절의 행복했던 추억들, 사랑의 추억들, 모든 사람들이 가지기를 바라는 성가정의 추억들, 그러나 사랑이 없는 가정으로 인해 갖지 못하는 그 추억들···.

예
예수님
님

예수님 ††† 1997년 1월 16일

상큼한 아침공기 속에 울려 퍼지는 새들의 즐거운 노랫소리에 잠을 깬 나는 다시 강둑 위로 아침 산책을 나갔다. 산책

을 하면서 아버지께 기도하였다. 내 앞에 놓인 길을 잘 걸을
수 있게 인도해 달라고 간청했다. 나의 인성(人性) 안에는 앞으
로 겪어야 할 고통을 피하고 싶은 욕망이 있었다. 그러나 나의
신성(神性) 안에는 그 고통을 참아낼 힘이 있었다.

기도와 깊은 묵상에 잠겨 걷고 있었는데, 갑자기 외치는
소리가 들렸다. "저것 좀 봐, 선생님께서 강물 위를 걷고 계셔!"

작은 야고보가 흥분하여 다른 제자들에게 외치는 소리였
다. 나는 계속해서 강 건너편을 향해 걸어갔다. 요한이 또 외쳤
다.

"정말 예수님께서 물 위를 걷고 계시네!" 강 건너편에 올
라서서 나는 제자들을 돌아보았다. 뒤늦게 온 토마스가 나 있는
쪽을 보며 투덜대는 소리가 들렸다.

"어디? 아무 일도 없잖아."

"사실이라니까!" 아직도 흥분이 가라앉지 않은 작은 야고
보가 큰 소리로 말했다.

"내 눈으로 보지 않고는 믿지 못하겠네." 토마스는 흥미
를 잃은 듯 모닥불이 있는 곳으로 돌아갔다.

"젊은 사람들은 상상을 잘 한다니까." 유다 역시 토마스
를 뒤따라서 모닥불이 있는 곳으로 돌아가며 한마디 했다.

베드로와 시몬과 안드레아는 작은 야고보와 요한과 함께
남아 있었다. "난 자네들의 말을 믿어." 베드로가 작은 야고보
와 요한에게 말하자, 시몬과 안드레아도 베드로의 말에 동의하
며 머리를 끄덕였다.

바로 그때 바르톨로메오가 눈을 비비며 왔다. "웬 소란이
야? 잠을 다 깼잖아."

베드로가 설명했다. "주님께서 강물 위를 걸어가시는 것을 작은 야고보와 요한이 봤다네."

"아, 뭐 그런 걸 가지고 그래." 별로 놀라운 일이 아니라는 듯이 바르톨로메오가 말했다.

나는 강 건너편에서 그들에게 손을 흔들면서 아침 인사를 했다. 그리고 나서 그들을 향해 물 위를 걸어왔다. 내가 강둑 위로 걸어나오자 베드로가 내 눈을 뚫어지게 쳐다보며 말했다.

"주님께서 지난 번에 호수 위를 걸어오셨을 때 저는 두려웠습니다. 그러나 오늘 주님께서 강물 위를 걸어오시는 것을 보니 기쁩니다. 주님, 저는 주님께서 이스라엘이 기다리는 '사람의 아들'이시며, 이스라엘의 '주님'이심을 압니다. 이제 다시는 두려워하지 않을 것입니다."

"베드로, 네가 진심으로 말하는 것을 안다. 그러나 장차 너의 마음 속에 공포가 가득할 날이 올 것이다. 그때가 되면 오늘을 기억하고, 네가 지금 한 말을 생각하여라. 그러면 그 공포를 극복할 수 있을 것이다."

"모든 사람들이 이 기적을 봤으면 좋았을 텐데요. 그러면 모두 주님을 믿게 될 텐데 말입니다." 아직도 흥분이 가라앉지 않은 작은 야고보가 말했다.

"야고보, 수많은 사람들이 보지 않고도 믿을 것이다. 수많은 사람들이 믿음과 사랑만으로 믿게 될 것이다. 그리고 그들은 그 보상을 받을 것이다." 말을 마치고 나서, 우리는 다른 제자들과 함께 아침 식사를 하기 위해 모닥불가로 갔다.

† † †

예

예수님

님

예수님 ††† 1997년 1월 18일

식사를 하다가 토마스가 물었다. "야고보와 요한이 주님께서 강물 위를 걸으셨다고 했는데 그 말이 사실입니까?"

"야고보와 요한이 네게 거짓말을 할 것 같으냐, 토마스야?"

"아닙니다, 주님. 그렇지만 저 사람들이 상상을 한 것일 수도 있을 것 같아서 말입니다."

"눈은 잘못 볼 수도 있지만, 마음으로 아는 것은 진실이다. 네 친구들이 네게 진심으로 말했지만, 너는 그들을 의심했다. 너는 그들의 마음이 진실하다는 것을 알고 있고, 또 네게 거짓말을 할 사람들이 아니라는 것을 알고 있으면서도, 그들을 의심했다. 많은 사람들이 그런 믿음을 가지고 있다. 그런 사람들은 눈으로 본 것만 믿을 것이고, 대다수의 사람들이 받아들이는 것만 믿을 것이며, 증명할 수 있는 것만 믿을 것이다. 그것이 무슨 믿음이겠느냐?

믿음이란, 비록 눈으로 보지 못하거나 귀로 듣지 못하더라도, 그리고 사람들이 하느님은 없다고 하거나 하느님의 말씀을 부정하더라도, 하느님을 믿고 하느님께 의지하는 것을 말한다. 네 마음 안에 있는 믿음을 찾도록 하여라. 그렇게 되면, 네가 진리를 알게 될 것이고, 기적이나 표시가 필요 없다는 것을 깨우치게 될 것이다."

　　토마스가 당혹해 하며 말했다. "죄송합니다, 주님. 저 사람들이 거짓말을 하지 않는다는 것을 압니다. 지난 번에 제가 직접 눈으로 보았기 때문에 주님께서 물 위를 걸으실 수 있다는 것을 알고 있지만 제가 깜박 잊어 버렸던 것 같습니다."

　　"토마스야, 너는 의심이 많은 성품을 지녔다. 많은 사람들이 그런 약점을 가지고 있는데, 너는 이제 그것을 깨닫기 시작했다. 그것을 깨닫는 것이 그 약점을 극복하는 첫 걸음이다.

　　너무 슬프게 생각하지 말아라. 네가 나쁜 뜻으로 그런 것이 아님을 알고 있고, 네가 야고보와 요한을 믿는다는 것도 알고 있다. 기분을 풀어라, 토마스야. 다들 너를 사랑하고 있고, 너도 우리의 형제가 아니냐?" 나는 토마스를 감싸 안으며 위로해 주었다.

　　"주님, 의심은 없애 버리기가 참 어려운 것입니다." 토마스가 아직 풀이 죽은 채 하소연을 했다.

　　"누구나 다 의심을 가지고 있다. 그리고 누구나 의심을 극복하는 길을 가지고 있다. 내가 곧 그 길이다. 그리고 그 길을 찾는 자에게는 항상 그 길이 열려 있을 것이다."라고 토마스에게 말해 주고는 남은 빵과 포도주를 마저 먹었다.

　　얼마 후 우리는 짐을 챙겨 들고 다음 마을로 떠났다. 도중에 보슬비가 내렸는데, 기분을 상쾌하게 하는 비였다.

　　모두가 침묵하며 걷던 중에 안드레아의 제안에 따라 기도를 하고 시편을 노래하였다. 기도 한마디 한마디를 할 때마다 발걸음이 점점 가벼워졌고, 우리의 목소리에는 기쁨이 넘쳐 올랐다. 한참 지나서 기도가 끝났을 때 유다가 물었다. "이쯤에서 쉬면서 식사를 했으면 싶은데요."

"나는 오늘 다시 먹지 않겠다." 나의 말에 유다는 또 다시 금식할 생각에 풀이 죽은 듯 하였다.

"각자 속으로 기도하면서 계속 길을 가도록 하자." 나는 미소를 지으면서 말했다. 가련한 유다 외에는 모두 금식하는 것을 좋아했기 때문에 계속해서 침묵을 지키며 걸었다. 기도를 하면서 가슴 속에 아버지의 힘을 느끼면서 마치 내 가슴이 점점 더 커지는 것 같았다. 그때 아버지께서 말씀하셨다. "너의 가슴은 영원한 사랑을 모두 담을 수 있을 만큼 크다."

내 앞에서 눈부시게 빛나고 있는 나의 가슴을 보았다. 그리고 가슴 옆에서 흘러나오는 피가 온 땅을 덮었다. 땅에서 수없이 많은 향기로운 장미꽃들이 솟아 나오자 아버지께서 말씀하셨다. "이것은 너의 사랑을 받아들인 영혼들이다." 그 순간 온 세상이 하나의 거대한 장미동산이 되어 사랑의 향기를 풍기고 있었다.

아버지께서 말씀하셨다. "바로 이것을 위하여 나의 사랑을 닮은 사람이 창조되었던 것이다. 내 아들아 네가 바로 나의 사랑이다."

기도를 마치고 보니 날이 어두워지고 있었다. 먼 곳에 있는 마을에서 아스름한 불빛이 비치고 있었다.

"주님, 여기서 야영을 할까요, 아니면 저 마을까지 계속 걸어갈까요? 마을까지 가려면 두 시간 정도는 더 걸어야 할 것 같은데요." 베드로가 물었다.

"내일 저 마을로 가기로 하고, 오늘밤은 여기서 지내도록 하자. 저기 잔디가 푹신해 보이니 저기서 쉬면 좋겠구나." 나는 길 옆에 있는 들판으로 걸어가서 작은 나무에 기대어 앉았다.
곧이어 제자들이 따라왔고, 금방 모닥불이 타올랐다. 하루종일
걷느라고 고단하였던지 바로 잠이 들었는데, 향기로운 장미꽃
냄새가 나를 감싸며 풍기고 있었다.

　다음날 아침 나는 기쁨으로 가득차서 잠을 깼다. 나의 가
슴에 사랑의 불꽃이 타오르는 듯 했다. 영원 속에 있는 사랑의
모든 순간들, 사랑의 모든 언어들, 사랑의 모든 행동들, 사랑의
모든 생각들을, 내 안에서 낱낱이 느낄 수 있었다. 내 주위 어
디를 보나 사랑이 가득했다. 내 아버지의 사랑이, 창조주의 사
랑이….

　나는 매 순간, 주위를 덮고 있는 아버지의 사랑을 들이키
면서 앉아 있었다. 자신을 둘러싸고 있는 이 사랑을 깨닫지 못
하고, 관심도 갖지 않는 사람들이 있다는 것은 얼마나 슬픈 일
인가. 대부분의 사람들이 이 사랑을 이해하지 못하고, 자기 생
활 안으로 받아들이지 못하는 것은 얼마나 슬픈 일인가. 이 사
랑에 들어오지 않고 바깥에서 살아 감으로써 얻는 결과를 보게
되는 것은 얼마나 슬픈 일인가. 하느님의 사랑 안에서 기쁨과
행복과 그리고 영원한 평화를 얻을 수 있음에도, 사람들이 그것
을 거부한다는 것은 얼마나 슬픈 일인가.

　먹을 것을 찾으며 모닥불 주위를 이리저리 뛰어다니는 새
에게 빵을 쪼개어 던져 주었다. 빵을 다 쪼아 먹은 새는, 사랑
이 가득한 정겨운 목소리로 노래를 부르기 시작했다. 새들의 노
랫소리가 기쁨을 주었는데, 내가 기뻐하는 것을 알았던지 새는
한층 더 고운 목소리로 노래를 했다. 새가 보여 준 그 순수한
사랑은, 아버지께서 창조하신 피조물 본래의 사랑이었다. 잠에서

깬 몇몇 제자들이 놀란 눈으로 새의 노래를 듣고 있었는데, 갑자기 새가 노래를 멈추고 날아가 버렸다.

"새 소리가 정말 아름다웠습니다." 잠이 많은 바르톨로메오도 새의 노랫소리에 잠을 깼던 것이다.

"새가 겁도 없이 그렇게 가만히 앉아서 노래를 부르다니 정말 믿기 어렵습니다." 요한의 형 큰 야고보가 상기된 목소리로 말했다.

"나도 그런 것은 생전 처음 봤어!" 동생 요한도 형의 말에 동조하여 감탄을 했다.

"너희가 사랑으로 산다면 이런 일을 자주 보게 될 것이다. 하느님의 사랑 안에서 모든 피조물이 너희와 일치를 이루게 된다. 모든 피조물은 하느님의 사랑으로 창조되었기 때문이다. 완전히 하느님의 사랑 안에서 살게 되면, 짐승들과 새들과 사람들이 서로에게 느끼고 있는 공포가 사라질 것이다. 공포가 없어지면 모든 피조물들은 서로 친구가 될 것이다. 하느님의 사랑을 서로 나누며 함께 살아 가는 친구가 될 것이다."

나는 장차 동물들과 이야기하면서, 하느님께서 선물로 주신 동물들에 대해 감사할 줄 아는 아주 특별한 사람을 생각했다.

그 사람은, 하느님의 사랑 안에서 사람들이 노력만 한다면 모든 조물과 하나로 일치할 수 있다는 것을 보여 줄 것이고, 많은 사람들이 나에게 돌아오도록 인도할 것이다.

"오늘은 식사를 하게 되는 겁니까?" 유다가 뿌루퉁한 표정에 짜증스런 목소리로 물었다. 새의 노래를 듣게 해 주신 은혜에 감사할 줄 모르고 자신만을 생각하는 유다가 안타까웠다.

수많은 사람들이 유다처럼 자신만을 생각하며 살고 있는 것은
얼마나 안타까운 일인가.

　　아침 식사를 마친 후에 잠시 기도를 바치고 나서, 다음
마을을 향해 떠났다. 마을 어귀에 도착했을 때, 우리는 그마을
이 슬픔으로 가득찬 곳임을 알 수 있었다.

　　나는 제자들과 함께 회당을 찾아서 마을 가운데로 들어갔
다. 지나가는 사람들은 기쁨이 없는 슬픈 표정들을 하고 있었
다.

　　"주님, 여기는 아주 비참한 곳이군요." 베드로의 말에 대
답을 하지 않고 나는 눈 앞에 보이는 회당으로 걸어갔다.

　　회당 안으로 들어가니 오십 명 가량의 남자들이 모여서
성서에 대해 토론하고 있었다. 그 중 몇 사람이 우리를 돌아보
고는 다시 토론을 계속했다. 회당 안에서조차 절망의 기운을 느
낄 수 있었다. 나는 앞으로 나가서 성서 두루마리 하나를 집어
들고 거기 적힌 글을 읽었다. "그를 찾으시오. 그러면 만나 주
실 것이오. 그러나 그를 저버리면, 그도 여러분을 저버리실 것
이오."(역대기 하 15:2-3).

　　나는 두루마리를 제자리에 내려놓고 말했다. "여러분이
야훼를 찾기만 하면, 야훼께서는 여러분을 기다리고 계시다가
당신 품 안으로 반겨 맞으실 것입니다. 야훼께서 바라시는 것은
오직, 여러분이 당신을 사랑하고 당신의 계명을 지켜서 당신을
잃지 않는 것입니다. 여러분이 하느님의 사랑을 무시하고 그분
의 계명을 지키지 않을 때, 여러분은 그분을 잃게 되고 슬픔과
고통이 여러분의 생활을 지배하게 됩니다. 하느님께서는 이스라

엘 백성과 계약을 맺으셨고, 그 계약을 지키십니다. 이스라엘
백성은 하느님께 맹세한 약속을 깨뜨렸고, 그래서 그 값을 치르
고 있습니다."

회당 안에 있는 사람들은 침묵 속에서 내가 하게 될 다
음 말을 기다렸다.

"이 마을은 슬픔이 가득하고, 비탄에 젖어 있으며 절망
속에 묻혀 있습니다. 이 모든 것은 하느님을 외면하고 로마인들
에게 아첨함으로써 여러분 스스로가 불러들인 것입니다. 로마인
들의 요구가 점점 많아져서 이제 여러분은 그것을 감당할 수
없게 되었습니다. 로마인들에게 아첨하느라고, 여러분은 하느님
께 등을 돌렸고, 여러분의 안녕과 복지에는 조금도 관심이 없는
사람들의 손에 자신을 내맡겼습니다. 그리고 지금 그 대가를 치
르고 있습니다.

이제 하느님께로 돌아가서 용서를 빌고, 마음을 열어 하
느님의 사랑을 받아들여야 할 때가 왔습니다. 하느님을 찾으십
시오. 그러면 여러분을 기다리고 계시는 하느님을 만나게 될 것
입니다. 하느님께서는 지금까지 기다리고 계셨습니다. 여러분을
용서해 주시고, 도와 주시고, 사랑해 주시고자 기다리고 계십니
다." 말을 마치고 나는 제자들이 있는 자리로 가서 앉았다.

한 남자가 어리둥절한 표정을 한 채 일어나서 말했다.

"우리가 무엇을 했는지 당신이 어떻게 아십니까?"

"나는 알고 있소. 그리고 오직 하나밖에 없는 유일한 해
결책을 말씀드렸소. 여러분이 다 잘 알고 있었던 것이지만 지금
은 잊어 버린 그 해결책을 말이오."

"옳은 말씀입니다. 우리는 로마의 환심을 사고자 했습니

다. 로마인들이 원하는 대로 했습니다. 어떻게 해서라도 로마인들을 도와 주었고, 그들은 우리의 상품을 사 주면서 우리에게 많은 보답을 해 주었습니다. 로마인들의 보호와 후원 하에서 우리는 잘 살았습니다.

그러나 그들의 보호와 후원이 없어진 다음, 우리는 잘못을 깨닫게 되었습니다. 어제 로마 군인들은, 미혼이든 기혼이든 가리지 않고 마을의 젊은 여자들을 창녀로 만들기 위해 잡아갔습니다. 때로는 로마의 신들을 모시기까지 하면서 그들에게 바친 충성도 소용이 없었습니다. 로마 군인들은, 우리가 로마의 친구니까 그들이 마을 여자들을 데리고 가는 것을 고마워해야 한다고까지 말했습니다.

그들은 열살짜리 어린 소녀까지도 잡아갔습니다. 우리는 이제 너무 죄스러워서 하느님께 도움을 청하기조차 부끄럽습니다. 우리가 잘 살 때는 하느님께 등을 돌렸다가, 어려움에 부딪쳐서야 하느님께 도움을 청한다는 것이 너무 염치없는 것 같아서 말입니다." 그 남자가 한숨을 내쉬며 말했다.

"야훼를 찾으시오. 그러면 그 분은 당신을 만나게 해 주실 것이오. 기도와 사랑으로 그 분을 찾으시오. 그러면 만나 주실 것이오." 나는 그들을 격려해 주었다.

"그렇게 하겠습니다." 그 남자가 대답을 하고는, 사람들에게 돌아서서 말했다. "오늘 회당에 사람들을 불러 모아 꽉 채우게 합시다. 사람들을 모두 모아서 하느님께 용서를 빌고, 도움을 청하도록 합시다." 회당 안에 있던 사람들은 흥분하여 마을 사람을 부르러 밖으로 달려나갔고, 얼마 안 있어 회당 안은 마을 사람들로 꽉 찼다.

내가 일어서서 말했다. "이제 하느님께 기도하십시오. 진심으로 기도하십시오. 죄를 통회하고 이스라엘의 하느님께로 돌아와서 그분의 도우심을 청하십시오. 여러분의 조상들이 사막에 있었을 때 했던 것처럼 말입니다."

몇 시간이 지나도록 기도는 계속되었다. 낮이 지나고 밤이 되었는데도 기도의 열성은 식지 않았고, 마을 사람들은 부인들과, 딸들과 여동생들, 누나들이 돌아오게 해 달라고 하느님께 빌고 있었다. 아침 해가 떠올랐는데도 기도는 계속 되었다.

그들은 기도하고 또 기도했다. 온 동네 사람들이 하느님께 매달려 그분의 도우심을 빌고 있었다. 오후가 지나자 많은 사람들이 잠이 들었지만, 그때까지도 기도를 계속하려고 애를 쓰는 사람들이 있었다.

나는 이십대 초반으로 보이는 한 젊은이에게 다가갔다. 그는 온 정성을 다 바쳐 울면서 기도하고 있었다. "울지 말고, 하느님께 의탁하시오." 내가 다정하게 말했다.

"그 군인들이 제 아내를 잡아갔습니다. 우리는 신혼이었습니다. 아내를 다시 만날 수 있을지 모르겠습니다. 오 하느님, 도와 주십시오!" 하면서 그 남자가 흐느꼈다.

"하느님께서 당신의 기도를 들어 주시게 되면, 지금 이 시간을 잊지 말고, 다시는 하느님께 등을 돌리지 마시오."

"하느님께서 제 기도를 들어 주시면, 제가 살아 있는 동안 날마다 하느님께 감사드리겠습니다."

"그 약속을 잊지 마시오. 절대로 그 약속을 잊어서는 안 되오."

바로 그때 환호성이 들렸다. "여자들이다! 여자들이 돌아왔다! 돌아왔어!" 기도하고 있던 사람들과 잠들었던 사람들도 모두 일어나서 돌아온 여자들을 보러 회당 밖으로 달려나갔다. 여자들은 함께 뭉쳐 걸어오고 있었다. 그들이 마주쳤을 때는 서로 얼싸안느라고 수라장이 되었다.

"여보, 보고 싶었소." 울면서 기도하던 그 젊은이가 돌아온 아내를 팔에 안고 큰 소리로 외치며 아내의 얼굴에 거듭 입맞춤을 했다.

"그런데 당신들은 어떻게 빠져나올 수 있었소?" 마을의 한 남자가 물었다.

"그냥 가라고 했어요. 이유도 없이 말예요. 우리한테 손도 안 댔어요. 오늘 아침에 백부장이 우리더러 집에 가라고 하면서, 로마의 자비에 감사하라고 했어요." 한 여자가 대답했다.

"로마에게 감사하라고! 다시는 그런 일이 없을 걸. 나는 앞으로 이스라엘의 하느님이신 야훼께만 감사드릴 거야!" 울면서 기도하던 젊은이가 자기의 결심을 외쳤다.

"나도 마찬가지일세!" 다른 사람이 소리치자, 또 다른 사람이 소리쳤고, 연달아 마을 사람 모두가 소리쳤다. 순식간에 슬픔은 잊혀졌고, 잔치가 준비되고 있었다.

잔치가 시작되기 전에 회당 안에서 말했던 사람이 나서서 제안을 했다. "우선 야훼께 감사 기도를 드리고, 다시는 야훼를 잊지 않도록 합시다." 마을의 모든 남자들이 회당을 향해 가고 있을 때, 내가 제자들에게 말했다. "이제 떠나자. 더 이상 이곳에 있을 필요가 없다."

"잔치는 어떻게 하구요?" 유다가 의아한 듯 물었다.

"자기네들끼리 잔치를 하도록 놔 두어라. 그러면 그들의 사랑이 커지고, 하느님 안에서 서로 더 가까워지게 될 것이다."
유다에게 대답한 다음 제자들을 데리고 마을을 떠났다.

마을을 떠난 지 얼마 안 되어서, 회당에서 울며 기도하던
젊은이가 우리를 쫓아왔다. "떠나지 마십시오. 선생님께 감사하
다는 인사도 제대로 못 드렸습니다. 마을 사람들이 절더러 선생
님을 모시고 오라고 했습니다."

"우리는 떠날 시간이 되었소. 당신들은 이제 우리가 더
이상 필요 없을 것이오. 다만 당신이 했던 약속을 잊지 말고
지키도록 하시오."

"잊지 않겠습니다. 꼭 지키겠습니다." 젊은이는 거듭 다
짐을 했다. 나는 그가 진심으로 말하는 것을 알았다.

"그런데 선생님은 누구십니까?" 젊은이가 물었다.

"그분을 찾으시오. 그러면 만나 주실 것이오."

"무슨 말씀이신지 잘 모르겠지만, 여기 이 돈이라도 받으
십시오. 선생님의 도우심에 감사하는 마음으로 드리고 싶습니
다. 저희 마을 사람들이 조금씩 거둔 것입니다." 젊은이가 무거
운 돈주머니를 내게 건네 주었다.

"고맙소. 잘 쓰도록 하겠소." 나는 그 돈주머니를 바로
유다에게 건네 주었고, 유다는 기분이 좋아졌다.

"선생님이 누구시라고 사람들에게 전할까요?" 젊은이가
다시 물었다.

"나는 그들의 기도에 대한 응답이고, 그들의 가슴이 찾는
바로 그 사랑이오."

나를 쳐다보다가 그가 말했다. "무슨 말씀이신지 저는 잘
모르겠습니다만, 말씀하신 대로 전하겠습니다. 감사합니다. 다시

만나 뵐 수 있기를 바랍니다." 그는 정중하게 인사를 하고는 돌아서서 아내가 있는 마을로 달려갔다.

　"다시 만날 것이다." 나는 혼잣말을 하면서 예루살렘에서 내가 십자가를 지고가던 그 날을 보았다. 그때 그는 비록 너무 두려워서 나를 돕지 못하고 말없이 지켜보아야 했지만, 마음 속으로는 간절히 나를 돕고 싶어 했다. 그가 참으로 나를 사랑하는 줄을 알기 때문에 나 역시 그를 사랑했던 것이다.

예
예수님
님

예수님　†††　1997년 1월 19일

　밤을 지내기 위해 다시 길가에 짐을 풀었다. 제자들이 불을 피우고 있을 때, 유다는 어두운 곳에서 우리가 받은 돈을 세고 있었다. 많은 돈 때문에 유다의 가슴에 기쁨이 부풀어오르는 것을 보았다. 유다는 마을에서 일어났던 일에 대해서는 벌써 까마득히 잊어 버리고 있었다. 따뜻한 빵과 생선 요리가 준비되고, 아버지께 감사기도를 드린 후 우리는 모두 맛있게 식사를 했다.

　식사를 하면서 안드레아가 내게 물었다. "주님, 전에는 기도를 아예 하지 않았던 그 사람들이 어떻게 그렇게 오랫동안 열심히 기도를 할 수 있을까요?"

　"절박한 상태에 처하게 되자, 그들을 도울 수 있는 분은 하느님뿐이라는 것을 깨달았기 때문이다. 일단 그것을 깨닫게 되자, 하느님께서 그들의 기도를 들어 주실 것을 굳게 믿고, 온 정성을 다하여 열렬히 기도하게 되었다. 그리고 하느님께서는 그 기도를 들어 주신 것이다."

"왜 그들은 로마인들이 여자들을 잡아간 그때부터 기도를 시작하지 않았을까요?" 이렇게 묻는 토마스는 마을 사람들이 그렇게 갑자기 변할 수 있었다는 것을 의심하고 있었다.

"그들은 노력하고 있었다. 우선 회당으로 갔고, 어떻게 할 것인지 의논했다. 하느님께 등을 돌렸는데 이제 와서 다시 기도하면 하느님께서 과연 기도를 들어 주실까 하고 걱정했다. 그러나 내가 읽어 준 성서 말씀을 듣고 나서야, 하느님을 찾기만 하면 와 주신다는 것을 깨닫게 되었고, 하느님께 등을 돌림으로써 그들이 스스로 하느님으로부터 멀리 떠났다는 것을 깨닫게 된 것이다.

내가 읽은 성서 말씀은 하느님께로 돌아오라는 내용이었다. 하느님께서는 당신의 도움을 청하기를 기다리고 계셨고, 그 청을 들어 주신다는 내용이었다. 이 사실을 알게 되자, 그들은 기도를 중단할 수가 없게 되었고, 지쳐서 잠들 때까지 기도를 한 것이다. 하느님께서는 그들이 진리에 눈을 뜨게 된 것을 보시고, 그들의 기도를 들어 주신 것이다."

"주님, 기도는 참으로 강력한 것이라서, 기도로써 하지 못할 것이 없는 것 같습니다." 큰 야고보가 말했다.

"그렇다. 하지 못할 것이 없다. 진심으로 기도하면서, 하느님께서 무엇이든지 들어 주신다는 것을 믿으면, 기도로써 못할 것이 없다."

"뭐라고요! 지금 무엇이든지라고 하셨습니까?" 유다가 물었다. 유다는 자신이 세상에서 원하는 것을 다 가질 생각을 하고 있었다.

"그렇다. 네 자신에게 유익하거나, 다른 사람한테 유익한 것이라면 무엇이든지 이루어질 수 있다. 너희가 하느님께 더 가까이 갈 수 있게 해 주는 것이라면 무엇이든지. 죄가 아닌 것이라면 무엇이든지. 그리고 하느님의 뜻에 맞는 것이라면 무엇이든지 이루어질 수 있는 것이다." 유다에게 대답을 하면서 나는 변하지 않는 유다의 마음 때문에 슬펐다.

베드로가 생각에 잠긴 채 말했다. "기도는 하느님께서 우리에게 주신 아주 강력한 선물이고, 좋은 데에 쓰라고 하시는 선물이지요."

"네 말이 맞다, 베드로. 기도는 너희가 하느님 안에서, 하느님의 사랑 안에서 자랄 수 있도록 하느님께서 주시는 선물이다. 많은 사람들이 필요 없다고 생각하지만, 기도는 이 세상에 있는 모든 재물을 다 합친 것보다 더 값진 것이다."

필립보가 물었다. "주님, 그 여자들이 어떻게 풀려날 수 있었을까요?"

나는 필립보를 쳐다보며 미소를 지었다. "기도의 힘 때문에 로마 군인들은 그 여자들을 풀어 줄 수밖에 없었다."

그때 나는 여자들을 잡아가는 군인들의 영상을 눈 앞에서 보았다. 그들은 쓸모 있는 노예를 얻게 되었다고 좋아하고 있었다. 그 날 저녁 그들은 길에서 다른 부대 소속 군인들을 만나게 되었는데, 같이 야영을 하면서 자신들이 잡아가는 여자들에 대해 이야기했다. 다른 부대 소속의 백부장은 자기 부하들이 그 여자들한테 손을 대지 않을 것이라고 했다. 그 지역에서 데리고 갔던 여자들 중에 나병을 앓는 여자들이 있어서, 자기 부하들한 테도 나병이 퍼져 많이 죽었기 때문이라고 했다.

나병이라는 말을 듣게 되자 아무도 여자를 취하려 하지 않았고, 나병을 옮게 될까 봐 다들 두려워했다. 그래서 다음날 아침에 여자들을 기꺼이 돌려보내게 되었고, 여자들이 가는 것을 보고 오히려 기뻐했다. 그들은 다른 데서 노예를 구할 생각이었다.

그것은 기도의 힘이었다. 대부분의 사람들은 이해하지 못하고 믿지 않지만, 그것을 받아들이기만 한다면, 기도는 온 세상을 바꿀 수 있는 힘을 가지고 있는 것이다.

요한이 말했다. "어떤 때는 기도하기가 어렵고, 어떤 때는 기도하기가 쉽습니다. 왜 그런지 그 이유는 잘 모르겠지만 한가지 알 수 있는 것은, 기도를 많이 하면 할수록 더 하고 싶어지고, 힘들게 기도를 하고 나면 반드시 기쁨이 넘치는 날이 온다는 것입니다."

"저도 그렇습니다." 바르톨로메오가 말했다. "어떤 때는 기도를 하고 나면 지쳐서 잠을 자야 합니다." 바르톨로메오의 말에 몇몇이 웃음을 터뜨렸다.

그러자 마태오가 말했다. "그럼, 너는 기도를 광장히 많이 하나 보구나."

내가 계속해서 설명을 했다. "기도하는 것이 어려울 때가 많을 것이다. 바르톨로메오처럼 기도하다가 잠이 들어버릴 때도 있을 것이다. 중요한 것은 포기하지 않는 것이다. 어떤 일이 있어도 기도를 중지해서는 안 된다. 너희가 기도를 하지 않으면,

천국으로 가는 발걸음이 더 힘들어지기 때문이다.

기도는 여러 면에서 힘을 발휘하는데, 무엇보다도 가장 중요한 것은 기도가 천국으로 올라가는 길을 점점 더 분명하게 밝혀 준다는 것이다. 천국으로 가는 길을 분명히 보게 된다면, 어떻게 살아야 하는지도 알게 되기 때문이다."

필립보가 나를 쳐다보며 물었다. "주님, 주님께서 저희들에게 어떻게 기도를 하며, 왜 기도를 해야하는지 가르쳐 주셨습니다. 그런데 계속해서 기도를 하다 보면, 어떤 때는 그저 습관적으로 반복만 하게 되는 것 같습니다. 그래서 가끔 기도를 바꾸어야 할지, 말을 바꾸어야 할지 잘 모르겠습니다. 같은 기도를 계속해서 되풀이하지 않게 말입니다."

"중요한 것은 네 마음이다. 네가 기도할 때 하는 말은, 네 마음을 하느님께 열어드리기 위한 것이다. 네 마음이 기도하는 데에 있다면, 같은 기도를 날마다 되풀이해도 상관 없는 것이다.

가끔씩 기도할 마음이 없을 때에는 네가 말하고 싶은 대로 하느님께 사랑의 말씀을 드리고, 마음 속으로 느끼는 것을 있는 그대로 말씀드리도록 하여라. 그리고 나서 가능하면 다시 일상 기도를 바치도록 하여라. 많은 사람들이 매일 같은 기도를 바침으로써, 일정한 시간에 일정한 방식으로 하느님을 생각하도록 자기 마음을 훈련시킨다.

그것은 아기가 걸음마를 배우는 것과 같다. 아기는 자기 몸이 넘어지지 않고 움직일 수 있도록 균형잡는 훈련을 함으로써 걸음마를 배우게 되는 것이다. 매일 하는 기도도 그런 것이다.

매일 하는 기도는 마음과 몸과 영혼을 훈련시켜 하느님을 찬미하는 기도를 하게 하고, 하느님의 사랑을 받아들이게 한다. 매일 하는 기도는 그것이 반복되는 내용이든 아니든 상관없이, 하느님의 사랑을 막고 있는 장애물들을 없애 준다. 매일 하는 기도는 중요한 것이다. 그리고 매일매일이 기도하는 삶이 되어야 한다."

"어떤 기도가 완전한 기도로서, 하느님의 사랑과 뜻을 완전하게 받아들이는 기도가 되겠습니까?" 베드로가 물었다.

"장차 그 기도를 알게 될 것인데, 너희들이 그 완전한 기도를 온 세상에 알리게 될 것이다."

"주님, 그것이 어떤 기도입니까?" 큰 야고보가 흥분하여 물었다.

"때가 되면 배우게 될 것이다. 아직은 때가 아니다. 그러나 머지않아 그때가 올 것이다." 큰 야고보에게 다정하게 말해 주고 나서, 나는 나의 희생을 생각했다. 가장 완전한 기도로써, 끊임없이 되풀이 될 나의 희생인 성체를 생각했다.

† † †

에임스씨의 메모

예수님께서는 『예수님의 눈으로』라는 제목의 이 연속되는 간행물로 우리를 데리고 가시어, 이 세상에 계실 때의 당신 생활을 보여 주시니, 사도들의 서로 다른 개성을 알 수가 있습니다. 책을 읽어 가면서 우리는 사도들을 좀더 깊이 있게 이해할 수 있습니다.

이것을 생각하면서, 여러 사도들이 나에게 준 메시지 몇 가지를 여러분들에게 보여 주라는 영감을 받았습니다(이 메시지의 좀더 자세한 내용과 다른 여러 메시지는 다음 책에 싣겠습니다). 이 메시지들을 통하여 사도들과, 그들의 고투(苦鬪)와, 하느님께 대한 그들의 사랑이 여러분에게 좀더 선명하게 알려지게 되고, 여러분이 주님께 좀더 가까이 갈 수 있게 되기를 바라는 마음 뿐입니다.

천주 성부 †††   1995년 8월 5일

내 아들 예수가 이 땅에 있는 동안, 그를 둘러싸고 있던 사람들을 보니, 그들은 장점과 단점을 가지고 있었다. 그들은 바로 그 장점과 단점 때문에 선택되었는데, 그 이유는 내 아들 예수의 도움을 받아, 그 장점과 단점들이 미덕(美德)으로 변하는 것을 모든 사람들에게 보여 주기 위해서였다.

장점은, 겸손과 사랑의 미덕이 되었다. 약점은, 오직 예수의 도움으로 극복할 수 있다는 것을 받아들이는 미덕이 되었다.

제자들은 인간의 모든 성격을 다 가지고 있었다. 그리고 그들은 겸손과 사랑으로 예수를 받아들이고, 예수의 사랑으로

그들의 단점을 극복한다면, 모든 사람들이 다 성인 성녀가 될
수 있다는 것을 보여 주었다.

성 베드로 ††† 1995년 10월 8일

　　예수님께서 고난을 당하고 계실 때, 나는 주님을 세 번이
나 부인했다. 그런데도 예수님께서는 나를 용서해 주셨다. 그러
나 내가 나 자신을 용서할 때까지는 완전하게 용서를 누리지
못했다. 한 번도 아니고 세 번씩이나 예수님께 등을 돌린 것을
생각할 때마다 얼마나 괴로웠는지 모른다. 주님께서 다시 부활
하시어, 나에게 당신의 사랑과 용서를 베풀어 주시며, 당신을
부인했던 나에게 당신의 교회를 이끌어 갈 영광을 주셨다.

　　나를 용서해 주셨을 뿐 아니라, 이 부족한 나에게 그렇게
엄청난 선물까지 주시는 그 사랑은 얼마나 위대한 것인가. 예수
님께서는 모든 사람들을 이와 똑같이 사랑하시는데도, 얼마나
많은 사람들이 죄를 지었는지…, 그래도 하느님은 얼마나 부정
했는지를 상관않고 용서해 주고 싶어 하신다. 그리고 용서해 주
시면서, 당신의 사랑으로 가득 채워 주신다. 이 용서를 받아들
이느냐 마느냐 하는 것은 각자의 결정에 달려 있는 것이다.

성 베드로 ††† 1995년 7월 8일 (에임스씨는 이미 베드로 성인을
보았지만, 성인을 알아보지 못한 적이 있었다.)

　　오래 전에 내가 거기 있었는데, 너는 나를 알아보지 못했
다. 너는 나를 쳐다보았지만 알지 못했다. 이제 나를 알고, 나
와 함께 참 메시아이시며, 참 주님이시며, 참 하느님이신 우리
주 예수 그리스도께 찬미의 노래를 부르자.

성부와 성령과 함께 예수님께서는 참 하느님이시다. 예수
님은 우리의 주님이시며, 우리의 구세주이시고, 우리의 벗이시
며, 우리의 참 하느님이시다. 인간을 위해 통곡하신 예수님께서
는 피눈물을 흘리셨고, 사랑의 눈물을 흘리셨다. 이 세상에서
당신의 가족을 완전하게 사랑하신 예수님께서는 아무런 차별없
이 모든 사람을 사랑하셨다. 예수님께서는 몇 사람만 구원하신
것이 아니라, 모든 사람을 구원하셨다. 예수님은 우리 주님, 우
리 하느님, 우리 선생님, 우리의 가장 절친한 친구로써 예수님
의 용서하심은 끝이 없으시다. 예수님께서는 모든 사람들에게,
"나의 사도가 되어 나를 따라오너라." 하고 말씀하신다.

성 베드로 ††† 1997년 6월 21일

로마에서 내 생애는 끝났다. 그러나 하느님과 함께 사는
영원한 생명은 로마에서 시작되었다. 예수 그리스도께로 가는
나의 발걸음은 로마에서 끝났지만, 천국의 영원한 안식은 로마
에서 시작되었다. 참 하느님이시요 참 사람이신 예수 그리스도
를 내가 얼마나 사랑하는지를 알리며, 목숨을 바친 곳도 로마였
다.

성 베드로 ††† 1995년 11월 1일

예수님의 성체와 성혈은, 천국에 있는 모든 성인 성녀들
에게 주는 특별한 사랑의 선물이 된다. 너희가 그것을 바칠 때,
가슴을 열고 너의 사랑을 예수님의 사랑으로 포장하여, 너희를
사랑하는 모든 성인 성녀들에게 보내도록 하여라.

성 요한   †††   1996년 11월 1일

　　교회 안에서, 하느님의 사랑을 보아라.
　　교회 안에서, 하느님의 선물을 보아라.　`
　　교회 안에서, 하느님께 나아가는 길을 보아라.

성 요한   †††   1996년 11월 1일

　　내가 하느님의 말씀을 기록할 때, 나는 기도하고 또 기도
하였다. 너희도 그렇게 하여라.
　　내가 하느님의 말씀을 전파할 수 있도록 하느님의 도움을
청할 때 꼭 기도를 바쳤고, 하느님께서는 내 기도를 들어 주셨다.

성 바르톨로메오   †††   1997년 11월 1일

　　하느님의 사랑이 주는 고통을 나누어 가져라. 그 희생으
로써 너희가 영혼들을 구하는 것이다. 하느님의 사랑이 주는 영
광을 나누어 가져라. 그럼으로써 너희가 하느님께 영광을 드리
게 되는 것이다.
　　하느님의 은총을 나누어 가져라. 그럼으로써 하느님께서
살아 계시다는 것을 모든 사람들에게 보여 주게 되는 것이다.

성 토마스   †††   1997년 4월 22일

　　의혹을 없애기 위해, 기도하여라.
　　오류에 빠지지 않기 위해, 기도하여라.
　　평화 속에 머무르기를 원한다면, 기도하여라.
　　의혹과 오류를 없애고, 평화를 얻게 하는 하느님의 은총

이, 바로 기도인 것이다.

성 유다 태래오 †††   1996년 11월 1일

하느님께서 주시는 치유의 힘을 받는 것은, 네 믿음에 달려있고 하느님께 대한 네 사랑에 달려있다.

너희가 하느님을 사랑하고, 그분의 이름으로 무엇이든지 못할 것이 없다는 것을 믿기만 한다면, 무엇이든지 못할 것이 없도다!

성 유다 †††   1997년 11월 1일

하느님의 가족, 모든 사람들.
하느님의 사랑, 모든 사람들.
하느님의 희망, 모든 사람들.
모든 사람들이, 하느님의 사랑과 희망의 가족 안에 있는 자기 자신의 위치를 받아들이고, 한 사람도 잃지 않도록 기도하여라.

†표지에 있는 예수님 성화에 관한 설명†

1996년 7월 어느 날, 나는 책상에 기대어 서서 우리 주 예수님께서 이 책, 『예수님의 눈으로』의 표지를 어떻게 만들고 싶어 하실지에 대해 생각하고 있었습니다. 그때 책꽂이에서 그림 한 장이 떨어져 나왔는데, 바로 책 앞표지에 있는 그림이었습니다. 예수님께서는 "이것이 이 책 표지에 사용할 그림이다." 하고 말씀하셨습니다.

그림에 있는 예수님의 눈과 시선이 마주쳤을 때, 그 눈 속으로 끌려 들어가는 것 같았고, 예수님의 깊으신 사랑을 느낄 수 있었습니다. 그러나 비록 비슷한 점이 없는 것은 아니지만 이 그림 속의 예수님의 모습은 내가 뵙는 예수님과는 달랐습니다. 그렇지만 나는 이 그림에서 예수님의 사랑을 느낄 수가 있었습니다.

예수님께서 내게 나타나실 때, 나는 그분의 사랑과, 자비와, 관대하심에 압도되곤 합니다. 때로는 나와 모든 사람들에 대한 그분의 열절하신 사랑에 눈물 흘리기도 합니다.

내가 뵙는 예수님께서는 갈색 머리카락과 수염을 가지셨습니다. 예수님의 피부 색깔은 약간 볕에 그을린 듯 하고, 키는 크십니다. 이제껏 내가 본 어떤 예수님의 그림도 그분을 정확하게 그리고 있지는 못합니다. 그러나 각 그림들은 내가 뵙는 예수님과 조금씩은 비슷한 곳이 있습니다.

내가 예수님의 모습을 묘사하기 어려운 만큼이나, 예수님한테서 느끼는 그 온화함, 그 사랑, 그 우정을 설명하기란 어렵습니다. 예수님을 꼭 닮은 사진은 한 번도 본 적이 없지만, 주님께서 이 책을 위해 이 그림을 권하셨으니, 주님 생각에는 이 그림이 가장 적당하다고 여기신 것으로 나는 믿고 싶습니다.

이 책이 출판되기까지 기도와 희생과 사랑으로 협조해 주신 하 안젤라 여사, 한 바오로씨, 하 프란치스꼬씨, 특히 김기수 신부님과 정 마르꼬 신부님께 진심으로 감사드립니다.

역자 원아영

예수님의 눈으로 2

Through the Eyes of Jesus

1999년 9월 15일 교회 인가
서울 대교구 정진석 대주교

2000년 5월 15일 1판 1쇄
2002년 9월 30일 1판 2쇄

지은이 • 앨런 에임스
옮긴이 • 원아영
편 집 • 김거용
펴낸이 • 한용환
펴낸곳 • 가톨릭 크리스챤

142-109 서울 강북구 미아 9동 98-39
등록 • 1993. 10. 25 제7-109호
전화 • 987-9333~5   팩스 • 987-9334
한빛은행 • 058-076309-02-001
지로 • 3001763
대체 • 010017-31-0556332
체신온라인 • 011726-0058724

값 8,000원

ISBN 89-88822-12-9
ISBN 89-88822-10-2(제2권)